令和**7**年度

基本情報技術者

超効率の
TIME PERFORMANCE!
教科書
＋よく出る問題集

著 五十嵐順子

インプレス

ごあいさつ

　この本を手に取ってくださってありがとうございます。この本を手に取ったということは、これから基本情報技術者試験にチャレンジしようと考えていらっしゃるのだと推察します。

　あなたが、この資格試験を受験するきっかけは何でしょうか。

・勤め先の会社から受験するように推奨されたから
・一時金や資格手当といった報奨金の支給があるから
・就職する際の条件として資格保持が必須だから
・IT業界でエンジニアとしてのキャリアをスタートする準備段階として
・ITパスポート試験に合格したので、その後のステップアップとして

　もしかしたら、資格取得に対して「本当に意味があるの?」と思っていらっしゃる方もいるかもしれませんね。でも、大丈夫です。本試験の合格があなたのキャリアを広げることは、間違いありません。

　基本情報技術者試験は国家資格であり、合格者は、企業から一定レベルの技能を保持している技術者であると高い評価を受けるからです。企業にとっては、合格者数が技術力の高さの証明になり、入札案件などで有利に働くケースも多いです。

　ただし、基本情報技術者試験の合格率は30〜40%と低いのが現状です。実務経験がある人でも、一発合格できるとは限りません。試験の対象となる範囲がとても広いこと、出題される用語自体がそもそも難解で、わかりにくいからです。

本書は、こうした理由を踏まえたうえで、勉強や仕事の合間に受験勉強に取り組む忙しい方が、途中で挫折することなく、効率的に合格できることを目指して企画・制作しました。

　コンピュータやシステムにそれほど強くない方にもわかりやすいよう、難しい用語をイメージしやすい言葉や図解を織り交ぜて解説しています。また、短時間で合格ラインに到達できるように、過去の試験問題を分析し出題頻度の高いものに絞ってあります。

　本書が、あなたの合格の一助になりますように。そして、見事に合格を勝ち取り、これからのテクノロジー全盛時代でIT人材として益々ご活躍されることを楽しみにしています。

2024年10月 五十嵐　順子

本書を使った学習方法

本書の特徴

　本書の特徴は、過去問題を徹底的に分析した上で、出題傾向の高いトピックに絞って解説している点です。また、効率的に合格点が狙えるように、理解に時間がかかる難解な問題は極力避け、つまづくことなく合格ラインを目指せるように構成しています。

　節の冒頭では、その節を読むための時間の目安や、基本情報技術者試験における重要度を星の数で示しています。「超効率ポイント」は、その節のポイントをまとめています。初めて読む前の内容の把握や、復習時の振り返りなど、効率的な学習に役立ててください。

　また、理解するうえで重要な箇所には**黄色のマーカー**を引いています。さらに、覚えておきたい用語や内容は、赤シートで隠れる赤色の文字になっているため、復習の際に隠しながら読んで、どれだけ覚えているか、理解できているかを確認するのにも有効です。

5

また、理解するうえで気をつけたいポイントや試験によく出るポイントなどは、
「ココに気をつけて！」や「ココが試験に出る！」で詳しく解説しています。

不正アクセス禁止法の違法行為は下記のとおりです。

▶ 他人のIDとパスワードを無断で利用してネットワーク経由で不正にアクセスした

▶ セキュリティの脆弱性を攻撃して、権限のないコンピュータに不正アクセスした

▶ 他人のIDとパスワードを不正に取得したり、無断で第三者に教えた

「ココに気をつけて！」の解説

ココが試験に出る！
・ワークシェアリング：従業員1人あたりの勤務時間を短縮し仕事の配分を見直す
・労働者派遣契約：労働者は派遣元企業と雇用契約を結び、派遣先企業の指揮命令を受けて労働に従事
・請負契約：仕事の成果物に対して対価を払う契約。発注側は請負会社の社員に指示を出せない
・準委任契約：専門家として一般的に期待される注意義務（善管注意義務）を負う

「ココが試験に出る！」の解説

解説動画の効果的な活用方法

本書には、章扉にQRコードが掲載されています。これを読み取ることで、解説動画を視聴することができます。

各章の出題傾向や重点学習ポイントなどを中心に、全体像がざっくりつかめるように動画で説明しています。まずは動画を視聴した上で、書籍での学習に取り組んでいただくと効率的です。

節末の過去問と模擬試験問題

　節末ごとに、節の内容に対応する問題を、実際に基本情報技術者試験で出題され
た過去問題の中から厳選して掲載しています。間違えた問題や勘で当たっていた問
題は解説を読んで、「なぜその答えになったのか」を理解しましょう。

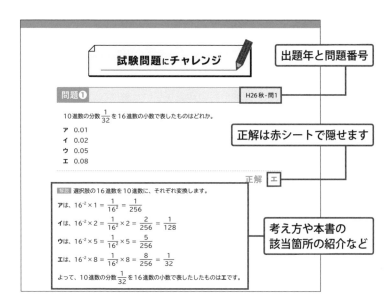

　また、巻末には模擬試験問題を用意しました。実際の試験と同じように、出題数
かつ分野ごとの出題率を合わせてあります。また、出題頻度が高い過去問題を選り
すぐって構成しました。本書で一通り学んだあと、試験と同じ時間で問題を解き切
れるかどうか、力試しに利用してください。

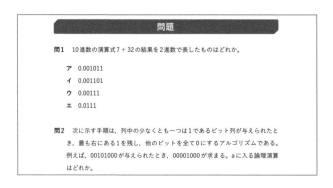

7

効率的な学習方法

　基本情報技術者は出題範囲がとても広く、隅から隅まで覚えるのはとても大変です。本書では、**試験でよく出題される内容を「ココが試験に出る！」にまとめています**ので、そこを重点的に押さえるようにしましょう。試験に受かるためには何を覚えるべきなのかをきちんと把握した上で、効率的に学習するようにしましょう。

　最近の出題傾向として、情報セキュリティ分野、機械学習やIoT、ブロックチェーンなど最新のITトレンドに関する用語の出題が増えています。ぜひ重点的に学習しておきましょう。

　また過去問の中には、関連分野の知識がないと解けない問題があります。わからない場合は気にせず、いったん飛ばしましょう。テキストで各分野の全体像を把握したあとで、あらためて問題に取り組むようにすると効率的です。

学習のNG例

・わからない単語でひっかかってしまい、読み進めることができない
・苦手な計算問題で深みにはまって学習が止まる
・めったに出ないトピックの過去問題まで網羅的に学習しようとする

インプレス情報処理試験シリーズ　読者限定特典

本書の特典は、下記サイトにアクセスすることでご利用いただけます。

https://book.impress.co.jp/books/1124101074

※サイトにアクセスし、画面の指示に従って操作してください。
※特典のご利用には、無料の読者会員システム「CLUB Impress」への登録が必要となります。

特典❶：本書全文の電子版

本書の全文の電子版（PDFファイル）がダウンロードできます。

特典❷：過去問題12回分

スマートフォンやパソコンで、過去問題にチャレンジできます。なお、解説はありません。

※本特典のご利用は、書籍をご購入いただいた方に限ります。
※ダウンロード期間は、いずれも本書発売より1年間です。
※印刷してご利用いただくことはできません。あらかじめご了承ください。

すきま時間に効率よく過去問が学習できるサイト
チャレンジ！基本情報技術者

https://shikaku.impress.co.jp/fe/

過去問（科目A／旧午前試験）が5問ずつ解ける「5問チャレンジ」、基本情報技術者試験の頻出用語がクイズ形式で学べる「でる語句クイズ」ほか、試験の学習に役立つコンテンツが満載です！

基本情報技術者試験とは

　基本情報技術者は、国家試験である情報処理技術者試験の1つで、「高度IT人材となるために必要な基本的知識と技能、実践的な活用能力」が問われる試験です。

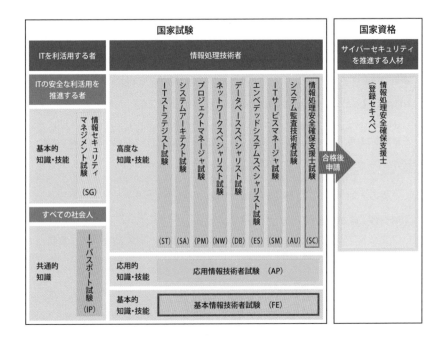

試験情報

　基本情報技術者は、科目Aと科目Bに分かれています。この2つの試験を同じ日に受験し、両方の試験について合格基準を満たす必要があります。

	試験時間	問題数	出題形式	合格基準
科目A	90分	60問	四肢択一式	1,000点満点中600点以上
科目B	100分	20問	多肢択一式	1,000点満点中600点以上

科目Aの試験範囲

科目Aでは、次の3分野から問題が出題されます。

大分類	中分類	出題数
テクノロジ系	基礎理論、コンピュータシステム、技術要素、開発技術	41問
マネジメント系	プロジェクトマネジメント、サービスマネジメント	7問
ストラテジ系	経営戦略、システム戦略、企業と法務	12問

詳しくは、IPA（情報処理推進機構）のWebサイトで確認することができます。試験制度や試験内容は随時更新されるため、必ず最新情報に目をとおしておきましょう。

試験要綱・シラバスについて

https://www.ipa.go.jp/shiken/syllabus/gaiyou.html

科目Bの試験範囲

科目Bでは、次の2分野から問題が出題されます。

分類	カテゴリ	出題数
アルゴリズムとプログラミング	プログラムの基本要素、データ構造及びアルゴリズム、プログラミングの諸分野への適用	16問
情報セキュリティ	情報セキュリティの確保に関すること	4問

科目Aと比べて、技術的な内容について狭く深い出題になっています。プログラミングについては、個別の言語ではなく、すべて擬似言語（プログラミング言語を模した言語）での出題ですので、過去問で慣れておきましょう。プログラム未経験の場合には、前提となるアルゴリズムからしっかり学んでいく必要があります。

　なお、**本書は科目Aの対策書です。科目Bの学習については、次のような科目Bに特化した問題集や過去問の解説本で学ぶ**ことをおすすめします。

徹底攻略 基本情報技術者の科目B実践対策

https://book.impress.co.jp/books/1122101039

かんたん合格 基本情報技術者過去問題集 令和7年度

https://book.impress.co.jp/books/1124101097

試験前の確認事項

　基本情報技術者試験は、コンピュータを使用したCBT（Computer Based Testing）方式で実施されます。問題はディスプレイに表示され、解答はマウスのクリック操作で入力します。**試験当日、操作方法に戸惑わないように、下記のWebページにある［CBT方式の操作方法］から操作方法を確認しておきましょう。**

基本情報技術者試験（FE）

https://cbt-s.com/examinee/examination/fe

試験当日の対策

万全の体調で臨もう

　試験前日は早めに就寝し、試験に集中できる状態で当日を迎えましょう。

時間配分を考えよう

　科目Aは90分で60問、科目Bは100分で20問を解答します。単純計算では、科目Aは1問につき1分30秒、科目Bは1問につき5分で解かなければなりません。わからない問題につまずいていると時間が足りなくなってしまうため、**わかる問題からどんどん解いていくようにしましょう。**

問題にはすべて解答しよう

　CBT方式で選択肢をクリックする解答のため、**わからなくても最終的にはすべての問題に解答して、無回答にならないようにしておきましょう。**運がよければ正解するかもしれません。未回答の問題は、あとで戻ることができます。また、自信がなくてあとで見返したい場合も、問題をチェックしておきましょう。あとで見返すときに1クリックで戻ることができます。

CONTENTS

ごあいさつ ･････････････････････････ 3

本書を使った学習方法 ･･････････ 5

基本情報技術者試験とは ･･･････ 10

テクノロジ系
Chapter 1 コンピュータで扱うデータ 19

01 2進数 ･････････････････････････････ 20

02 負数の表現 ･･････････････････････ 29

03 シフト演算 ･･････････････････････ 33

04 小数の表現 ･･････････････････････ 38

05 誤差 ･･･････････････････････････････ 43

06 論理演算と論理回路 ･･･････････ 47

07 半加算器と全加算器 ･･･････････ 54

テクノロジ系
Chapter 2 情報メディア 59

01 文字データの表現 ･･･････････････ 60

02 画像データの表現 ･･･････････････ 67

03 音声データの表現 ･･･････････････ 73

04 動画データの表現 ･･･････････････ 76

テクノロジ系
Chapter 3 ハードウェア 83

01 ハードウェア ……………………………………………… 84
02 入出力装置 ……………………………………………… 88
03 入出力インタフェース …………………………………… 93
04 補助記憶 ………………………………………………… 97
05 主記憶とキャッシュメモリ ……………………………… 103
06 CPU ……………………………………………………… 110
07 CPUの高速化技術 ……………………………………… 119

テクノロジ系
Chapter 4 ソフトウェア 125

01 ソフトウェアとOS ……………………………………… 126
02 タスク管理 ……………………………………………… 130
03 記憶管理 ………………………………………………… 139
04 ファイル管理 …………………………………………… 145
05 オープンソースソフトウェア …………………………… 150

テクノロジ系
Chapter 5 コンピュータシステム 153

01 システムの処理形態 …………………………………… 154
02 クライアントサーバシステム …………………………… 158
03 高信頼化システムの構成 ……………………………… 164
04 システムの信頼性設計 ………………………………… 171
05 システムの性能評価 …………………………………… 178
06 信頼性の基準と指標 …………………………………… 183

テクノロジ系

Chapter 6 システム開発 191

01	システム開発の概要	192
02	システム開発手法	196
03	業務のモデル化	202
04	インタフェース設計	208
05	モジュール分割	212
06	プログラミング	216
07	オブジェクト指向	223
08	テスト	234
09	レビュー手法	242

テクノロジ系

Chapter 7 アルゴリズムとデータ構造 245

01	アルゴリズム	246
02	配列	252
03	キューとスタック	257
04	リスト構造	261
05	木構造	266
06	探索アルゴリズム	273
07	整列アルゴリズム	281
08	再帰アルゴリズム	293
09	アルゴリズムの実行時間	296

テクノロジ系

Chapter 8 データベース　299

01	データベースの基礎	300
02	関係データベース	305
03	表の操作	309
04	データの正規化	313
05	SQLの基本	319
06	SQLの応用	326
07	データベース管理システム	335
08	データベースの応用技術	346

テクノロジ系

Chapter 9 ネットワーク　349

01	LANとWAN	350
02	通信プロトコル	358
03	LAN間接続装置	361
04	インターネット	366
05	Web	371
06	IPアドレス	377
07	クラスとサブネット	385
08	ネットワークの伝送速度	393
09	誤り制御	397

テクノロジ系

Chapter 10　セキュリティ　403

01	情報セキュリティ	404
02	情報資産における脅威	408
03	リスクアセスメント	417
04	マルウェア	422
05	暗号化と認証	427
06	ネットワークセキュリティ	435

マネジメント系

Chapter 11　マネジメント　445

01	プロジェクトマネジメント	446
02	アローダイアグラム	449
03	サービスマネジメント	455
04	システム監査	460

ストラテジ系

Chapter 12　企業活動　465

01	企業活動	466
02	組織の形	472

ストラテジ系

Chapter 13　経営戦略　477

01	経営戦略	478
02	効率的なIT投資	487
03	データ分析ツール	493

ストラテジ系

Chapter 14　ビジネスインダストリ　503

01　ビジネスシステム ・・・・・・・・・・・・・・・・・・・・・・・・・・・・・・・・・・・・・・ 504
02　エンジニアリングシステム ・・・・・・・・・・・・・・・・・・・・・・・・・・・ 509
03　eビジネス ・・ 512
04　最新のITトレンド ・・・・・・・・・・・・・・・・・・・・・・・・・・・・・・・・・・・ 518

ストラテジ系

Chapter 15　企業会計　529

01　企業会計 ・・ 530

ストラテジ系

Chapter 16　法務　541

01　知的財産権 ・・・ 542
02　企業と労働者の契約形態 ・・・・・・・・・・・・・・・・・・・・・・・・・・ 548
03　セキュリティ関連法規 ・・・・・・・・・・・・・・・・・・・・・・・・・・・・・・ 553
04　その他の法律 ・・ 558
05　標準化 ・・ 561

付録　模擬試験問題 ・・・・・・・・・・・・・・・ 565

索引 ・・・・・・・・・・・・・・・・・・・・・・・・・・・ 605

テクノロジ系　　マネジメント系　ストラテジ系

基礎理論

コンピュータシステム

技術要素

開発技術

プロジェクト
マネジメント

サービスマネジメント

システム戦略

経営戦略

企業と法務

解説動画 ▶

コンピュータで
扱うデータ

本章の学習ポイント

- 2進数で負の数を扱うとき、最上位ビットで正負を表現する方法を符号ありデータと呼ぶ。
- 2進数のかけ算や割り算でビットを左右にずらして行う方法をシフト演算という。
- 小数を表す方法として固定小数点表示と浮動小数点表示がある。
- 排他的論理和（XOR）は2つの値が異なるとき1となり、同じときは0になる。

Chapter 1

01 2進数

コンピュータで扱われるデータについて学ぼう

- 2進数から10進数、8進数、16進数へ変換する計算方法を学ぼう。
- ビットやバイトなどのデータ単位について学ぼう。
- 有限小数と無限小数について学ぼう。

$(1000001)_2$　$(101)_8$　$(41)_{16}$
$(65)_{10}$

コンピュータ内部で扱うデータ

　コンピュータを利用する人間は、コンピュータに文字や数字などを入力し、処理させています。しかし、**コンピュータ自身は、実はオンとオフの2つの状態しか表現できません。そのため、コンピュータ内部ではオフを意味する「0」とオンを意味する「1」の2つの数字をいくつも組み合わせることで、あらゆるデータを表現します。**例えば、「A」という文字を入力すると、コンピュータは「01000001」という数値に置き換えて解釈します。コンピュータにとっては、そのほうがわかりやすく処理を単純化できるのです。

2進数→10進数の変換

　人間が使う10種類の数字で表す数値を10進数、**コンピュータが使う2種類の数字で表す数値を**2進数**といいます。**10進数の数値は、1加算するたびに0、1、……9と増えていき、9に1加算すると、桁が1つ上がって10になります。2進数の場合は1加算するたびに0、1と増えていき、1に1加算すると、すぐに桁が

1つ上がって10になります。

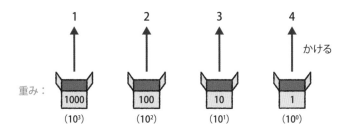

10進数	0	1	2	3	4	5	6	7	8	9	10
2進数	0	1	10	11	100	101	110	111	1000	1001	1010

2進数を10進数に変換する場合、重みを使って計算すると便利です。 例えば10進数の「1234」という数値は、ばらばらにすると「(1 × 1000) + (2 × 100) + (3 × 10) + (4 × 1)」と表すことができます。**各桁の数字にかけている1000、100、10、1のことを**重み**といいます。**

上図のように、重みは**すべて10の累乗で表されます。** この重み付けの基本となる**10のことを**基数**といいます。** 2進数の場合、基数は2となります。重みは、小数点から左に向かって「2^0、2^1、2^2、……」と増えていき、小数点以下は左から右へ「2^{-1}、2^{-2}、2^{-3}、……」と減っていきます。各桁の数字にこの重みをかければ、2進数を10進数に変換できます。

2進数「1101.01」を10進数に変換してみましょう。

2進数→10進数

2進数: 1 1 0 1 . 0 1

↑ ↑ ↑ ↑ ↑ ↑ かける

重み: 2^3 2^2 2^1 2^0 2^{-1} 2^{-2}

10進数: $1×2^3 + 1×2^2 + 0×2^1 + 1×2^0 + 0×\dfrac{1}{2^1} + 1×\dfrac{1}{2^2}$

$= 8 + 4 + 0 + 1 + 0 + \dfrac{1}{4}$

結果 $= 13.25$

10進数→2進数の変換

　今度は逆に、10進数を2進数に変換してみましょう。例えば、10進数の「13.25」を2進数に変換する場合、整数部分「13」と小数部分「0.25」に分けて、それぞれ変換します。

　整数部分については、10進数の「13」を2進数の基数である「2」でひたすら商が0になるまで割っていき、その余りを逆から順に並べると、2進数になります。

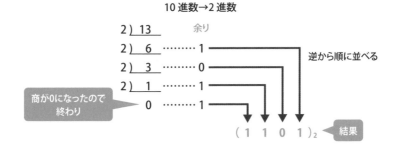

　小数部分の変換については、手順が異なります。10進数の小数「0.25」を2進数に変換する場合、「0.25」を2進数の基数である「2」でひたすらかけ算していき、その結果の整数部分を取り出します。これを、小数部分が0になるまで繰り返し、取り出した整数部分を小数第1位から順に並べると、2進数に変換することができます。

小数部分の計算（10進数→2進数）

$$0.25 \times 2 = 0.5$$

小数部分を取り出す

$$0.5 \times 2 = 1.\underline{0}$$

> 小数部分が0に
> なったので終わり

$$(0.\underline{01})_2$$

> 整数部分を
> 上から順に並べる

結果

よって、10進数の「13.25」は、2進数では「1101.01」になります。

ココに気をつけて！ 2進数の「1101」は、そのまま「1101」と書くと10進数の数値と区別がつかないので、2進数であることを表すために「(1101)₂」と数値をカッコで囲んで後ろに「2」を小さく添字で付けます。

8進数と16進数

10進数と2進数のほかにも、8進数や16進数などが、コンピュータ内部で扱うデータの表現に使われます。8進数は、0、1、……7で桁が1つ上がって10となります。**16進数は少し注意が必要です**。0、1、……9のあと、10進数でいう「10～15」はアルファベットの「A～F」で表します。

桁が上がる   桁が上がる

10進数	0	1	2	3	4	5	6	7	8	9	10	11	12	13	14	15	16
8進数	0	1	2	3	4	5	6	7	10	11	12	13	14	15	16	17	20
16進数	0	1	2	3	4	5	6	7	8	9	A	B	C	D	E	F	10

桁が上がる   桁が上がる

8進数と16進数も、2進数⇔10進数と同じ手順で変換することができます。

8進数、16進数→10進数

　8進数の「512」と16進数の「1FB」を10進数に変換してみましょう。**8進数の基数は8、16進数の基数は16で、それぞれの重みをかけて求めます。**

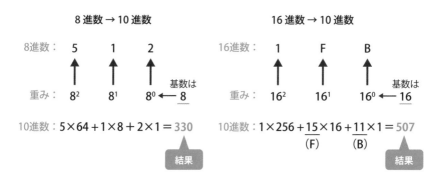

8進数 → 10進数

16進数 → 10進数

変換後の10進数が分数になる場合もあります。例えば、16進小数の「A.3C」を10進数に変換します。

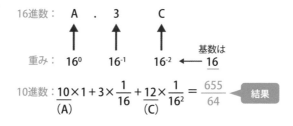

10進数→8進数、16進数

　10進数の「330」を8進数に、「507」を16進数に変換します。

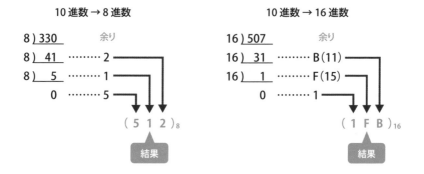

10進数 → 8進数

10進数 → 16進数

2進数を8進数と16進数に変換

2進数→8進数、16進数

2進数では3桁を使って0から7までの数値を表します。一方、8進数では1桁で0から7までの数値を表します。つまり、**2進数の3桁は、8進数の1桁と同じ数値を表します。そのため、2進数の数値は、3桁ずつ区切って変換すると8進数になります。**例えば、「1010.01」という2進数を3桁ずつ区切る場合、**小数点を基準にして左側と右側でそれぞれ区切ります。また、桁が足りない場合には「0」を補います。**よって、「001010.010」となります。

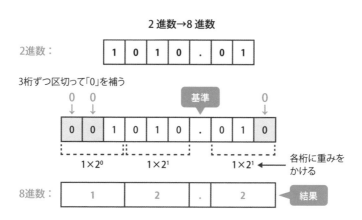

2進数→8進数

同様に、**2進数の4桁は、$2^4 = 16$であるため16進数の1桁に対応しています。そのため、2進数の数値は、4桁ずつ区切って変換すると16進数になります。**

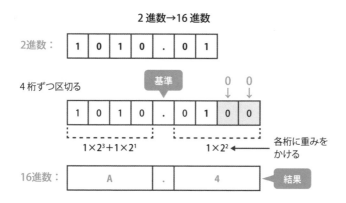

2進数→16進数

8進数、16進数→2進数

さきほどの逆を考えます。8進数の1桁を2進数の3桁に、16進数の1桁を4桁ずつ2進数に変換します。

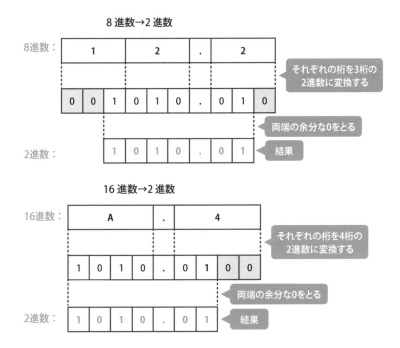

8進数→2進数

8進数：1 2 . 2

それぞれの桁を3桁の2進数に変換する

0 0 1 0 1 0 . 0 1 0

両端の余分な0をとる

2進数：1 0 1 0 . 0 1 結果

16進数→2進数

16進数：A . 4

それぞれの桁を4桁の2進数に変換する

1 0 1 0 . 0 1 0 0

両端の余分な0をとる

2進数：1 0 1 0 . 0 1 結果

有限小数と無限小数

有限小数とは小数部が有限のもの、無限小数とは小数部が無限のものです。例えば、10進数の「0.1」は有限小数ですが、1÷3の計算結果である「0.333……」は無限小数です。10進数の有限小数を2進数に変換する場合、2進数は無限小数になることがあります。例えば、10進数の「0.1」を2進数に変換すると、「0.000110011……」と無限小数になります。反対に、2進数の有限小数を10進数に変換すると必ず有限小数になります。

ビットとバイト

　コンピュータで扱うデータの最小単位、つまり2進数の1桁で表せるデータ量をビットといいます。「1011」のようにビットを並べたものをビット列といい、ビット列の桁が多いほど、より多くの情報を表すことができます。2進数の1桁、つまり「0」か「1」のいずれかで表現できる情報は2種類のみなのに対し、2桁では「00」「01」「10」「11」の4種類です。nビットで表現できるデータの種類は、「2^n」で計算できます。例えば4ビットの場合、2^4＝16種類です。なお、8ビットのまとまりを1バイトといい、単位はBまたはByteと書きます。

　ビットの数によって表現できる0と1の組合せパターンをビットパターンと呼びます。ビットパターンの数は、ビット数をnとした場合、「2のn乗」(2^n) で求めることができます。例えば、8ビットで表現できるビットパターンは2^8＝256通りです。

ココが試験に出る！

- 2進数、8進数、16進数⇔10進数の変換ができるようにしておこう
- 小数や分数の形で出題されても変換できるようにしておこう
- ビット⇔バイトの変換ができるようにしておこう
- ビット数によって表すことができるビットパターンの数を計算できるようにしておこう

試験問題にチャレンジ

問題❶

10進数の分数 $\frac{1}{32}$ を16進数の小数で表したものはどれか。

ア 0.01

イ 0.02

ウ 0.05

エ 0.08

正解 エ

解説 選択肢の16進数を10進数に、それぞれ変換します。

アは、$16^{-2} \times 1 = \frac{1}{16^2} = \frac{1}{256}$

イは、$16^{-2} \times 2 = \frac{1}{16^2} \times 2 = \frac{2}{256} = \frac{1}{128}$

ウは、$16^{-2} \times 5 = \frac{1}{16^2} \times 5 = \frac{5}{256}$

エは、$16^{-2} \times 8 = \frac{1}{16^2} \times 8 = \frac{8}{256} = \frac{1}{32}$

よって、10進数の分数 $\frac{1}{32}$ を16進数の小数で表したしたものは**エ**です。

問題❷

32ビットで表現できるビットパターンの個数は，24ビットで表現できる個数の何倍か。

ア 8

イ 16

ウ 128

エ 256

正解 エ

解説 32ビットで表現できるビットパターンの個数は、2^{32} 通り。24ビットで表現できるビットパターンの個数は、2^{24} 通り。よって、$2^{32} \div 2^{24} = 2^{32-24} = 2^8 = 256$ です。

02

負数の表現

 コンピュータ内部で扱う
負数の表現方法を学ぼう

- 符号ありデータ、符号なしデータの構造を学ぼう。
- 符号ありデータの表現方法である絶対値表現と補数表現を学ぼう。
- 2の補数の計算方法を学ぼう。

負数の表現方法

　コンピュータの内部では、0と1しか扱うことができないため、**負の数を扱うときにはマイナス符号（−）が使えません。** そのため、別の方法で正の数と負の数を区別する必要があります。そこで、**最上位ビットを符号ビットとして、0ならば正、1ならば負と決めておく方法**がとられています。符号用ビットがあることから、符号ありデータと呼びます。一方、**正の数だけを扱う場合には、符号を区別する必要がないため、すべてのビット列を使って数値を表します。** 符号用ビットがないことから、符号なしデータと呼びます。

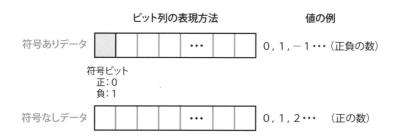

	ビット列の表現方法

符号ありデータ　□ □ □ □ … □ □　　0, 1, − 1 …（正負の数）

符号ビット
正：0
負：1

符号なしデータ　□ □ □ □ … □ □　　0, 1, 2 …　（正の数）

符号ありデータには、絶対値表現と補数表現の2種類の表し方があります。

絶対値表現

最上位を符号ビットとして、正ならば0、負ならば1をセットし、残りのビットで数値の絶対値を表現する方法を絶対値表現といいます。例えば、8ビットの絶対値表現で「－5」を表す場合、「－」なので符号ビットに「1」、絶対値部分を7ビットで表すと「10000101」となります。

符号ビット
正：0
負：1

絶対値を表すビット

補数表現

絶対値表現は直感的にわかりやすい反面、計算するときに、符号ビットと絶対値のビット列を別々に扱う必要が出てしまいます。そこで、**符号ビットも含めて計算できるような負数の表現方法**として補数表現があります。コンピュータが扱う2進数では、1の補数と2の補数が存在します。

1の補数の求め方

絶対値のビットを反転（0→1、1→0）させます。例えば、10進数の「－5」を8ビットで表す場合「00000101」を反転させた「11111010」が1の補数です。

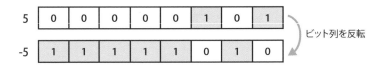

ビット列を反転

2の補数の求め方

絶対値のビットを反転させ1を足します。例えば、10進数の「－5」を8ビットで表す場合「00000101」を反転させて1を足した「11111011」が2の補数です。なお、「11111011」を反転させて1を足すと「00000101」となり、元のビット列に戻ります。つまり**2の補数で表された負数の絶対値を求めるときも、反転させて1を足します。**

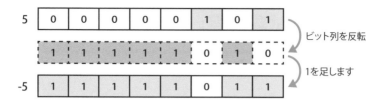

ココに気をつけて! 現在のコンピュータの多くが2の補数を使って処理しています。負の数の表現に2の補数を使うことで、**引き算を負の数の足し算として処理でき、コンピュータ内部の処理の仕組みを簡単にできる**からです。

8ビットで表現できる数値の範囲

コンピュータでよく使われる**8ビットで表すことができるデータの範囲**は、次のとおりです。

種類	2進数	10進数
符号なしデータ	00000000～11111111	0～255
符号ありデータ（2の補数）	00000000～01111111（正の数） 11111111～10000000（負の数）	0～127 －1～－128

─**ココ**が試験に出る!─

- 符号ありデータのビット列について、正⇔負の変換ができるようにしておこう

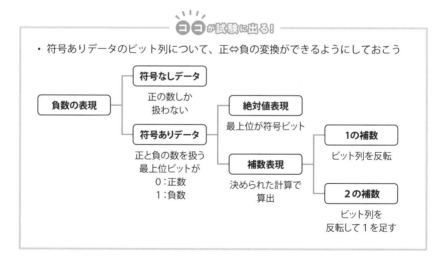

試験問題にチャレンジ

問題❶

2の補数で表された負数10101110の絶対値はどれか。

ア 01010000
イ 01010001
ウ 01010010
エ 01010011

正解　**ウ**

解説 2の補数で表された負数10101110の絶対値は、2の補数を求めることでわかります。各ビットを反転させ、1を足せばよいので、01010001+1=01010010となります。

問題❷

　ある整数値を，負数を2の補数で表現する2進表記法で表すと最下位2ビットは"11"であった。10進表記法の下で，その整数値を4で割ったときの余りに関する記述として，適切なものはどれか。ここで，除算の商は，絶対値の小数点以下を切り捨てるものとする。

ア　その整数値が正ならば3
イ　その整数値が負ならば−3
ウ　その整数値が負ならば3
エ　その整数値の正負にかかわらず0

正解　**ア**

解説 その整数値が、正の場合と負の場合に分けて考えます。まず、正の場合は、最下位2ビットは11のままなので、10進数にすると3です。負の場合は、2の補数で表されているので、絶対値を求めるために反転して1を足すと最下位2ビットは01です。10進数にすると1です。整数値の下位から3ビット目以降は、どのビットが1であっても、重みが2^2、2^3……と必ず4で割り切れる数値となるため、最下位2ビットの数値がそのまま4で割った余りとなります。よって、正の数の場合は余りが3、負の数の場合は余りが-1となります。

03 シフト演算

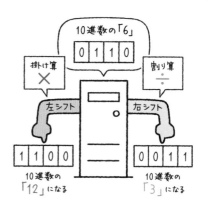

シフト演算によるかけ算と割り算の方法を学ぼう

- シフト演算の仕組みを学ぼう。
- 論理シフトと算術シフトの違いを学ぼう。
- シフト演算と足し算を組み合わせて計算する方法を学ぼう。

シフト演算の体系

　ビットを左右にずらすことで、かけ算や割り算をする方法をシフト演算といいます。「シフト」は「ずらす」という意味です。シフト演算には、**符号を考慮しない論理シフト**、**符号を考慮する算術シフト**があります。論理シフトは、符号なしの2進数を扱うのに適しています。算術シフトは符号ありの2進数を扱うのに適しています。

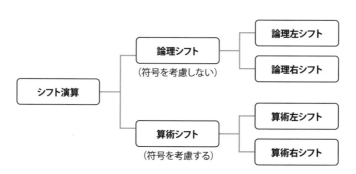

論理シフト

　論理シフトとは、**符号を考慮しないシフト演算**です。かけ算や割り算をするときは、2進数のビット列を左または右にずらします。**ずらすことでビット列からあふれてしまったビットは捨てられ、空いたビットには0が入ります。**

論理左シフト

　2進数のビット列を**n ビット左に移動**すると、元の数値の 2^n 倍になります。

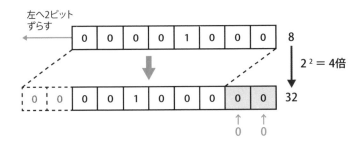

論理右シフト

　2進数のビット列を**n ビット右にずらす**ことで、元の数値の 2^{-n} 倍になります。

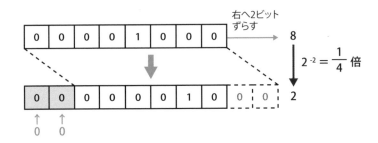

34

算術シフト

算術シフトでは**符号を考慮します**。符号は一番左のビットで表します。一番左の
ビットが0のときは、正の数か0であることを表し、一番左のビットが1のときは、
負の数であることを表します。算術シフトを行うときは、**一番左の符号ビットはそ
のままの位置に固定したまま動かさず**、それより右にあるほかのビット列の範囲を
左または右にずらします。**左シフトと右シフトでは、空いたビットを埋める方法が
異なります**。

算術左シフト

符号ビットは固定したまま動かさず、ほかのビットを左にずらします。左のあふ
れたビットは捨てられ、**右の空いたビットには0が入ります**。

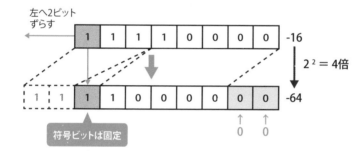

算術右シフト

同じく**符号ビットは固定したまま動かさず**、ほかのビットを右にずらします。右
のあふれたビットは捨てられ、**左の空いたビットには符号ビットと同じ数値が入り
ます**。

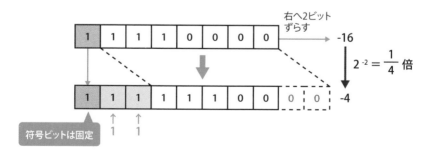

35

シフト演算と加算の演算

シフト演算では、**2^n倍や2^{-n}倍のかけ算・割り算しか計算できません。それ以外の数値でかけ算・割り算する場合は、シフト演算と足し算を組み合わせて計算する**ことになります。

例えば、7倍のかけ算をしたい場合を考えてみます。7を2のべき乗で分解すると「$2^2 + 2^1 + 1$」と表して、シフト演算する部分と足し算の部分を区別して計算します。

7倍のかけ算をする場合、シフト演算と足し算の組合わせに分解する

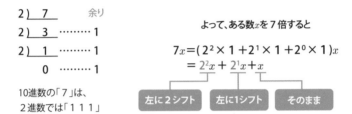

```
2 ) 7        余り
2 ) 3 ……… 1
2 ) 1 ……… 1
    0 ……… 1
```

10進数の「7」は、
2進数では「1 1 1」

よって、ある数xを7倍すると

$$7x = (2^2 \times 1 + 2^1 \times 1 + 2^0 \times 1)x$$
$$= 2^2 x + 2^1 x + x$$

| 左に2シフト | 左に1シフト | そのまま |

つまり、xを2ビット左にシフト演算したもの（$= 2^2$倍）、xを1ビット左にシフト演算したもの（$= 2^1$倍）、そしてxの3つの数値を足し合わせることで、xの7倍の数値を求めることができます。

コロが試験に出る！

- シフト演算では、ビットを左にずらせばかけ算、右にずらせば割り算ができる
- 符号なしの2進数を扱うなら論理シフト、符号ありの2進数を扱うなら算術シフト
- 2^n倍や2^{-n}倍以外の数値でかけ算、割り算する場合は、シフト演算と足し算を組み合わせて計算

試験問題にチャレンジ

問題❶

数値を2進数で格納するレジスタがある。このレジスタに正の整数xを設定した後，"レジスタの値を2ビット左にシフトして，xを加える"操作を行うと，レジスタの値はxの何倍になるか。ここで，あふれ(オーバフロー)は，発生しないものとする。

ア　3
イ　4
ウ　5
エ　6

正解　ウ

解説 xを2ビット左にシフトすると2^2xになります。その後xを加えるので、操作後の値は$2^2x+x=5x$です。つまり、元の値xの5倍となります。

問題❷

8ビットの2進数11010000を右に2ビット算術シフトしたものを，00010100から減じた値はどれか。ここで、負の数は2の補数表現によるものとする。

ア　00001000
イ　00011111
ウ　00100000
エ　11100000

正解　ウ

解説 11010000を右に2ビット算術シフトすると、11110100になります。引き算は、2の補数に変換したビット列を足し算すれば求めることができます。
00010100−11110100 = 00010100 + 00001100 = 00100000

Chapter 1

04 小数の表現

0.15×10⁻⁶ に正規化するね！

コンピュータで扱う小数の表現について学ぼう

- 固定小数点表示と浮動小数点表示の違いを学ぼう。
- 浮動小数点数の正規化について学ぼう。
- 有効桁数について学ぼう。

固定小数点表示と浮動小数点表示

小数点を含む数値のことを小数といいます。コンピュータ内部で扱えるデータは0と1だけなので、小数点を表す手段がありません。そこで、**整数部分と小数部分が区別できるように小数を表すための方法**として、固定小数点表示と浮動小数点表示があります。

固定小数点表示

0.00000015

浮動小数点表示

$$0.15 \times 10^{-6}$$

上の数値はどちらも同じ数値を表しますが、左側のように、**小数点の位置を「一番左の0の右側」のように固定する方法**を固定小数点表示といいます。この方法の場合、小数点以下の0が多くなればなるほど、桁もたくさん必要になってきます。

小数点の位置を固定

一方、右側のように、**指数を使う方法**を浮動小数点表示といいます。これがなぜ「浮動」なのかというと、**指数を増やしたり減らしたりすることで、小数点の位置が動く**からです。例えば、0.15×10^{-6}は、指数−6を増減させて、別の書き方もできます。

0.015×10^{-5}
0.15×10^{-6}
1.5×10^{-7}
15×10^{-8}

浮動小数点表示を使うと、**位取りを示すだけの0の桁を省略することができるの**で、**広い範囲の数値を少ない桁数で表現**できます。これは**できるだけビットの数を節約したいコンピュータに向いている**表示方法です。

浮動小数点数の書き表し方

浮動小数点表示をもう少し詳しく見ていきましょう。**浮動小数点表示は、次のような書き方**です。

公式

$$\overset{\text{か\ すう}}{\textbf{仮数}} \times \overset{\text{き\ すう}}{\textbf{基数}}^{\text{指数}}$$

例えば、10進数で3桁を使って数値を表す場合、固定小数点表示で表現可能な最大値は999です。これに対して、浮動小数点表示では、あらかじめ基数を10にするという約束をしておき、3桁のうち2桁を仮数、1桁を指数に割り当てれば、最大99×10^9まで表現可能です。

また、指数部を符号ありデータとして負数も扱えるようにすれば、0.000000001のような絶対値の小さな数値も表現できます。

浮動小数点表示では、**次の図のように符号部と仮数部、指数部にそれぞれビットを割り当てます。基数はあらかじめ決めておくのでビットの割り当てはありません。**一般的なコンピュータでは2進数の「2」や16進数の「16」が基数とされています。

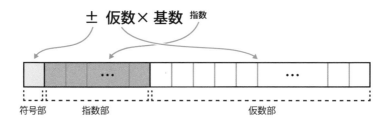

有効桁数（有効数字）とは、位取りを示すだけの0を除いた数値全体の桁数のことで、0以外の数字がある一番上の桁から、一番下の桁の数字（0も含む）までの桁数を指します。42195の有効桁数は5桁、42.195も5桁ですが、0.015の有効桁数は2桁、1.50は3桁、0.01500は4桁です。

浮動小数点数の正規化

浮動小数点表示において、仮数と指数の組合せは、

$$0.0015 \times 10^{-4} \quad 0.015 \times 10^{-5} \quad 0.15 \times 10^{-6} \quad 1.5 \times 10^{-7}$$

このように何通りもありますが、**小数点のすぐ右に0以外の数字が来るように書く**ことを正規化といいます。

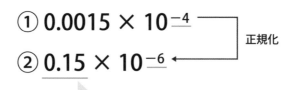

仮数部を 0. 数字 で表現する

①も②も同じ数値を表していますが、②のように**桁の大小はできるだけ指数部で表現したほうが、仮数部で誤差なく、より詳しい数値を表すことができます。**

例えば、0.00153265という数値を浮動小数点表示で表したい場合を考えてみます。指数部の設定により、仮数部では小数点以下が4桁まで表せる状態にあるときには、①では0.0015と有効桁数が2桁ですが、②では0.1532となり、有効桁数が4桁となる分、より詳しく表すことができます。

正規化を行うには、「0.15」のように小数点のすぐ右が0以外の数字になるように指数を変更します。こうすることで、限られた桁数で仮数部の有効桁数を最大に保ち、より詳しい数値表現ができるようになります。

ココが試験に出る！

- 10進数の小数から、固定小数点形式や浮動小数点形式による2進数を求められるようにしておこう
- 正規化：仮数部の最上位桁が0以外になるように桁合わせをする操作

Chapter

1

コンピュータで扱うデータ

試験問題にチャレンジ

10進数-5.625を，8ビット固定小数点形式による2進数で表したものはどれか。ここで，小数点位置は3ビット目と4ビット目の間とし，負数には2の補数表現を用いる。

小数点位置

ア 01001100　**イ** 10100101　**ウ** 10100110　**エ** 11010011

. . . .

正解　ウ

解説 10進数-5.625を2進数に変換します。整数部分を変換すると、$5 \rightarrow (101)_2$、小数部分を変換すると、$0.625 \rightarrow (0.101)_2$となります。よって、10進数$5.625 \rightarrow (101.101)_2$となります。小数点位置が3ビット目と4ビット目の間になるように0を追加して位置を合わせます。

$101.101 \rightarrow 0101.1010$

負数は2の補数表現を用いるので、ビット列「01011010」全体を反転して1を加えると、「10100110」となります。

0以外の数値を浮動小数点表示で表現する場合，仮数部の最上位桁が0以外になるように，桁合わせする操作はどれか。ここで，仮数部の表現方法は，絶対値表現とする。

ア 切上げ

イ 切捨て

ウ 桁上げ

エ 正規化

. . . .

正解　エ

解説 浮動小数点表示では、仮数部の最上位桁が0以外になるように桁合わせする正規化をすることで、より詳しい数値表現ができるようにします。

05 誤差

コンピュータの計算で生じる誤差について学ぼう

- 誤差とは何かを学ぼう。
- 誤差の種類について学ぼう。
- 誤差の発生原因について学ぼう。

誤差とは

　コンピュータの内部では、**2進数のあらかじめ決められた桁数で数値を表現する**ため、実際の数値を正確に表せない場合があります。そのため、**正確に表せない数値は、決められた桁数の中で表現できる近似値に置き換えられてしまいます**。このように、**実際の数値とコンピュータが取り扱う数値に生じる差**のことを誤差といいます。誤差には、発生原因によっていくつかの種類があります。

丸め誤差

　丸め誤差は、限られた桁数の範囲で数値を表す際に、**四捨五入や切上げ、切捨てなどを行うことで発生する誤差**です。

　例えば、10進数の0.1を2進数で表そうとすると、0.000110011……となり、限られた桁数に収めることができません。小数点以下8桁まで扱う処理では0.00011001となり、9桁目以降が切り捨てられてしまいます。ここで生じる0.000110011……と0.00011001の差が、丸め誤差です。

打切り誤差

打切り誤差は**計算を途中で打ち切ることによって生じる誤差**です。

例えば、円周率を求める場合、3.1415926535……といつまでも計算が続くので、あらかじめ決めておいた桁数で処理を途中で打ち切って、計算結果を3.14として扱う場合があります。ここで生じる3.1415926535……と3.14の差が、打切り誤差です。

情報落ち

情報落ちとは、**絶対値の大きな数値と絶対値の小さな数値の足し算や引き算を行ったときに、小さな数値の桁情報が無視されてしまい、計算結果に反映されないために発生する誤差**です。コンピュータで扱う浮動小数点数では、仮数部に保持できる桁数があらかじめ決められています。そのため、**大きな数値と小さな数値の足し算や引き算をすると、有効な数字をもった桁が多くなりすぎるため、正規化する際に下部の桁が切り捨てられてしまう**のです。

例えば、数値を扱うときの有効桁数が4桁のプログラムで、$4.567 \times 10^3 + 4.567 \times 10^{-2}$という足し算をしてみます。この場合、プログラムでは、指数部を揃えて計算するので、仮数部の下部の桁が切り捨てられてしまい、「0.000004567×10^4」の誤差が生じます。これが情報落ちです。

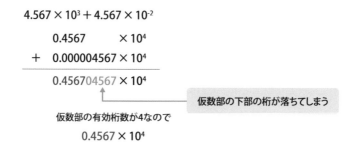

桁落ち

　桁落ちは、**絶対値のほぼ等しい2つの数値の引き算を行ったときに、有効桁数が減少するために発生する誤差**です。

　例えば、数値を扱うときの有効桁数が4桁のプログラムで、$0.1234999 -0.1233555$という引き算をしてみます。コンピュータでは正規化した上で計算するので、$0.1234 - 0.1233 = 0.0001$となります。ここで**数字を表す有効桁数が4桁から1桁に減少**してしまいます。このように数値を表すことのできる有効桁数が減る（落ちる）ことを桁落ちといいます。**有効桁数が減ると、そのあとに正規化で仮数部の下部の桁数が0で補われるものの、もともとの有効桁数より数値の精度が下がってしまうため誤差の原因となります。**

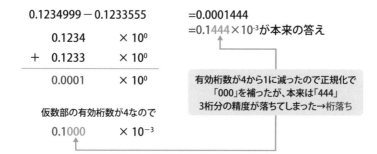

$$0.1234999 - 0.1233555$$

$$0.1234 \quad \times 10^0$$
$$+ \quad 0.1233 \quad \times 10^0$$
$$\overline{\quad 0.0001 \quad \times 10^0}$$

$$=0.0001444$$
$$=0.1444 \times 10^{-3}\ が本来の答え$$

仮数部の有効桁数が4なので

$$0.1000 \quad \times 10^{-3}$$

有効桁数が4から1に減ったので正規化で「000」を補ったが、本来は「444」3桁分の精度が落ちてしまった→桁落ち

桁あふれ

　桁あふれは、**計算結果の桁数がコンピュータが扱えるビット数を超えることによって発生する誤差**です。ビット数の最大値を上回る桁あふれを**オーバフロー**、小数を表すときに絶対値が0に近すぎて細かい部分を正しく表現できなくなることを**アンダフロー**といいます。

ココが試験に出る！

- 丸め誤差：切捨て、切上げ、四捨五入などで生じる誤差
- 打切り誤差：計算を途中で打ち切ることで生じる誤差
- 情報落ち：小さな数値の桁情報が計算結果に反映されず生じる誤差
- 桁落ち：ほぼ等しい数値の引き算で有効桁数が減るために発生する誤差
- 桁あふれ：表現できる範囲を超えることで発生する誤差

試験問題にチャレンジ

問題❶

桁落ちの説明として，適切なものはどれか。

ア 値がほぼ等しい浮動小数点数同士の減算において，有効桁数が大幅に減ってしまうことである。

イ 演算結果が，扱える数値の最大値を超えることによって生じるエラーのことである。

ウ 浮動小数点数の演算結果について，最小の桁よりも小さい部分の四捨五入，切上げ又は切捨てを行うことによって生じる誤差のことである。

エ 浮動小数点の加算において，一方の数値の下位の桁が結果に反映されないことである。

正解　ア

解説 桁落ちは、絶対値のほぼ等しい2つの数値の引き算を行ったときに、有効桁数が減少することです。

イ 桁あふれの説明です。

ウ 丸め誤差の説明です。

エ 情報落ちの説明です。

テクノロジ系 ⏰ **20**分 👉 ★★★

06 論理演算と論理回路

論理演算と演算を行う論理回路について学ぼう

- 論理演算の種類と、どのような演算結果になるかを学ぼう。
- 真理値表を使って論理回路の演算結果を確認しよう。
- ド・モルガンの法則について学ぼう。

論理演算とは

　コンピュータは、入力された値にさまざまな計算を行い結果を出力します。その計算は、算術演算か論理演算によって実行されています。算術演算とは**足し算や引き算などの演算**で、論理演算は**「ある事柄が○か×か」を判断する演算**です。コンピュータは0と1しか理解できないので、○のときは1、×のときは0を代わりに使います。

論理回路と表記法

　コンピュータの中には論理演算を行うための論理回路が組み込まれています。論理回路とは、**入力された値に対して論理演算を行い、結果を出力する装置**です。演算の種類によって、さまざまな論理回路があります。論理回路はひと目でわかりやすいように、MIL記号と呼ばれる記号を使って図にします。また**条件と答えを一覧にした**真理値表や、**当てはまる部分に色を塗って図で表す**ベン図も使われます。

MIL 記号	真理値表	ベン図

X	Y	X+Y
0	0	0
0	1	1
1	0	1
1	1	1

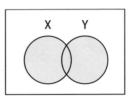

ココに気をつけて！ **真理値表の読み方を理解しておきましょう。**一番上の行は「Xが0で、Yが0なら、論理和であるX+Yは0」となることを表しています。同様に、2行目は「Xが0で、Yが1なら、X+Yは1」、3行目は「Xが1で、Yが0なら、X+Yは1」、4行目は「Xが1で、Yが1なら、X+Yは1」です。

3つの基本回路

最も基本的な論理演算は、論理和（OR）、論理積（AND）、否定（NOT）の3つです。

論理和（OR）

論理和は、**XかYのどちらか一方でも1ならば、答えが1になる論理演算**です。逆にいえば、どちらも0のときだけ、答えは0になります。論理和は「＋」記号を使って書き表します。

X	Y	X+Y
0	0	0
0	1	1
1	0	1
1	1	1

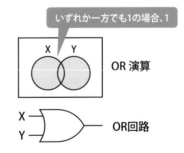

いずれか一方でも1の場合、1

OR演算

OR回路

論理積（AND）

論理積は、XとYが、どちらも1だった場合に、答えが1になる論理演算です。どちらかが0だったり、どちらも0だったりすると、答えは0になります。論理積は「・」記号を使って書き表します。

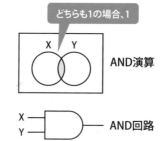

X	Y	X・Y
0	0	0
0	1	0
1	0	0
1	1	1

否定（NOT）

否定は、Xが0であれば、答えは反対の1になり、逆にXが1であれば、答えは0になる論理演算です。これまでの演算と違い、入力値が1つです。否定は「−」記号を使って書き表します。

X	$\overline{X}$
0	1
1	0

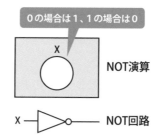

基本回路の組合せ

論理和、論理積、否定の3つが基本的な論理演算ですが、これらを組み合わせた論理演算に次のようなものがあります。

排他的論理和（XOR）

排他的論理和は、XとYが異なるときに答えが1になり、同じときには0になる論理演算です。排他的論理和は「⊕」記号を使って書き表します。

X	Y	X⊕Y
0	0	0
0	1	1
1	0	1
1	1	0

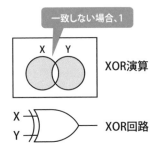

否定論理和（NOR）

否定論理和は、XとYのどちらか一方でも1のときに、答えが0になる論理演算です。論理和と否定の組合せなので、記号も「＋」と「－」を組み合わせて書き表します。

X	Y	$\overline{X + Y}$
0	0	1
0	1	0
1	0	0
1	1	0

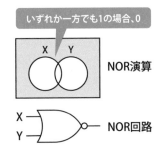

否定論理積（NAND）

否定論理積は、XとYがどちらも1の場合に答えが0になる論理演算です。論理積と否定の組合せなので、記号も「・」と「－」を組み合わせて書き表します。

X	Y	$\overline{X \cdot Y}$
0	0	1
0	1	1
1	0	1
1	1	0

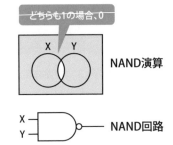

論理回路は入力が1つか2つのものが基本ですが、入力が4つの場合の問題も出題されています。例えば、4入力NAND回路とは、4つの入力がすべて1のとき0を、1つでも0があれば1を出力する回路です。多くの入力をもつ多入力論理回路では、**入力が2つの論理回路を、入力の数だけ組み合わせた論理回路であると考えましょう。**

ド・モルガンの法則

ド・モルガンの法則は論理演算の公式の中でも特に重要なもので、**複雑な論理式を変形して整理するとき**に用いられます。覚えておくと、ベン図を書かずに短時間で試験問題に解答することができます。

$$\overline{X \cdot Y} = \overline{X} + \overline{Y}$$ 論理積全体の否定は、それぞれの否定の論理和

$$\overline{X + Y} = \overline{X} \cdot \overline{Y}$$ 論理和全体の否定は、それぞれの否定の論理積

ココが試験に出る!

- 論理和（OR）：どちらか一方でも1であれば、答えが1
- 論理積（AND）：両方が1のときだけ、答えが1
- 否定（NOT）：0ならば1、1ならば0
- 排他的論理和（XOR）：2つの入力値が異なっていれば1、一緒なら0
- 否定論理和（NOR）：論理和の否定。どちらか一方でも1なら、答えが0
- 否定論理積（NAND）：論理積の否定。両方が1のときだけ、答えが0
- 論理回路にデータを入力した場合、論理演算によってどんなデータが出力されるかを理解しておこう
- ド・モルガンの法則を使って、論理式を変換できるようにしておこう

試験問題にチャレンジ

図の論理回路と等価な回路はどれか。

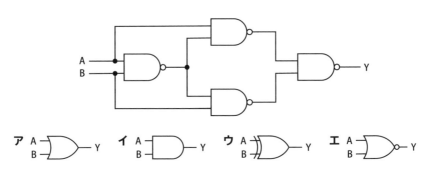

正解　ウ

解説 AとBそれぞれに0と1を入力した場合、論理回路上の①～③およびYの出力は次のとおりです。

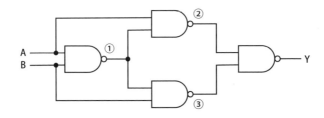

A	B	① (A NAND B)	② (A NAND ①)	③ (① NAND B)	Y (② NAND ③)
0	0	1	1	1	0
0	1	1	1	0	1
1	0	1	0	1	1
1	1	0	1	1	0

Yの結果から、同じ出力となる等価回路は、**ウ**のXOR論理回路です。

H31春 - 問22

二つの入力と一つの出力をもつ論理回路で，二つの入力 A，B がともに 1 のときだけ，出力 X が 0 になる回路はどれか。

ア AND 回路

イ NAND回路

ウ OR回路

エ XOR回路

正解 イ

解説 ２つの入力がともに 1 のときだけ出力が 0 になる回路は、NAND回路です。

07

半加算器と全加算器

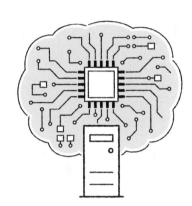

加算器について学ぼう

- 半加算器の仕組みを学ぼう。
- 全加算器の仕組みを学ぼう。
- 半加算器と全加算器を組み合わせた回路の仕組みについて学ぼう。

加算器とは

　コンピュータの足し算は、加算器という回路によって計算されます。加算器には、**1桁の2進数を足し算する半加算器**と、**2桁以上の2進数を足し算する全加算器**の2種類があります。

半加算器

　半加算器は、2進数1桁の足し算をする回路です。1桁の足し算は、次の4つのパターンの計算があります。

$$
\begin{array}{cccc}
① & ② & ③ & ④ \\
\begin{array}{r} 0 \\ +\ 0 \\ \hline 0 \end{array} &
\begin{array}{r} 0 \\ +\ 1 \\ \hline 1 \end{array} &
\begin{array}{r} 1 \\ +\ 0 \\ \hline 1 \end{array} &
\begin{array}{r} 1 \\ +\ 1 \\ \hline 1\,0 \end{array}
\end{array}
$$

　①から③の計算パターンでは、合計の値が1桁で済みますが、④のときは桁上がりして、2桁になります。**半加算器で④の計算結果を記録するためには、下の図のように合計値（S）の1桁目の値と、桁上がりした2桁目の値（C）の2つの値を記録しておかなくてはなりません。**ちなみに、Sは英語で「合計」を表す「Sum」の頭文字で、Cは英語で「桁上がり」を表す「Carry」の頭文字です。

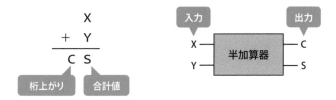

　つまり、XとYを足し算した合計を、2桁の値C（2桁目）とS（1桁目）で表すと、①0＋0＝0のときは、Xが0、Yが0、答えであるCもSも0となります。④1＋1＝10のときは、Xが1、Yが1で、答えであるCは1、Sは0ということになります。このように**XとYの加算結果をCとSで表した一覧を真理値表にすると、**次のようになります。

	X	Y	C	S
①	0	0	0	0
②	0	1	0	1
③	1	0	0	1
④	1	1	1	0

AND　　XOR

　桁上がりの値であるCを見ると、これはXとYの論理積（AND）になっています。また、1桁目の値であるSは、XとYの排他的論理和（XOR）になっています。そこで、**半加算器は、CPUの中の論理積の回路と排他的論理和の回路を組み合わせて利用することで、2進数1桁の計算を行っています。**半加算器の回路をMIL記号を使って図にすると、このようになります。

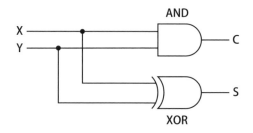

全加算器

　2桁以上の2進数を足し算すると、2桁目以上の桁では、下の桁からの桁上がりを足さなければならない場合があります。**下の桁からの桁上がりを加算できる加算器を全加算器といいます。1桁目には桁上がりがありませんので半加算器を使い、全加算器は2桁目以上の桁の足し算に使われます。**

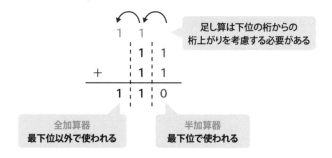

　1桁目のXとYがどちらも1だと、合計が10となって2桁目に桁上がりします。この下の桁から桁上がりした「1」が、Zとして2桁目の足し算に加えられるのです。1桁目の足し算は半加算器に任せるので、ここでは考えません。**全加算器では2桁目以上専門です。**2桁目のXとYに、1桁目からの桁上がりであるZを足した合計値をS、2桁目の足し算で桁上がりが出たら、その桁上がりをCとします。

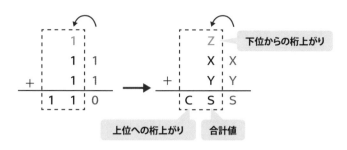

全加算器の計算パターン全部をまとめて、真理値表で表してみましょう。

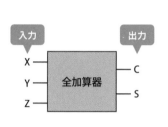

X	Y	Z	C	S
0	0	0	0	0
0	1	0	0	1
1	0	0	0	1
1	1	0	1	0
0	0	1	0	1
0	1	1	1	0
1	0	1	1	0
1	1	1	1	1

全加算器の論理回路は、半加算器と論理和の回路を組み合わせたものになります。全加算器の回路をMIL記号を使って図にすると、このようになります。

─ **ココ**が試験に出る！ ─

- 半加算器は、1桁の2進数を足し算する回路
- 半加算器の回路は、論理積と排他的論理和の組合わせで構成される
- 全加算器は、2桁以上の2進数を足し算する回路。下の桁からの桁上がりを加算できる
- 全加算器の回路は、半加算器と論理和の組合わせで構成される

試験問題にチャレンジ

問題**❶**

H29春 - 問22

図に示す，1桁の2進数 x と y を加算して，z（和の1桁目）及び（桁上げ）を出力する半加算器において，AとBの素子の組合せとして，適切なものはどれか。

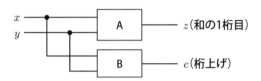

	A	B
ア	排他的論理和	論理積
イ	否定論理積	否定論理和
ウ	否定論理和	排他的論理和
エ	論理積	論理和

正解　**ア**

解説 半加算器の1桁目は x と y の排他的論理和、桁上がりは論理積です。

基礎理論

テクノロジ系 コンピュータシステム

技術要素

開発技術

プロジェクト
マネジメント

マネジメント系 サービスマネジメント

システム戦略

ストラテジ系 経営戦略

企業と法務

解説動画 ▶

情報メディア

本章の学習ポイント

- フォントにはビットマップフォントとアウトラインフォントがある。
- 画像にはラスタ形式とベクタ形式がある。
- 音声データのデジタル化としてはPCM方式が代表的である。

Chapter 2

01 文字データの表現

文字データの表現を学ぼう

- 文字コードの種類を理解しよう。
- フォントの種類を理解しよう。
- ビットマップフォントの文字データの表示の仕組みを理解しよう。

文字コードの種類

コンピュータ内部ではすべてのデータを0と1だけで表現しています。そのため「A」という文字を扱おうと思ったら、「01000001」のように2進数のデータに変換してコンピュータ内部で処理します。

しかし、「A」を表す数値が「01000001」であるかどうかは、そもそも何で決められているのでしょうか。それは、使っているコンピュータやOSが、どのような文字コードを採用しているかによって異なります。文字コードとは、**文字1つ1つに異なるコード（番号）を割り振った一覧表**のことです。つまり、文字コードの種類が異なれば、「A」が「01000001」でない場合もあるわけです。

コンピュータで使われている代表的な文字コードは、次のとおりです。

種類	特徴
ASCIIコード （アスキー）	米国規格協会が制定した**7ビット**の文字コード。**半角英数字は表現できるが、漢字は表現できない**
シフトJISコード （ジス）	漢字やひらがなを表現できる。**日本のパソコンで広く使われている**文字コード
EUC （イーユージー）	**UNIXコンピュータで使用**される文字コード。UNIX上で漢字を扱える（ユニックス）
JISコード （ジス）	**日本語の電子メールのやり取りに使用される文字コード**
Unicode （ユニコード）	国際標準化機構（ISO）で規格化された**世界中の文字をまとめて表現**できる文字コード。多くの国の文字体系に対応できる（アイエスオー）

文字コード変換の仕組み

　文字コードへの変換は、次のような流れで行われます。**人間がキーボードなどの入力装置から「A」を入力すると、OSが文字コード表を使って「A」に対応する文字コードを照合します。**その文字コードを入力信号として、コンピュータ内部で処理されます。文字を出力するときは、この反対の流れで変換します。2進数データに対応する文字を照合し、ディスプレイなどに表示します。

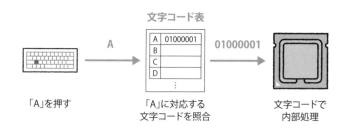

文字コード表

「A」を押す　　　　「A」に対応する　　　　文字コードで
　　　　　　　　　　文字コードを照合　　　　内部処理

ココに気をつけて！ 文字化けが起きるのは、**コンピュータが異なる文字コード表を参照して変換してしまうことが一因です。**

Chapter
2
情報メディア

フォントの種類

コンピュータの内部では文字コードを使いますが、画面に表示したり印刷したりするときには、人間が読める文字に変換する必要があります。**文字を統一されたデザインで表示できるようにした書体データ**をフォントといいます。データ形式により、フォントは大きく2種類に分けられます。

種類	特徴	形状
ビットマップフォント	**文字の形を画素ごとに0と1で表示**	
	拡大・縮小で形が崩れる	
	小さい文字なら、データ量が少なく表示も速い	
アウトラインフォント	**文字の輪郭を線のデータとして保持**	
	拡大・縮小しても形が崩れない	
	輪郭データと大きさから計算して表示する分、時間がかかる	

文字の大きさを表す単位

文字の大きさを指定するときに使う単位にポイントがあります。1ポイントは、1/72インチです。例えば、縦横比が同じ正方フォントでサイズを12ポイントに設定すると、文字の大きさは12/72インチ（約4.2mm）になります。

あ

├── 4.2mm ──┤

※ポイント→インチ→ミリに変換

$$12p = \frac{1}{72} \times 12 \times 25.4 = 4.2mm$$

$1p = \frac{1}{72}inch$
1 inch = 2.54 cm
= 25.4mm

ココに気をつけて！　試験問題では、「1ポイントは1／72インチとする」のように定義がありますので、暗記は不要です。

ビットマップフォントの文字データ

ビットマップフォントの文字データは、非常に小さい点の集まりによって表現しています。この1つ1つの点を**ドット**、**画素**、または**ピクセル**といい、**データを構成する画素の個数**を**画素数**といいます。画素数が多いほど、細かい部分まで表現できます。

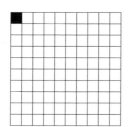

画素（ピクセル・ドット）＝1マス分の点

画素数＝データを構成する画素の個数

縦10個×横10個なので、画素数は**100**

ディスプレイやプリンタ用紙のサイズは限られています。そこで、画質の品質を示すためには、画素数だけでは不十分で、**一定の表示エリアに対して、画素をどれだけ表示できるか、密度を示す解像度**という指標が使われます。

解像度の単位は**dpi**（dots per inch）で表され、**1インチ（約2.54cm）の正方形の中にいくつ画素が並んでいるかを表した数字**です。

解像度が高ければ高いほど1インチの中に含まれる画素数が多くなるため、細かい表示が可能になります。逆に解像度が低いと、画面表示した際に画素のギザギザが見えてしまいます。

解像度＝1インチあたりの画素数

1インチ当たり5ドット
5dpiの解像度

1インチ当たり10ドット
10dpiの解像度

このギザギザの状態を目立たなくする技術に、アンチエイリアシングがあります。これは、**ギザギザの線の境目に中間色を補ってぼかすことで、人の目には滑らかに見えるようにする技術**です。

ココが試験に出る！

- ・ASCII：アルファベット、数字、特殊文字、制御文字で構成。漢字の規定なし
- ・ビットマップフォント：文字の形を画素ごとに0と1で表示
- ・アウトラインフォント：文字の輪郭を線のデータとして保持
- ・解像度：1インチあたりの画素数で密度を表す。単位はdpi
- ・アンチエイリアシング：ビットマップデータの傾いた直線を滑らかに表示する技法

試験問題にチャレンジ

コンピュータで使われている文字符号の説明のうち，適切なものはどれか。

ア ASCII符号はアルファベット，数字，特殊文字及び制御文字からなり，漢字に関する規定はない。

イ EUCは文字符号の世界標準を作成しようとして考案された16ビット以上の符号体系であり，漢字に関する規定はない。

ウ Unicodeは文字の1バイト目で漢字かどうかが分かるようにする目的で制定され，漢字をASCII符号と混在可能とした符号体系である。

エ シフトJIS符号はUNIXにおける多言語対応の一環として制定され，ISOとして標準化されている。

．．

正解　**ア**

解説

イ 前半部分はUnicodeの説明です。Unicodeでは漢字に関する規定がありますので、後半の記述は該当しません。

ウ Unicodeではなく、シフトJIS符号の説明です。

エ シフトJIS符号ではなく、EUCの説明です。

ビットマップフォントよりも，アウトラインフォントの利用が適しているケースはどれか。

ア 英数字だけでなく，漢字も表示する。

イ 各文字の幅を一定にして表示する。

ウ 画面上にできるだけ高速に表示する。

エ 任意の倍率で文字を拡大して表示する。

．．

正解　**エ**

解説 アウトラインフォントは、文字の輪郭を線のデータとして保持しているため、拡大表示に適しています。

ア 漢字の細かい部分の表示には、ビットマップフォントが適しています。

イ 一定の幅での表示は、どちらのフォントも対応しており、比較対象にはなりません。

ウ ビットマップフォントの表示のほうが、処理が単純で高速に表示されます。

問題❸

96dpiのディスプレイに12ポイントの文字をビットマップで表示したい。正方フォントの縦は何ドットになるか。ここで，1ポイントは1／72インチとする。

ア 8

イ 9

ウ 12

エ 16

正解　エ

解説 12ポイントをインチに換算すると、12×1／72＝12／72＝1／6です。12ポイントの文字を描画するときのディスプレイ上の表示サイズは1／6インチ。ディスプレイは96dpiで、1インチが96ピクセル（ドット）で構成されています。つまり、96×1／6＝16で、12ポイントの正方フォント（縦横が同じ）文字は16ドットです。

問題❹

液晶ディスプレイなどの表示装置において，傾いた直線の境界を滑らかに表示する手法はどれか。

ア アンチエイリアシング

イ シェーディング

ウ テクスチャマッピング

エ バンプマッピング

正解　ア

解説 液晶ディスプレイなどの表示装置で、斜めの直線がギザギザに見える状態を目立たなくする技術は、アンチエイリアシングです。

イ 物体に光と影を表現し明暗をつけることで立体感を与える手法です。

ウ テクスチャマッピングは、物体の表面的な質感を与えるための手法です。

エ バンプマッピングは、揺らぎによる凹凸情報をつけて自然な細やかさを表現する手法です。

02 画像データの表現

画像データについて学ぼう

- ベクタ形式とラスタ形式の違いを理解しよう。
- カラー表示の仕組みを理解しよう。
- 画像データのサイズの計算方法を理解しよう。

画像データの形式

画像オブジェクトには、次のような異なる2つの種類があります。

形式	特徴	形状
ラスタ形式	**画素（ドット）を格子状に並べて構成したデータ**。写真など描写が複雑なデータの表示に適している。サイズ変更すると画像の品質が落ちる 画像編集ソフト：**ペイントソフト**	
ベクタ形式	**図形・線などを始点・方向・長さで計算したデータ**。単純なイラストやロゴなど図形的な表現に適している。複雑な画像表現には適さない 画像編集ソフト：**ドローソフト**	

画像データの解像度

画像データは、画素の密度を表す解像度が低いと粗く、高いと滑らかに表示できます。例えば、スマートフォンでは設定された解像度で撮影データが保存されます。

低い解像度の画像データを、そのままのサイズで解像度だけ高くしても、画像自体は粗い状態のままになります。そのため、画像データを証明写真や印刷などで使うときには、元データの解像度が低い場合、品質上問題になりかねません。そのため、**最初から適切な解像度で撮影しておくことが重要です**。

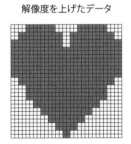

画像データで表現できる色数

1画素に対してどれだけの色の種類を割り当てるかで、**画像データで使える色数が決まります**。昔のコンピュータは、ハードウェアの性能が低かったこともあり、1画素あたりに使用できるビット数が1ビットのみだったので白黒表示でした。

1画素に何色を割り当てるか

| 0 | 黒 |
| 1 | 白 |

1ビット（2色）

白黒表示

　現在では、ハードウェアの性能があがり、表示内容を一時的に保持している専用のビデオメモリ容量も大きくなりました。そのため、**1画素あたりのビット数が増え、表現できる色数も増えました**。

1画素あたりのビット数	表現できる色数
1ビット	2色 (2^1)
8ビット	256色 (2^8)
16ビット	65,536色 (2^{16})
24ビット	16,777,216色 (2^{24})

　色数が増えると、画像データのサイズも大きくなります。例えば、解像度600dpiで画像サイズが縦2.54cm×横5.08cm、24ビットの色情報をもつ画像データを計算してみます。

縦の画素数：2.54÷2.54=1（インチ）　1×600=600（個）
横の画素数：5.08÷2.54=2（インチ）　2×600=1,200（個）
総画素数　：600×1,200=720,000（個）

1画素24ビットの色情報をもつので、バイトに換算すると、
1バイト=8ビット
24÷8=3で、1画素3バイトのデータ量をもちます。

よって画像データ量は、
720,000（個）×3（バイト）=2,160,000=2.16M（バイト）

試験問題では、画像サイズが「インチ」ではなく「cm」で出題されることがあります。ただし、問題文中に「1インチは2.54cmとする」と定義が示されるので、暗記する必要はありません。**dpiがインチ換算なので、画素数を求める前にインチ変換しましょう。**

また、問題文中で「1画素24ビットの色数」「データ量は約何Mバイトになるか」と単位が混在しています。どの単位で答えるのかをよく読んで確認し、計算中にビット⇄バイトの換算を忘れないようにしましょう。

データの圧縮

文字データに比べて、画像データは情報量が多くなるため、データ量が大きくなってしまいます。そのため、**データ量を小さくする**圧縮の技術が進んでいます。

圧縮には、**圧縮したあとにもとの情報に戻せる**可逆圧縮と、**もとの状態には戻せない**非可逆圧縮があります。

次の表は、代表的な画像データ形式と特徴、圧縮種別を表しています。

データ形式	特徴	圧縮の種別
ビットマップ BMP	Windowsが標準でサポートしている**ビットマップ画像**	
ジフ GIF	**256色しか表現できないので、あまり多くの色を使わないイ**ラストや小さい画像に使われる	可逆圧縮
ピング PNG	**Webサイト**などで**使用**されている	可逆圧縮
ジェイペグ JPEG	多くの色を表現でき、**スマホやデジカメで使われている**	非可逆圧縮

- ドローソフトはベクタ形式の画像データを編集、ペイントソフトはラスタ形式を編集
- 画像データ量の計算では「cm→インチ」「ビット→バイト」換算が必要なので注意
- データの圧縮には、もとの情報に戻せる可逆圧縮と戻せない非可逆圧縮がある

試験問題にチャレンジ

問題❶

ドローソフトを説明したものはどれか。

ア 関連する複数の静止画を入力すると，静止画間の差分を順に変化させながら表示していくことで，簡易な動画のように表現することができる。

イ 図形や線などを部品として，始点，方向，長さの要素によって描画していく。また，これらの部品の変形や組合せで効率的に図形を描画していくことができる。

ウ マウスを使ってカーソルを筆先のように動かして，画面上に絵を描いていく。出来上がった絵はビットマップ画像として保管することができる。

エ 文字や静止画データ，動画データ，音声データなど複数の素材をシナリオに沿って編集，配置し，コンテンツに仕上げることができる。

正解　イ

解説 ドローソフトは、ベクタ形式の画像を作成するソフトウェアです。ベクタ形式では、点の位置とつないだ線、傾きなどを数値データとして扱います。

なお、**ア**はGIFアニメーション、**ウ**はペイントソフト、**エ**はオーサリングツールの説明です。

問題❷

横25.4cm，縦38.1cmの画像を，解像度600dpi，24ビットの色情報を指定してスキャナで読み込むと，データ量は約何Mバイトになるか。ここで，1インチは2.54cmとする。

ア 0.27
イ 162
ウ 1,045
エ 1,296

正解　イ

解説 画像の大きさをインチ単位に変換すると、1インチは2.54cmです。つまり、

横：25.4 ÷ 2.54 ＝ 10インチ、縦：38.1 ÷ 2.54 ＝ 15インチ、です。

解像度が600dpiなので、この画像の総画素数を計算すると、

(600 × 10) × (600 × 15) ＝ 54,000,000

スキャナは24ビットの色情報を指定して読み取るので、バイトに換算すると1画素あたり24÷8＝3バイト
スキャナが読み取る総データ量を計算すると
54,000,000×3＝162,000,000バイト
162,000,000÷1,000,000＝162Mバイト

問題❸ H19春-問70

静止画像データの圧縮方式の特徴のうち，適切なものはどれか。

ア 可逆符号化方式で圧縮したファイルのサイズは，非可逆符号化方式よりも小さくなる。

イ 可逆符号化方式では，圧縮率は伸張後の画像品質に影響しない。

ウ 非可逆符号化方式では，伸張後の画像サイズが元の画像よりも小さくなる。

エ 非可逆符号化方式による圧縮では，圧縮率を変化させることはできない。

正解 イ

解説 可逆符号化方式では、圧縮率によらず元の画像品質に戻すことができるので、伸張後の画像品質には影響しません。

ア 非可逆符号化方式のほうが小さくなります

ウ 非可逆符号化方式では、伸張後も画像サイズは変化しません

エ 非可逆符号化方式では、圧縮率を指定できます

Chapter 2

03 音声データの表現

こんにちは！

超効率ポイント

コンピュータが音声データをどう扱うかを学ぼう

- アナログデータとデジタルデータの違いを理解しよう。
- 音声データをデジタル化するPCM方式の手順を理解しよう。

アナログデータとデジタルデータ

　コンピュータでは、文字や数値だけでなく、人間の声や楽器の音などの音声もデータとして扱うことができます。しかし、**音は波形のひとつづきのアナログデータ**のため、レコードやカセットテープのような連続記録媒体でなければ扱うことができません。そこで、**コンピュータでも扱えるように、波を細かく区切って数値に置き換えたデジタルデータ**に変換します。

音は波形のひとつづきのデータ
アナログデータ

波を区切って数値化したデータ
デジタルデータ

音声データのデジタル化

音声データをデジタル化する代表的な変換方法は、<ruby>PCM<rt>ピーシーエム</rt></ruby> (Pulse Code Modulation) 方式です。PCM方式では、次の3つのステップで、デジタル化が行われます。

① 標本化 (サンプリング)：音声データを一定の周期ごとに区切って値を切り出す

② 量子化：①で切り出した値を0〜255に変換 (8ビットデータの場合→2^8パターン)

③ 符号化：量子化したデータをビット列に変換

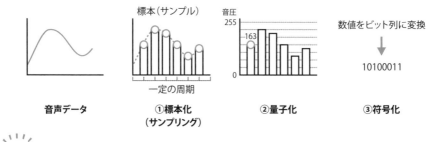

音声データ　　①標本化 (サンプリング)　　②量子化　　③符号化

ココに気をつけて! 試験では、**音声をサンプリング (標本化) するときのサンプリング間隔を計算する問題が出ています。**「音声データをサンプリングし、転送速度64,000ビット／秒でデータ転送」というような表現は一見わかりづらいですが、「1秒間に64,000ビット転送できる量の音声データがサンプリングで生成されている」ということです。

ココが試験に出る!

- 音はもともとアナログデータのため、コンピュータで扱えるようデジタル化が必須
- デジタル化の代表的な変換方法にPCM方式 (①標本化→②量子化→③符号化) がある

試験問題にチャレンジ

問題❶

標本化，符号化，量子化の三つの工程で，アナログをデジタルに変換する場合の順番として，適切なものはどれか。

ア 標本化，量子化，符号化

イ 符号化，量子化，標本化

ウ 量子化，標本化，符号化

エ 量子化，符号化，標本化

正解　ア

解説 アナログをデジタルに変換する場合の順番は、標本化（サンプリング）→量子化（音圧を区別し数値化）→符号化（ビット列に変換）です。

問題❷

PCM方式によって音声をサンプリング（標本化）して8ビットのデジタルデータに変換し，圧縮せずにリアルタイムで転送したところ，転送速度は64,000ビット／秒であった。このときのサンプリング間隔は何マイクロ秒か。

ア 15.6

イ 46.8

ウ 125

エ 128

正解　ウ

解説 生成データの転送速度が64,000ビット／秒とは、1秒ごとに64,000ビットの音声データが生成されたということです。1回のサンプリングによる音声データは8ビットなので、64,000÷8＝8,000（回）が1秒間あたりのサンプリング回数です。
1秒間に8,000回のサンプリングを行うためには、
1（秒）÷8,000＝1,000,000（マイクロ秒）÷8,000＝125（マイクロ秒／回）となります。

04 動画データの表現

動画データを表現する仕組みや関連技術を学ぼう

- 2Dと3Dの違いを理解しよう。
- CG関連技術を学ぼう。
- 動画データの圧縮技術を学ぼう。

CG（コンピュータグラフィックス）の技法

　実際の世界を撮影し編集したものは実写映像ですが、パソコン上で制作したものは、CG（コンピュータグラフィックス）といいます。近年、CG技術はどんどん向上し、より現実の世界に近い表現が可能になりました。

2Dと3Dの違い

　2次元のことを2D（2 dimensions）、3次元のことを3D（3 dimensions）といいます。DはDimensionの略で、数学の座標軸の数という意味です。2Dでは横方向のX軸、縦方向のY軸の2つの軸で表現します。また、3Dでは横方向のX軸と縦方向のY軸に加え、奥行きをZ軸で表します。

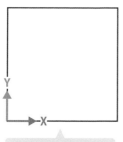 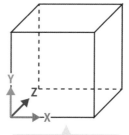

2D：縦と横をX軸とY軸で
表す

3D：縦・横・奥行きを
X・Y・Z軸で表す

モデリングとは、模型を組み立てることです。**コンピュータを使って、立体物データを計算して形成する技術**を**3Dモデリング**といいます。

続いて、CGに関する技術をみていきましょう。

モーフィング

モーフィングは、**ある画像からある画像へ滑らかに変化していく様子を表現するためのCG技法**です。その変化の間を補う画像をコンピュータで複数作成することで実現します。この技術は、2Dの実写映像だけでなく、3Dのアニメーション映像などでも使われています。

ポリゴン

ポリゴンとは、**立体の表面を形作る小さな多角形のことで、曲面を表す最小単位**です。ポリゴンの集まりによって立体的な曲面を表現します。

ポリゴンを使って3DCGアニメーションを制作する際は、多くの場合、モーフィングが使用されます。頂点の位置変化を記録し、その変化の間を補う画像をコンピュータで自動生成します。

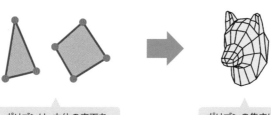

ポリゴンは、立体の表面を
形作る小さな多角形で、
3辺か4辺であることが多い

ポリゴンの集まりで
立体を表現する

モーションキャプチャ

　センサやビデオカメラなどを用いて人間や動物の自然な動きをデータ化して、コンピュータに取り込む技法を**モーションキャプチャ**といいます。この技術を活用することで、コンピュータ上のCGキャラクターにより人間らしいリアルな動きをつけたり、自分のアバター（分身）に、本人の動きを同期させたりすることも可能です。

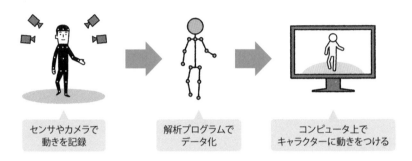

| センサやカメラで 動きを記録 | 解析プログラムで データ化 | コンピュータ上で キャラクターに動きをつける |

クリッピング

　特定の範囲を定義し、そこからはみだした部分を表示しないようにする処理を**クリッピング**といいます。例えば、ハートのウィンドウを定義して、青空の映像をクリッピングすることで、ハート型にくりぬいた青空の映像を作ることができます。

　　青空の素材　　　　　　ハートのウィンドウ　　　　ハート型の青空

動画データの圧縮技術

　動画はサイズが大きいため、データを送るときには圧縮し、受信後は復元して再生しています。この圧縮・復元を行う動画圧縮技術の中で現在多く使われているのが、**動画サイトやワンセグ放送で使用されている**H.264/MPEG-4 AVCです。

　H.264/MPEG-4 AVCは、**動画の変化した部分だけを送信することで、少ないデータ量でも画質が良いのが特徴**です。また、元データから不要な部分を削除することで圧縮しているため、元のデータを再現できない非可逆圧縮方式に分類されます。

- モーフィング：2つの画像の間の変化を滑らかに表現するため、間に画像を補完
- ポリゴン：立体の表面を形作る小さな多角形。ポリゴンの集まりで立体的な曲面を表現
- モーションキャプチャ：カメラやセンサを用いて、自然な動きをデータ化
- クリッピング：特定の範囲を定義し、はみだした部分を表示しないようにする
- H.264/MPEG-4 AVC：動画サイトやワンセグ放送で使用される動画圧縮技術

Chapter

2

情報メディア

試験問題にチャレンジ

アニメーションの作成過程で，センサやビデオカメラなどを用いて人間や動物の自然な
動きを取り込む技法はどれか。

ア キーフレーム法

イ ピクセルシェーダ

ウ モーションキャプチャ

エ モーフィング

正解 **ウ**

解説 モーションキャプチャは、実際の自然な動きをデジタルデータとして収集し、その
データを基に画像を作成します。

ア キーフレーム法は、動きのポイントとなる物体の位置や形を定義し、その間をコン
ピュータ計算によって生成したフレームで補完することで滑らかなアニメーション
を作成する技法です。

イ ピクセルシェーダは、3DCGにおいてテクスチャの表面色、光源、陰影などの情報
をもとにピクセルに描画する色を計算する機能です。

エ モーフィングは、CGにおいてある物体から別の物体へ変形していく間を、コン
ピュータ演算によって補完することで、自然な変形をする映像として作成する技法
です。

3次元コンピュータグラフィクスに関する記述のうち，ポリゴンの説明はどれか。

ア ある物体Aを含む映像aから他の形状の異なる物体Bを含む映像bへ，滑らかに変
化する映像

イ コンピュータ内部に記録されているモデルを，ディスプレイに描画できるように2
次元化した映像

ウ 閉じた立体となる多面体を構成したり，2次曲面や自由曲面を近似するのに用いら
れたりする基本的な要素

エ モデリングされた物体の表面に貼り付ける柄や模様などの画像

正解　ウ

解説 ポリゴンは、立体の表面を形作る小さな多面形で、立体的な曲面を表現します。
なお、**ア**はモーフィング、**イ**はレンダリング、**エ**はテクスチャマッピングの説明です。

問題❸　　　　　　　　　　　　　　　　　　　　H28春-問25

3次元グラフィックス処理におけるクリッピングの説明はどれか。
- **ア**　CG映像作成における最終段階として，物体のデータをディスプレイに描画できるように映像化する処理である。
- **イ**　画像表示領域にウィンドウを定義し，ウィンドウの外側を除去し，内側の見える部分だけを取り出す処理である。
- **ウ**　スクリーンの画素数が有限であるために図形の境界近くに生じる，階段状のギザギザを目立たなくする処理である。
- **エ**　立体感を生じさせるために，物体の表面に陰影を付ける処理である。

正解　イ

解説 クリッピングは、画像の一部を切り抜いて残し、ほかの部分を消去する処理です。
なお、**ア**はレンダリング、**ウ**はアンチエイリアシング、**エ**はシェーディングの説明です。

問題❹　　　　　　　　　　　　　　　　　　　　R1秋-問24

H.264/MPEG-4 AVCの説明として，適切なものはどれか。
- **ア**　5.1チャンネルサラウンドシステムで使用されている音声圧縮技術
- **イ**　携帯電話で使用されている音声圧縮技術
- **ウ**　デジタルカメラで使用されている静止画圧縮技術
- **エ**　ワンセグ放送で使用されている動画圧縮技術

正解　エ

解説 H.264/MPEG-4 AVCは、動画圧縮技術です。
なお、**ア**はドルビーデジタル、**イ**はEVS、**ウ**はJPEGの説明です。

800×600ピクセル，24ビットフルカラーで30フレーム／秒の動画像の配信に最小限必要な帯域幅はおよそ幾らか。ここで，通信時にデータ圧縮は行わないものとする。

  ア 350kビット／秒

  イ 3.5Mビット／秒

  ウ 35Mビット／秒

  エ 350Mビット／秒

正解　エ

解説 1フレームあたりのピクセル数：800×600＝480,000

1フレームあたりのデータ量（1ピクセルあたり24ビットの色情報をもつ）：

480,000×24＝11,520,000＝11.52Mビット

1秒間のデータ量（1秒間の動画像は30フレーム）：11.52M×30＝345.6Mビット

最低でも、1秒あたり345.6Mビットのデータ量を配信できる帯域幅が必要です。選択肢より、最小限必要な帯域幅は「350Mビット／秒」です。

テクノロジ系

Chapter

3

テクノロジ系　マネジメント系　ストラテジ系

基礎理論

コンピュータシステム

技術要素

開発技術

プロジェクト
マネジメント

サービスマネジメント

システム戦略

経営戦略

企業と法務

解説動画 ▶

ハードウェア

本章の学習ポイント

- コンピュータは、入力装置、記憶装置、制御装置、演算装置、出力
  装置の5つの装置が連携して動いている。
- 磁気ディスクでは、セクタ＜トラック＜シリンダの順にデータ管理
  の大小関係をもつ。
- CPUと主記憶の間に介在するメモリをキャッシュメモリと呼ぶ。
- CPUが1秒間に実行できる命令数をMIPSという。

01 ハードウェア

ハードウェアについて学ぼう

- ハードウェアとソフトウェアの違いを理解しよう。
- ハードウェアの5大装置について理解しよう。
- コンピュータの処理の流れについて理解しよう。

コンピュータを構成する要素

　コンピュータは、大量の計算や複雑なデータ処理など、さまざまな仕事を行ってくれる機械です。コンピュータによって、人間が手作業でやっていたことが自動化され、ミスなく迅速に行えるようになりました。

　コンピュータを構成する要素には、大きく分けてハードウェアとソフトウェアがあります。コンピュータが動作するためには、その両方が必要です。ハードウェアは**ディスプレイやキーボードなど物理的なもの**です。ソフトウェアは、**コンピュータの内部で動作するプログラム**です。プログラムはハードウェアを動かすための指示書のようなもので、さまざまな命令を組み合わせて書かれています。

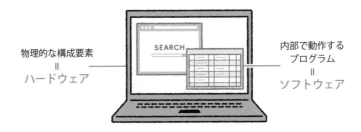

物理的な構成要素
＝
ハードウェア

内部で動作する
プログラム
＝
ソフトウェア

ハードウェアの種類

コンピュータは、入力装置、記憶装置、制御装置、演算装置、出力装置の5つの装置が連携して動いています。それぞれの役割は、次のとおりです。

装置	役割	例
入力装置	コンピュータ本体に接続して**データやプログラムを入力**する	キーボード　マウス
記憶装置	**入力されたデータやプログラムを保存**しておく。コンピュータ本体の内部にあることが多い	メモリ　ハードディスク
制御装置	記憶装置からプログラムの命令を取り出して解釈し、**他のハードウェアを制御**する	CPU
演算装置	プログラムの命令に従って、記憶装置から取り出した**データに対して演算**をする	
出力装置	コンピュータ本体内で演算されたデータを、**人に見えるように表示、印刷**する	ディスプレイ　プリンタ

ココに気をつけて! 各装置の具体的な例を理解しておきましょう。特に、**CPUは制御装置と演算装置の機能を持つハードウェア**であることに注意しましょう。

コンピュータの処理の流れ

　5つの装置がどのように連携して動くかを見ていきましょう。**コンピュータの処理は「入力」→「演算」→「出力」の順番に行われます。**

　まず、コンピュータを使う人が入力装置を操作すると、コンピュータは**①入力内容を、いったん記憶装置に読み込みます。**その後、**②プログラム内の命令を制御装置に、③データを演算装置に送り、CPU内で処理を実行します。**CPUは実行結果を覚えていられないので、処理の都度**④実行結果を記憶装置に書き出します。**その後、**⑤出力装置に結果を出力します。**

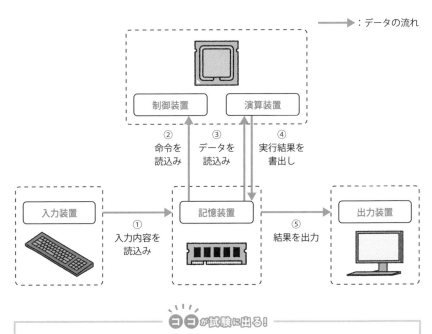

━━━▶ : データの流れ

ココが試験に出る！

- 記憶装置：入力装置からデータを読み込み、結果を出力する
- 制御装置：すべての装置を制御する
- 演算装置：記憶装置からデータを読み込み、命令を実行する

試験問題にチャレンジ

コンピュータの基本構成を表す図中のa〜cに入れるべき適切な字句の組合せはどれか。

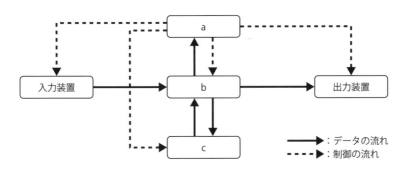

	a	b	c
ア	演算装置	記憶装置	制御装置
イ	記憶装置	制御装置	演算装置
ウ	制御装置	演算装置	記憶装置
エ	制御装置	記憶装置	演算装置

正解 エ

解説 aからすべての装置に制御の流れ（点線）が出ていることから、aは制御装置です。bは、入力装置からデータが入り、出力装置へ出ていることから、bは記憶装置です。cは、bとデータをやり取りするので、演算装置です。

02 入出力装置

入出力装置について学ぼう

- 入力装置の種類と特徴を理解しよう。
- 出力装置の種類と特徴を理解しよう。

入力装置

入力装置は**コンピュータにデータを入力するための装置**です。パソコンやタブレット端末を操作するときに使う身近な代表例として、次のようなものがあります。

種類	特徴
キーボード	キーを押して文字の入力を行う
マウス	動かした方向と距離を画面上のカーソルの移動に反映させる

種類	特徴
タッチパネル	指や専用のペンで画面に直接触れて操作する。**触れた部分の表面電荷の変化から位置を検出する**静電容量方式などがある。電子辞書やタブレット端末に使われている
スキャナ	物体の表面に強い光を当て、反射光を光学センサーで読み取って画像やバーコードをデータ化する。イメージスキャナやバーコードスキャナがある
3Dスキャナ	**立体物の形状を感知して、3Dデータとして出力する**。入力データを微調整して3Dプリンタで簡単に出力できる
アイトラッキングデバイス	**リアルタイムに人の視線の動きや特徴を捉え、分析する**。目の動きでアプリケーションを操作できる

Chapter

3

ハードウェア

出力装置

出力装置は、**コンピュータの処理結果を表示する装置**です。
代表的なディスプレイは次のとおりです。

種類	特徴	形状
CRT ディスプレイ	ブラウン管を利用した装置で、**電子ビームを真空管表面の蛍光体に当てて表示する**	
プラズマディスプレイ	有機物に高い電圧をかけて**プラズマ放電を起こし、塗布された蛍光体を発光させて表示する**	薄型
液晶ディスプレイ	**液晶に電圧をかけて色を変え、バックライトなどを用いて画像を表示する。**薄くて省電力だが、斜めからは見えにくい	
有機EL ディスプレイ	発光ダイオードと同じように、**電圧を加えると自ら光る有機物を利用して画像を表示する。**消費電力が低い	
ヘッドマウントディスプレイ	**ゴーグルの形をしていて、頭に装着して使う。**省スペースで大画面の動画をみたり、VRコンテンツを楽しむことができる	
ハプティックデバイス	**コンピュータの仮想空間にある物体に触ったときに、現実に近い触感を伝える。**医療分野などで応用が検討されている	

また、代表的なプリンタは次のとおりです。

種類	特徴	形状
インクジェットプリンタ	**インクの粒子を紙に吹き付けて印刷する。**低価格でカラー印刷もできるので、個人用としてよく使われる	
感熱式プリンタ	**高温の印字ヘッドのピンを感熱紙に押し付けることによって印刷する。**高速で静かで、レシートやラベルの印刷によく使われている	
レーザプリンタ	**光を利用し、紙にトナーを転写して印刷する。**高速なのでビジネス用によく使われている	
3Dプリンタ	**立体物を表すデータを基に、立体物を作り上げる。**樹脂や金属を熱加工し、少しずつ積み重ねていく**熱溶解積層方式**などがある。模型の試作やフィギュアの製造など、さまざまな分野で使われている	

- 静電容量方式タッチパネル：タッチした部分の表面電荷の変化から位置を検出する
- 液晶ディスプレイ：バックライトや外部の光を使って表示する
- 有機ELディスプレイ：発光ダイオードのように電圧を加えると自ら光って表示する
- 3Dプリンタ：熱溶解積層方式などにより立体物を造形する

Chapter

3

ハードウェア

問題❶

自発光型で，発光ダイオードの一種に分類される表示装置はどれか。

ア CRTディスプレイ

イ 液晶ディスプレイ

ウ プラズマディスプレイ

エ 有機ELディスプレイ

正解　エ

解説 発光ダイオード（LED）は半導体の一種で、電圧を加えることで自らが光ります。同じ原理で有機ELディスプレイも電圧を加えることで中の有機物が自ら光って表示します。

ア ブラウン管を利用した装置で、電子ビームを真空管表面の蛍光体に当てて表示します。

イ バックライトなどの光に対して、液晶物質に電圧を加えて透過率を変化させて表示します。

ウ 有機物に高い電圧をかけてプラズマ放電を起こし、塗布された蛍光体を発光させて表示します。

問題❷

3Dプリンタの機能の説明として，適切なものはどれか。

ア 高温の印字ヘッドのピンを感熱紙に押し付けることによって印刷を行う。

イ コンピュータグラフィックスを建物，家具など凹凸のある立体物に投影する。

ウ 熱溶解積層方式などによって，立体物を造形する。

エ 立体物の形状を感知して，3Dデータとして出力する。

正解　ウ

解説 3Dプリンタは立体物を造形する装置です。

なお、**ア**は感熱式プリンタ、**イ**はプロジェクションマッピング、**エ**は3Dスキャナの説明です。

03 入出力インタフェース

入出力インタフェース について学ぼう

- データ転送方式による分類を理解しよう。
- 代表的な入出力インタフェースの特徴について理解しよう。
- デイジーチェーン接続について理解しよう。

入出力インタフェースとは

　コンピュータと周辺機器を接続するために定めた規格を入出力インタフェースといいます。どのメーカで作られた機器でも接続して使えるように、ケーブルの接続口（コネクタ）の形やデータをやり取りする方法などを共通の決まりとして定めています。

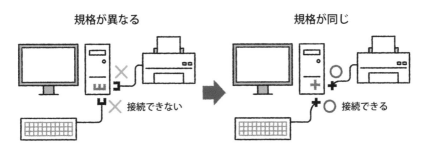

データ転送方式による分類

入出力インタフェースは、**コンピュータと周辺機器の間におけるデータの転送方式**によって次のように分類されます。

区分	方式	説明
有線	シリアルインタフェース	**1本の信号線で順番に**データを送る。シンプルな転送方式で高速化が進み、現在の主流となる
有線	パラレルインタフェース	**複数の信号線を使って同時に**データを送る。データの同期を取るのが難しく、高速化が進まなかった
無線	ワイヤレスインタフェース	**コードを使わずに**データを送る

入出力インタフェースの種類

代表的な入出力インタフェースには、次のようなものがあります。

種類	方式	特徴
ユーエスビー USB	シリアル	一番よく使われているインタフェース。USBハブを介してツリー状にすれば、**最大127台まで**周辺機器を接続できる。電源を入れたまま抜き差しできるホットプラグ機能に対応。**USB3.0では、スーパースピードと呼ばれる5Gビット／秒のデータ転送モードをもつ**。なお、USBインタフェースには、さまざまなコネクタの種類があり、断面も次のように異なる Type-A　　　　Type-C　　　　Mini-B　　　　Micro-B
エイチディーエムアイ HDMI	シリアル	**ケーブル1本で映像・音声・制御データを転送**。デジタル信号のため劣化しにくい。テレビとメディアプレイヤー、パソコンとディスプレイの接続などに使われている
ブルートゥース Bluetooth	ワイヤレス	**2.4GHz帯の電波を使ってデータを転送する**。最大100メートルまでの比較的短い距離でのデータ転送に使うことができ、パソコン間の通信や、スマートフォンや家庭用ゲーム機のコントローラに利用されている
アイアールディーエイ IrDA	ワイヤレス	**赤外線を使ってデータを転送する**。障害物に弱く、ごく近い範囲でしか動作しないこともあり、あまり使われなくなった

デイジーチェーン接続

　複数の機器を数珠つなぎに接続する方法をデイジーチェーン接続といいます。パソコンを通さずに、**周辺機器同士が直接ケーブルでつながる**ことがポイントです。1台目の機器から2台目の機器に、さらに2台目の機器から3台目の機器へと順々に接続するので配線がすっきりします。

ディスプレイ同士も1本のケーブルで接続

ココに気をつけて! デイジーチェーン接続に対応したデータ転送規格にThunderbolt（サンダーボルト）があります。**Thunderboltは、高速データ転送、映像出力、電力供給を1つのケーブルで実現します**。Thunderbolt3以降では、USB Type-Cコネクタを採用しています。

ココが試験に出る!

- USB3.0：5Gビット／秒のデータ転送モードをもつ
- USBコネクタの形状のうち、Type-Cは上下どちらでも挿入可能なデザイン

Type-A　　　　Type-C　　　　Mini-B　　　　Micro-B

- デイジーチェーン接続：パソコン-周辺機器-周辺機器と数珠つなぎの接続。Thunderboltが対応

Chapter **3** ハードウェア

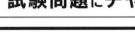

試験問題にチャレンジ

USB Type-Cのプラグ側コネクタの断面図はどれか。ここで，図の縮尺は同一ではない。

ア 　イ 　ウ 　エ

正解　イ

解説 USB Type-Cは、上下左右が対称なので向きを気にせず接続できます。アはUSB Type-A、ウはUSB Mini-B、エはUSB Micro-Bです。

USB3.0の説明として，適切なものはどれか。

ア　1クロックで2ビットの情報を伝送する4対の信号線を使用し，最大1Gビット／秒のスループットをもつインタフェースである。

イ　PCと周辺機器とを接続するATA仕様をシリアル化したものである。

ウ　音声，映像などに適したアイソクロナス転送を採用しており，ブロードキャスト転送モードをもつシリアルインタフェースである。

エ　スーパースピードと呼ばれる5Gビット／秒のデータ転送モードをもつシリアルインタフェースである。

正解　エ

解説 アはギガビットイーサネット、イはシリアルATA、ウはIEEE1394の説明です。

04 補助記憶

補助記憶について学習しよう

- 補助記憶の役割を理解しよう。
- 磁気ディスクの動作の仕組みや記録単位、アクセス時間の計算方法を理解しよう。
- フラッシュメモリの特徴について理解しよう。

主記憶と補助記憶

　コンピュータで使うデータを記憶しておく記憶装置には、主記憶と補助記憶があります。主記憶は、**直接CPUとデータのやり取りができる高速な記憶装置**です。ただし、高価な部品でもあるため、たくさん使用することができません。そこで、比較的安い補助記憶を一緒に使うことでたくさんのデータを保存できるようにしています。

　また、主記憶は電源が切れるとデータも消えてしまいますが、補助記憶は、**電源が入っていなくてもデータを記憶し続けることができる**ため、ユーザが作成したデータやプログラムが保存されています。

　補助記憶に保存されたデータをCPUで処理するには、いったん主記憶にデータを渡して、主記憶とCPUの間でやり取りが行われます。

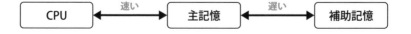

| CPU | ←速い→ | 主記憶 | ←遅い→ | 補助記憶 |

補助記憶の種類

補助記憶の代表的なものは、次のとおりです。

種類	特徴	例
磁気ディスク	磁性体を塗った薄い円盤（ディスク）に磁気の力を使って、データを読み出したり書き込んだりする	ハードディスク
光ディスク	薄い円盤にレーザ光を当てることによって、データを読み出したり、書き込んだりする	CD、DVD、BD（ブルーレイディスク）
フラッシュメモリ	電気でデータの書込みや消去を行う半導体メモリ。コンパクトでアクセス速度が速い	SDカード、USBメモリ、SSD、コンパクトフラッシュ

磁気ディスク

磁気ディスクは、**薄い円盤に磁性体を塗った装置**です。磁気ディスク装置は、複数のディスクから構成されています。**磁気ヘッド**は**データの読み書きを行う部品**、**アーム**は**磁気ヘッドを磁気ディスクの特定箇所へと移動させるための部品**です。

磁気ディスク装置は、アームの先端についている磁気ヘッドを移動させることで、磁気ディスク上のデータを読み書きします。

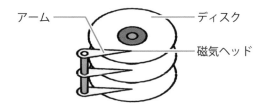

アーム ——————— ディスク

磁気ヘッド

磁気ディスクの記録単位

磁気ディスク装置は、セクタ、トラック、シリンダという単位で磁気ディスク上のデータの位置を管理します。

データを記録する最小単位がセクタです。**セクタをつないでディスクをぐるりと1周した領域**をトラックといいます。トラックは、磁気ヘッドを固定した状態で磁気ディスクを回転させたときの記録領域単位です。さらに、**各ディスクの中心から**

同じ距離にあるトラックを全部まとめた領域を**シリンダ**といいます。シリンダは、アームの位置を固定したときに同時にアクセスできる単位です。

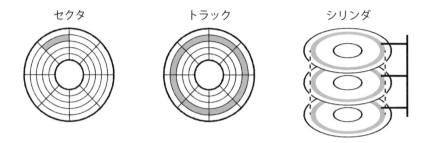

セクタ　　　　　　トラック　　　　　　シリンダ

データの読み書きに必要なディスク容量

　磁気ディスクへデータを読み書きする際は、セクタ単位で行われます。サイズが大きいデータは、複数のセクタにまたがって書き込まれます。逆に、小さいデータだとセクタ内に余った部分ができます。この**余った部分には他のデータが書き込まれることはないため、無駄な領域となります。**

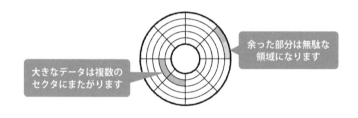

大きなデータは複数の
セクタにまたがります

余った部分は無駄な
領域になります

ブロック単位での書込み

　磁気ディスクが扱う最小単位はセクタですが、**システムがファイルなどのデータを扱うときは、複数のセクタを1つと見なした**ブロック単位で書き込むことが一般的です。そのため、磁気ディスクはブロック単位のデータをひとまとまりとして扱い、複数のセクタに書き込みます。

磁気ディスクのアクセス時間

　制御装置から磁気ディスクにデータの読み書きの指令が出てから、読み書きが終わるまでの時間をアクセス時間といいます。アクセス時間が短いほど、高性能な磁気ディスクといえます。

　アクセスは、次の3つのステップで行われます。

①アームを動かし、データのあるトラックまで移動します。この時間を位置決め時間（シーク時間）といいます。

②磁気ディスクを回転させ、データのあるセクタまで移動します。この時間を回転待ち時間（サーチ時間）といいます。ヘッドが目的のデータ上にある場合は回転待ち時間はゼロですが、離れている場合は最大１回転分の時間が掛かります。そこで平均をとり、ディスクが１／２回転する時間を計算し、回転待ち時間とします。

③アクセスアームの先端についている磁気ヘッドからデータを読み書きします。この時間をデータ転送時間といいます。

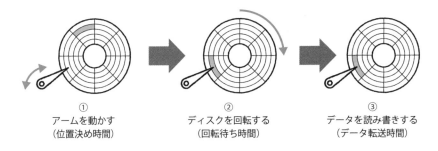

①	②	③
アームを動かす （位置決め時間）	ディスクを回転する （回転待ち時間）	データを読み書きする （データ転送時間）

磁気ディスクのアクセス時間は、次の計算式で求めることができます。

公式

磁気ディスクのアクセス時間
　＝①位置決め時間＋②回転待ち時間＋③データ転送時間

ココに気をつけて! 磁気ディスクのアクセス時間を計算させる問題では、①〜③すべてではなく、①＋②だけを求めるように指示する場合もあります。問題文をよく読んで、どの部分を計算するのかを確認しましょう。

フラッシュメモリ

フラッシュメモリは、**書込み、消去を電気的に行い、電源を切っても内容を保持できる半導体メモリ**です。アクセス速度が速い上にコンパクトで、**書込み回数に制限はあるものの、何度もブロック単位でデータを書き換えることができる**ため、広く使われています。

それぞれの特徴は次のとおりです。

種類	特徴
エスティー SDカード ミニエスディー miniSDカード マイクロエスディー microSDカード	携帯電話やデジタルカメラのデータを保存するのに使われる。カード型にパッケージされている
ユーエスビー USBメモリ	パソコンのUSBポートに差し込んで使う。簡単に抜き差しできる
エスエスティー SSD	衝撃に強いため、ハードディスクの代わりとしてノートパソコンなどに利用されている。高速に読み書きできるが、書込み回数に上限があり、ハードディスクよりも値段が高い

ココが試験に出る！

- 磁気ディスクのデータの管理単位は大きい順に、シリンダ＞トラック＞セクタ
- 磁気ディスクのアクセス時間＝位置決め時間＋回転待ち時間＋データ転送時間
- フラッシュメモリ：データの書き込み、消去を電気的に行う半導体メモリ。回数制限はあるが、ブロック単位で書き換えが可能

Chapter

3

ハードウェア

試験問題にチャレンジ

問題❶

　磁気ディスク装置において，データの管理単位の容量の大小関係として適切なものはどれか。

　ア　シリンダ ＞ セクタ ＞ トラック
　イ　シリンダ ＞ トラック ＞ セクタ
　ウ　セクタ ＞ トラック ＞ シリンダ
　エ　トラック ＞ セクタ ＞ シリンダ

正解　イ

解説 データはセクタ単位で記録されます。セクタが集まったものがトラック、トラックが集まったものがシリンダです。大きいものから順に並べると、シリンダ＞トラック＞セクタです。

問題❷

　フラッシュメモリに関する記述として，適切なものはどれか。
　ア　高速に書換えができ，CPUのキャッシュメモリに用いられる。
　イ　紫外線で全データを一括消去できる。
　ウ　周期的にデータの再書込みが必要である。
　エ　ブロック単位で電気的にデータの消去ができる。

正解　エ

解説 フラッシュメモリは、電気的にデータの書込み、消去を行う半導体メモリです。ブロック単位でデータを消去でき、デジタルカメラなどに用いられています。

05 主記憶とキャッシュメモリ

 主記憶について学習しよう

- 主記憶の仕組みを理解しよう。
- DRAMとSRAMの違いを理解しよう。
- 実効アクセス時間の計算方法を理解しよう。

主記憶の仕組み

　ハードディスクなどの補助記憶に保存されたデータは、プログラム実行時に主記憶に移されます。主記憶とは、**CPUから直接アクセスできる記憶装置**で、メインメモリまたはメモリとも呼ばれます。

　CPUが主記憶からデータを読み書きするときには、データの保存場所を指定する必要があります。そのため、主記憶には**一定の区画ごとに番号が割り振られていて、その区画単位でデータを出し入れする仕組み**になっています。

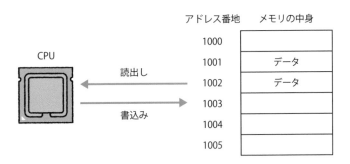

データを保存する区画ごとの番号を**アドレス**または**番地**といいます。CPUは主記憶のアドレスを指定して、目的のデータを読み込んだり、計算結果を書き込んだりします。

DRAMとSRAM

主記憶は、RAM（Random Access Memory）と呼ばれる半導体でできたメモリです。RAMはさらに、DRAM（Dynamic RAM）とSRAM（Static RAM）に分けられます。

それぞれの特徴は次のとおりです。

種類	構成部品	価格	速度	容量	リフレッシュ	用途
DRAM	電気を蓄えたり放出する電子部品であるコンデンサ	安い	低速	多い	必要	主記憶
SRAM	電気回路の一種であるフリップフロップ	高い	高速	少ない	不要	キャッシュメモリ

リフレッシュ

リフレッシュとは、**DRAMのデータが失われないように電荷を補充すること**です。DRAMは、コンデンサと呼ばれる電子部品に電荷を蓄えることでデータを保持していますが、放っておくと一定時間で放電してしまうため、データが消えてしまいます。これを防ぐため、**定期的にリフレッシュを行う必要があります**。

フリップフロップ

SRAMで使われるフリップフロップとは、**記憶ができる電気回路**です。過去に入力された信号によって出力を決定する回路を構成するためには、出力結果をいったん記憶する仕組みが必要です。その記憶する仕組みをもった回路がフリップフロップです。**回路で記憶されるため、リフレッシュは必要ありません**。

ココに気をつけて！ **DRAMの仕組みを発展させ、効率よくデータ転送できるようにしたものがSDRAM**です。現在のパソコンにはSDRAMが使われています。名称が紛らわしいですが、**DRAMの一種ですので注意しましょう**。

> ココが試験に出る!
>
> ・ DRAM：コンデンサで構成、安価、リフレッシュが必要、主記憶で用いられる
> ・ SRAM：フリップフロップで構成、高価、キャッシュメモリで用いられる
> ・ SDRAM：DRAMの一種

キャッシュメモリ

　主記憶として使われるDRAMは、補助記憶よりも読み書き速度は速いですが、CPUに比べるとまだまだ遅いので、その差を埋めるために、**CPUと主記憶の間に高速なSRAMを介在させます**。これをキャッシュメモリといいます。

　CPUはデータを読み込むとき、まずキャッシュメモリにアクセスします。キャッシュメモリに目的のデータがあれば、主記憶にアクセスする必要はなく高速にデータを読み込みます。もしキャッシュメモリになかった場合は、主記憶にアクセスして目的のデータを転送し、キャッシュメモリにもコピーしておきます。そうすることで、**次に、CPUが同じデータを読み出すときには、キャッシュメモリから高速にデータ転送を行うことができます**。

　キャッシュメモリを複数使うことで、CPUがデータをやり取りする速度を、より高速化することができます。CPUがアクセスする順番に、1次キャッシュ、2次キャッシュ、3次キャッシュと階層で区別されます。CPUに近いキャッシュほど、データ転送速度は速くなりますが、保持できる容量は小さくなります。

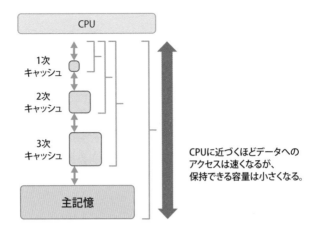

CPUに近づくほどデータへの
アクセスは速くなるが、
保持できる容量は小さくなる。

実効アクセス時間

　キャッシュメモリを使った場合の平均的なデータへのアクセス時間を実効アクセス時間といいます。目的のデータは、主記憶かキャッシュメモリのいずれかに保存されているため、それぞれのアクセス時間に、データが保存されている確率を乗じることによって求めることができます。

　目的のデータがキャッシュメモリに保存されている確率をヒット率といい、以下の式で実効アクセス時間を求めることができます。

> **公式**
>
> **実効アクセス時間**＝キャッシュメモリのアクセス時間×ヒット率
> 　　　　　　　　＋主記憶のアクセス時間×（1－ヒット率）

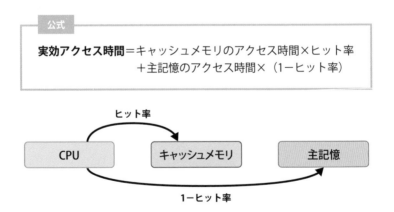

主記憶への書込み方式

CPUがキャッシュメモリを使って主記憶にデータを書き込む方法には、次の2つの方式があります。

ライトスルー方式

ライトスルー方式は、**データを書き込むときに、キャッシュメモリと主記憶の両方に同時に同じ内容を書き込みます**。書込みは高速化できませんが、キャッシュメモリと主記憶の内容が常に一致します。

ライトバック方式

ライトバック方式は、**通常はキャッシュメモリにだけ書き込み、キャッシュメモリの容量がいっぱいになった際に、使用頻度の低いデータを追い出し、主記憶に書き込みます**。そのため、CPUから主記憶への書込み頻度を減らすことができます。データの書込みは高速化できますが、キャッシュメモリと主記憶の内容が一時的に不一致になります。

ココに気をつけて! 磁気ディスクは主記憶に比べてデータの読み書き速度が非常に遅いため、よく使うデータを主記憶にコピーしておき、処理を高速化します。この技術を**ディスクキャッシュ**といいます。

ココが試験に出る!
- キャッシュメモリ：CPUと主記憶の間に置いて処理を高速化するメモリ
- ライトスルー方式：キャッシュメモリと主記憶の両方に同時に書き込む
- ライトバック方式：キャッシュメモリにだけ書き込み、キャッシュメモリから当該データが追い出されるときに主記憶へ書き込む

試験問題にチャレンジ

DRAMの説明として，適切なものはどれか。

ア 1バイト単位でデータの消去及び書込みが可能な不揮発性のメモリであり，電源遮断時もデータ保持が必要な用途に用いられる。

イ 不揮発性のメモリでNAND型又はNOR型があり，SSDに用いられる。

ウ メモリセルはフリップフロップで構成され，キャッシュメモリに用いられる。

エ リフレッシュ動作が必要なメモリであり、PCの主記憶として用いられる。

正解　エ

解説 **ア**はEEPROM、**イ**はフラッシュメモリ、**ウ**はSRAMの説明です。

メモリセルにフリップフロップ回路を利用したものはどれか。

ア DRAM

イ EEPROM

ウ SDRAM

エ SRAM

正解　エ

解説 フリップフロップ回路で構成されたメモリはSRAMです。

　キャッシュの書込み方式には，ライトスルー方式とライトバック方式がある。ライトバック方式を使用する目的として，適切なものはどれか。

　ア キャッシュと主記憶の一貫性（コヒーレンシ）を保ちながら，書込みを行う。

　イ キャッシュミスが発生したときに，キャッシュの内容の主記憶への書き戻しを不要にする。

　ウ 個々のプロセッサがそれぞれのキャッシュをもつマルチプロセッサシステムにおいて，キャッシュ管理をライトスルー方式よりも簡単な回路構成で実現する。

エ　プロセッサから主記憶への書込み頻度を減らす。

正解　エ

解説　ライトバック方式では、プロセッサ（CPU）から主記憶への書込み頻度が減ります。**ア**と**イ**は、ライトスルー方式を使用する目的の説明です。**ウ**は、ライトスルー方式と比べてライトバック方式のほうがキャッシュ管理が複雑になるため記述が適切ではありません。

問題❹
H31春 - 問10

A～Dを，主記憶の実効アクセス時間が短い順に並べたものはどれか。

	キャッシュメモリ			主記憶
	有無	アクセス時間（ナノ秒）	ヒット率（%）	アクセス時間（ナノ秒）
A	なし	－	－	15
B	なし	－	－	30
C	あり	20	60	70
D	あり	10	90	80

ア　A, B, C, D
イ　A, D, B, C
ウ　C, D, A, B
エ　D, C, A, B

正解　イ

解説　実効アクセス時間は、キャッシュメモリのアクセス時間×ヒット率＋主記憶のアクセス時間×（1－ヒット率）で求めることができます。

　A　15
　B　30
　C　$20 \times 0.6 + 70 \times 0.4 = 40$
　D　$10 \times 0.9 + 80 \times 0.1 = 17$
実効アクセス時間が短い順に並べると　A→D→B→Cとなります。

06 CPU

CPUについて
学習しよう

- CPUの性能を表す指標を理解しよう。
- CPUの命令実行サイクルについて理解しよう。
- アドレス指定方式について理解しよう。

CPUの性能を表す指標

　CPUはプロセッサともいい、**コンピュータの頭脳にあたる重要な部分**で、さまざまな処理を行うための中心的な役割を担っています。そのため、たくさんの仕事を速くこなせる人が優秀といわれるように、**仕事が速いCPUをもつコンピュータは性能がよい**ということができます。**CPUの性能を表す指標**には、クロック周波数やMIPSなどがあります。

クロック周波数

　CPUの内部には演算装置や制御装置など、いろいろな装置が入っています。そこで**各装置の足並みを揃えるために、クロックと呼ばれる信号に合わせて仕事をこなします**。クロックは仕事のペースを表すので、同じ時間で比べると、より多くのクロックを刻むCPUのほうが仕事が速いといえます。**1秒間に刻むクロック数**のことをクロック周波数といい、単位はHz（ヘルツ）を使います。

CPUと主記憶などのほかの装置を結ぶデータ伝送路をシステムバスといいます。
システムの大動脈のような役割を担っており、クロックに合わせてデータを送信し
ます。各装置の動作上限速度が異なるため、CPUのクロック周波数と、システムバ
スのクロック周波数は同じでなくてもかまいません。

MIPS

1秒間に実行できる命令数を MIPS (Million Instructions Per Second) と
いいます。**命令数が大きくなるため百万単位で表します。**同じ時間で比べた場合、
より多くの命令を実行するCPUのほうが性能が高いといえます。

MIPSを求める計算問題には、「平均命令実行時間」という言葉がよく出てきます。
平均命令実行時間とは、CPUが1つの命令を実行する時間の平均です。

コンピュータの数字の単位

　クロック周波数の数値が大きいほど、CPUの性能がよいといえますが、最近の
CPUは3,500,000,000Hzくらいが主流です。一方、1命令あたりの実行時間
が0.00000002秒くらいと、非常に高速です。

　このように、**コンピュータの世界では非常に大きな数字や小さな数字がよく出て**
きます。単位は「兆」「億」「万」という読み方を使わず、コンピュータの世界独自
の単位で表現するのが一般的です。

　大きい数字の単位は次のとおりです。

単位	読み方	繰上り	数	指数表記
k	キロ		1,000	10^3
M	メガ	1M = 1,000k	1,000,000（100万）	10^6
G	ギガ	1G = 1,000M	1,000,000,000（10億）	10^9
T	テラ	1T = 1,000G	1,000,000,000,000（1兆）	10^{12}

また、小さい数字の単位は次のとおりです。

単位	読み方	繰上り	数	指数表記
m	ミリ		0.001（千分の1）	10^{-3}
μ	マイクロ	$1\mu = \dfrac{1}{1000}$m	0.000001（100万分の1）	10^{-6}
n	ナノ	$1n = \dfrac{1}{1000}\mu$	0.000000001（10億分の1）	10^{-9}
p	ピコ	$1p = \dfrac{1}{1000}$n	0.000000000001（1兆分の1）	10^{-12}

コンピュータの世界の単位を使用すると、さきほどのCPUの処理速度3,500,000,000Hzは「3.5GHz」と表記されます。

ココに気をつけて！ 問題文にギガやテラ、ナノといった単位が出てくるので、計算するときには正しく変換できるようにしておきましょう。

―――― ココが試験に出る！ ――――

- クロック周波数：CPUが1秒間に刻むクロックの数
- MIPS：1秒間に実行できる命令数を百万単位で表したもの

レジスタの種類と役割

主記憶に読み込まれたプログラムの命令を、CPUは1つずつ取り出して解読しながら実行します。このとき、**取り出した命令や実行結果を一時的に保持しておくために、CPU内部には小さな記憶装置**があります。この記憶装置をレジスタといい、次のような種類があります。

名前	役割
プログラムカウンタ	**次に実行する命令のメモリ番地を記憶する**。割込み処理があったときには、中断した場所から再開できるように、プログラムカウンタの値を一時的に保存する
命令レジスタ	主記憶から読み出された**命令を記憶する**
アキュムレータ	**演算の対象データや、演算結果を記憶する**
汎用レジスタ	アキュムレータの代わりとして使われたり、データ操作など**さまざまな目的に使われる**

CPUの命令実行サイクル

CPUが命令を実行するには、命令のほかに処理対象となるデータが必要な場合もあります。例えば「1＋2」のような加算処理を行う場合には、「加算する」という命令だけでなく「1」や「2」といったデータが必要になります。そのため、**命令は、命令部とアドレス部から構成され、アドレス部には処理対象となるデータの格納場所が指定されています**。この**処理対象となるデータをオペランドといい、オペランドの保存場所を計算することを実効アドレス計算**といいます。

命令の構成

命令部	アドレス部

CPUは、膨大な数の命令を1つずつ処理しています。**記憶装置に読み込まれたプログラムから命令を1つずつ順番に取り出して解読し、必要なデータの格納場所を調べて読み出し、実行するという一連の手順を、命令ごとに繰り返しています**。この一連の流れを命令実行サイクルといいます。

Chapter

3

ハードウェア

CPUの命令実行サイクルは、次の5段階のステージで表されます。

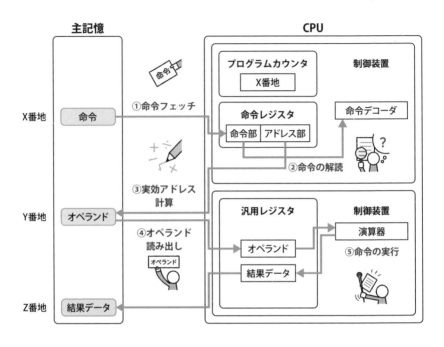

①命令フェッチ（Fetch）	命令を主記憶から取り出し、CPUの**命令レジスタに取り込む**
②命令の解読（Decode）	**命令コードを解読する**（デコード）
③実効アドレス計算 （Address Calculation）	処理対象となる**オペランドの格納場所を計算**して求める
④オペランド読み出し （Read）	主記憶の実効アドレスにアクセスし、**オペランドを読み出す**
⑤命令の実行 （Execution）	**命令を実行**し、必要に応じて結果データを主記憶に書き込む

ココが試験に出る！

- プログラムカウンタ：次に実行する命令のメモリ番地を記載。割込み発生時には、中断場所から再開できるように、この値が保存される
- 命令レジスタ：主記憶から読み出された命令を記憶する
- CPUの命令実行サイクル5段階：①命令フェッチ（F）→②命令の読解（D）→③実効アドレス計算（A）→④オペランド読み出し（R）→⑤命令の実行（E）

アドレス指定方式

　主記憶にプログラムが読み込まれるとき、多くの場合、空いている番地が使われます。そのため、**対象データの保存場所を示すアドレス部も、プログラムの特性に応じて計算して求められるように指定します。**このアドレス部の指定方法をアドレス指定方式といいます。

　代表的なアドレス指定方式は、次のとおりです。

即値アドレス指定方式

　アドレス部に、対象データそのものが入っている方式です。そのため、主記憶へのアクセスは行いません。

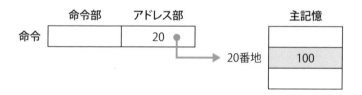

直接アドレス指定方式

　アドレス部に、対象データの場所を示すアドレス番地が入っている方式です。

間接アドレス指定方式

アドレス部の値が指定するアドレス番地に、対象データの場所を示すアドレス番地が入っている方式です。

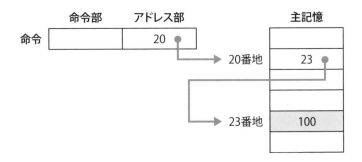

指標アドレス指定方式

アドレス部に、**指標レジスタ番号とアドレス定数を指定する部分があります。**指標レジスタ番号の示す先にある値を、アドレス定数の値に加えた値が、対象データが入っているアドレス番地になる方式です。

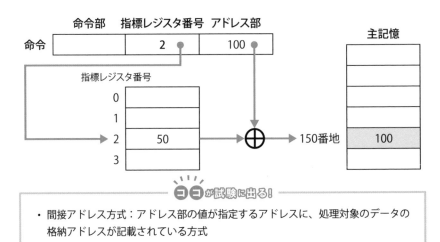

ココが試験に出る！

・ 間接アドレス方式：アドレス部の値が指定するアドレスに、処理対象のデータの格納アドレスが記載されている方式

試験問題にチャレンジ

問題❶

図はプロセッサによってフェッチされた命令の格納順序を表している。aに当てはまるものはどれか。

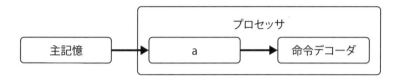

ア アキュムレータ

イ データキャッシュ

ウ プログラムレジスタ（プログラムカウンタ）

エ 命令レジスタ

正解　エ

解説 主記憶から取り出された命令は、命令レジスタに格納されます。

問題❷

主記憶のデータを図のように参照するアドレス指定方式はどれか。

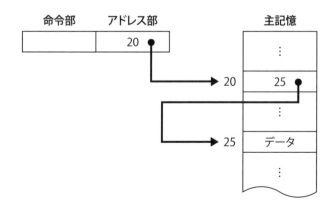

ア 間接アドレス指定

イ 指標アドレス指定

ウ 相対アドレス指定

エ 直接アドレス指定

解説 間接アドレス方式は、アドレス部の値が指定するアドレスに、処理対象のデータの格納アドレスが記載されている方式です。

問題❸

平均命令実行時間が20ナノ秒のコンピュータがある。このコンピュータの性能は何MIPSか。

ア 5

イ 10

ウ 20

エ 50

正解 エ

解説 平均命令実行時間が20ナノ秒のコンピュータが1秒あたりに実行する命令数は、

1（秒）$\div (20 \times 10^{-9})$（秒）$= 0.05 \times 10^9$（命令数）。

MIPSは100万単位で命令を表すので、$0.05 \times 10^9 \div 10^6 = 50$（MIPS）

テクノロジ系　　🕐 **15**分　　👉 ★★★

07 CPUの高速化技術

 CPUの高速化技術について学ぼう

- CPUにおける命令の並列処理方式を理解しよう。
- マルチコアプロセッサによる高速化について理解しよう。
- CPUの投機実行について理解しよう。

並列処理による高速化の技術

命令実行サイクル単位で、主記憶にある命令を1つずつ順番に実行する処理の方法を、逐次制御方式といいます。

1つの命令が終わるまで、次の命令は実行されません。そのため、ある装置が処理を実行している間、その前後の処理を担当する装置に待ち状態が発生してしまいます。

例えば、命令フェッチのステージでは制御装置は使われますが、演算装置は待ち状態です。そこで、すべての装置が常に稼働状態にあるように、**命令の実行中に次の命令を開始することで処理の効率化を図り、高速化する技術**が使われます。代表的な高速化の方式には、次の3つがあります。

パイプライン処理

　命令実行サイクルを各段階（ステージ単位）ごとに分け、独立させて実行し、流れ作業的に、命令１のサイクルが終わる前に、次の命令２のサイクルの処理を始める方式をパイプライン処理といいます。これにより、次々に命令を処理することができ、全体の実行時間を短縮させることができます。

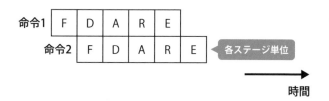

スーパパイプライン

　パイプライン処理の各ステージをさらに細かく分割し、並行して実行することで、動作を高速化する方式をスーパパイプラインといいます。

スーパスカラ

　複数のパイプライン処理を行う回路を設けることで、同時に複数の命令を処理し、高速化する方式をスーパスカラといいます。

120

マルチコアプロセッサによる高速化

　1台のコンピュータには、通常1つのCPUが搭載されています。この構成はシングルプロセッサと呼ばれます。また、**1つのCPUの中に、実際に処理を行う中核部分（コア）を複数搭載したもの**をマルチコアプロセッサといいます。メモリなどの資源を共有しながら複数のコアで並列処理を行うため、1コアあたりのクロックを抑えて消費電力を低減しつつ、全体の処理機能を高めることができます。

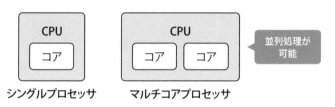

並列処理が
可能

シングルプロセッサ　　　マルチコアプロセッサ

ココに気をつけて！ **1台のコンピュータに、複数のCPUが搭載されているものはマルチプロセッサ**と呼ばれます。

CPUの投機実行による高速化

　「命令1の結果が0だった場合は命令2を実行し、そうでない場合は何もしない」というように、**実行結果によって次の命令が場合分けされるもの**を分岐命令といいます。

　分岐命令では、通常、命令1の実行後、結果によって命令2を実行します。しかし、**命令1と同時に命令2を並列処理しておけば、命令1の結果が0だった場合には命令2の実行は完了しているため、高速化が図れます**（0でなかった場合は命令2の結果は破棄）。

　このように、**分岐命令の次を予測して分岐先命令を実行開始すること**を、CPUの投機実行といいます。

・投機実行なしの場合

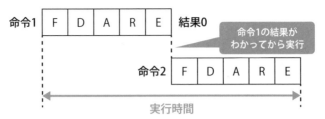

・投機実行ありの場合

ーー　ココが試験に出る！　ーー

- パイプライン処理：命令をステージに分割し、ずらしながら同時に実行
- スーパパイプライン：命令の各ステージをさらに細分化して、ずらしながら同時に実行
- スーパスカラ：複数のパイプラインを使って、同時に複数の命令を実行
- マルチコアプロセッサ：消費電力を抑えながら、プロセッサ全体の処理能力を向上
- CPUの投機実行：分岐命令の先が決まる前に、予測した命令の実行を開始

試験問題にチャレンジ

問題❶
H21春-問11

プロセッサにおけるパイプライン処理方式を説明したものはどれか。

ア 単一の命令を基に，複数のデータに対して複数のプロセッサが同期をとりながら並列にそれぞれのデータを処理する方式

イ 一つのプロセッサにおいて，単一の命令に対する実行時間をできるだけ短くする方式

ウ 一つのプロセッサにおいて，複数の命令を少しずつ段階をずらしながら同時実行する方式

エ 複数のプロセッサが，それぞれ独自の命令を基に複数のデータを処理する方式

正解　**ウ**

解説 パイプライン処理方式は、複数の命令を少しずつ段階をずらしながら同時に実行するやり方です。

問題❷
H24春-問10

マルチコアプロセッサの特徴として適切なものはどれか。

ア コアの個数をn倍にすると，プロセッサ全体の処理性能はn^2倍になる。

イ 消費電力を抑えながら，プロセッサ全体の処理性能を高められる。

ウ 複数のコアが同時に動作しても，共有資源の競合は発生しない。

エ プロセッサのクロック周波数をシングルコアより高められる。

正解　**イ**

解説 マルチコアプロセッサは、消費電力を抑えつつ全体の処理性能を高められます。

ア コアの個数をn倍にしても、処理性能はn^2倍にはなりません。実際には、複数のコアを協働させる処理の分がかかるため、n倍を下回る性能になります。

ウ 複数のコアが同時に動作するため、競合が発生する可能性があります。

エ シングルコアのほうが、クロック周波数を高められます。

CPUにおける投機実行の説明はどれか。

ア　依存関係にない複数の命令を，プログラム中での出現順序に関係なく実行する。

イ　パイプラインの空き時間を利用して二つのスレッドを実行し，あたかも二つのプロセッサであるかのように見せる。

ウ　二つ以上のCPUコアによって複数のスレッドを同時実行する。

エ　分岐命令の分岐先が決まる前に，予測した分岐先の命令の実行を開始する。

正解　エ

解説 CPUの投機実行では、分岐命令の分岐先が決まる前に、予測した分岐先の命令を開始します。

テクノロジ系

Chapter

4

テクノロジ系　基礎理論

コンピュータシステム

技術要素

開発技術

マネジメント系　プロジェクト
マネジメント

サービスマネジメント

ストラテジ系　システム戦略

経営戦略

企業と法務

解説動画 ▶

ソフトウェア

本章の学習ポイント

- 実行可能なタスクにCPUの使用権を割り当てることをディスパッチという。
- タスクのデータを一時的にメモリなどに蓄えて処理の待ち時間を減らす方法をスプーリングという。
- パソコンの動作中に主記憶が解放されないことをメモリリークという。

Chapter 4

01 ソフトウェアとOS

ソフトウェアについて 学ぼう

- ソフトウェアの種類を理解しよう。
- OSの役割について理解しよう。
- デバイスドライバについて理解しよう。

ソフトウェアの分類

ソフトウェアは、コンピュータ内で果たす役割によって、OS、アプリケーション、ミドルウェアの3つに分けることができます。

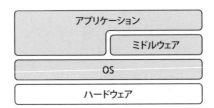

OS

OSは、ハードウェアを制御したり、さまざまなソフトウェアの動作を管理したりと、**コンピュータを動作させるための基本機能を提供するソフトウェア**です。OSはオペレーティングシステムの略称です。WindowsやmacOS、UNIXなどはOSです。

アプリケーション

OSの上で動くソフトウェアが、アプリケーションです。私たちの**仕事を直接助けてくれるソフトウェア**です。ワープロソフトのWord、表計算ソフトのExcelなどはアプリケーションです。

ミドルウェア

ミドルウェアは、**OSとアプリケーションの中間に位置し、多くのアプリケーションが共通に利用する専門的な機能を提供するソフトウェア**です。特定分野で多くのアプリケーションが必要とする機能を提供します。例えば、データベース管理機能を提供するミドルウェアには**データベース管理システム**（DBMS）があります。アプリケーションは、DBMSを呼び出すことで、複雑な手続きなしにデータベースを使うことができます。

ココに気をつけて！ **アプリケーションから、OSが用意する各種機能を利用するための仕組みをAPI（Applicastion Program Interface）といいます。** 例えばWindowsなどのOSは、アプリケーション向けに「ウィンドウを表示する」という機能をAPIとして提供しています。開発者は、必要な機能のAPIを使うことで、簡単な記述でプログラミングできるので、開発効率が上がります。

OSの役割

OSは、アプリケーションやミドルウェアが効率的にコンピュータを利用するために、次のような役割を担います。

ハードウェアを管理する

CPUや主記憶など、**限られたハードウェアの資源を効率よく使えるよう、うまく仕事を割り振ります。**

ファイルを管理する

　データの入れ物であるファイルを作ったり、ファイルが間違った使われ方をされないようにしたりします。

周辺機器を管理する

　マウスやプリンタなどの周辺機器を、ユーザがスムーズに使えるよう手助けします。新しい周辺機器を接続したときには、**周辺機器を応用ソフトウェアから操作できるようにするためのソフトウェア**であるデバイスドライバをOSにインストールする必要があります。

ーーーー ココ が試験に出る！ ーーーー

- ・API：アプリケーションからOSが用意した機能を利用するための仕組み
- ・デバイスドライバ：アプリケーションの要求にしたがって、ハードウェアを直接
　制御できるようにするソフトウェア

試験問題にチャレンジ

問題❶

OSにおけるAPI（Application Program Interface）の説明として，適切なものはどれか。

ア アプリケーションがハードウェアを直接操作して，各種機能を実現するための仕組みである。

イ アプリケーションから，OSが用意する各種機能を利用するための仕組みである。

ウ 複数のアプリケーション間でネットワークを介して通信する仕組みである。

エ 利用者の利便性を図るために，各アプリケーションのメニュー項目を統一する仕組みである。

正解 **イ**

解説 **ア**はデバイスドライバ、**ウ**はプロセス間通信、**エ**はCUA（Common User Access）の説明です。

問題❷

デバイスドライバの説明として，適切なものはどれか。

ア PCに接続された周辺機器を制御するソフトウェア

イ アプリケーションプログラムをPCに導入するソフトウェア

ウ キーボードなどの操作手順を登録して，その操作を自動化するソフトウェア

エ 他のPCに入り込んで不利益をもたらすソフトウェア

正解 **ア**

解説 デバイスドライバは、アプリケーションの要求にしたがって、PCに接続された周辺機器を直接制御できるようにするソフトウェアです。

なお、**イ**はインストーラ、**ウ**はRPA、**エ**はマルウェアの説明です。

02 タスク管理

 OSの役割であるタスク管理について学ぼう

- タスクの状態遷移を理解しよう。
- タスクのスケジューリング方式について理解しよう。
- 割込み処理について理解しよう。

タスク管理の役割

　コンピュータは、利用者がアプリケーションで行う操作を、細かい仕事単位であるタスクに分解して処理しています。タスクはコンピュータから見た仕事の単位です。システムによってはプロセスとも呼ばれます。OSは、コンピュータ内部で無駄な空き時間が出ないように、**タスク単位で細かくCPUや主記憶を割り当て、コンピュータ全体として効率的な処理が行われるように**制御しています。

利用者がコンピュータに依頼する仕事の単位をジョブといいます。ジョブをコンピュータが処理できる単位に分解したものがタスクになります。試験問題では、ジョブ、タスク、プロセスと似たような言葉が出てきますので注意しましょう。

タスクの状態遷移

OSは、**CPUの使用権を適切に割り当てるために**、タスクを次の3つの状態に分けて管理します。

状態	概要
実行可能状態	**CPUが使えるようになるのを待っている状態**
実行状態	CPUを使って実行されている状態
待ち状態	自分が要求した入出力動作が終わるのを待っている状態

タスクの状態遷移は次のようにして行われます。

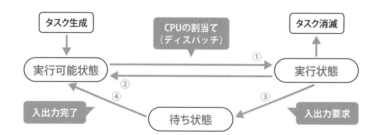

①実行可能状態から実行状態へ

タスクが生成されると、まず実行可能状態となります。いくつものタスクがこの状態で待っています。自分の番がきてCPUが使えるようになると、実行状態へ移ります。**実行可能なタスクにCPUの使用権を割り当てること**をディスパッチといいます。

②実行状態から実行可能状態へ

割り当てられたCPUの使用時間を使い切った場合や、実行中に別のタスクからCPUの使用権を奪われた場合、実行状態のタスクは一時中断し、再び実行可能状態になります。

Chapter

4

ソフトウェア

131

③実行状態から待ち状態へ

　実行状態中に**入出力動作が発生する**と、自分が要求した入出力処理が終わるまで待ち状態となります。

④待ち状態から実行可能状態へ

　入出力処理が終了すると、再び実行可能状態になります。

ココに気をつけて！　それぞれのタスクの状態と、どんな条件によってタスクの状態が変化するのかが出題されています。タスクの状態遷移図とあわせて、覚えておきましょう。

タスクのスケジューリング方式

　タスクがいくつも存在している場合、**どういう順番でタスクを実行すべきかを決める**必要があります。これをスケジューリングといい、OSの関わり方によって、次の2つの方式があります。

プリエンプティブ方式

　OSが強制的にタスクを切り替えるスケジューリングの方法をプリエンプティブといい、次のような方式があります。

方式	説明
優先度方式	プライオリティ方式ともいう。**優先度や緊急度の高いタスクから**順番に実行する方式
ラウンドロビン方式	複数のタスクに対して、**均等にCPU処理時間を割り当て、順番に次々と実行する方式**。CPUの使用時間を一定の長さに分割するタイムスライス方式の一種

ノンプリエンプティブ方式

　OSがタスクを切り替えるのではなくプログラムに任せる方法をノンプリエンプティブといいます。実行状態のタスクが自ら待ち状態に遷移するか終了するまで、ほかのタスクは実行状態に遷移しません。

方式	説明
到着順方式	**実行可能状態になったタスクから**順番に実行する方式

マルチプログラミング

タイムスライス方式では、非常に小さな時間単位でタスク処理を実行していくため、まるで複数のタスクが同時並行で処理されているように見えます。見かけ上、いくつものプログラムが同時に実行されているように見える**OS**の働きをマルチプログラミングといいます。マルチタスク、多重プログラミングとも呼ばれます。

マルチプログラミングにおけるタスクの切り替え手順は、次のとおりです。

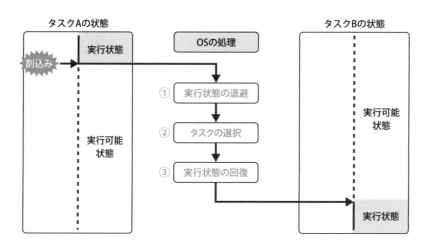

タスクAの実行中に割込みがあると、OSは、いったん**タスクAに対して「①実行状態の退避」**をします。その後、**「②タスクの選択」**を行い、**選択したタスクBを実行するために「③実行状態の回復」を実施**します。これにより、タスクBが実行状態に切り替わります。

ココに気をつけて！ **マルチプログラミングにおいて、同時に実行する処理の数を多重度といいます。** 試験問題では、「多重度3でジョブを実行する」のように使われています。これは「3つのジョブを切り替えながら同時並行で実行する」という意味です。多重度1の場合は、1つのジョブが完了するまで、ほかのジョブには切り替わりません。

割込み処理

　実行中のタスクを一時中断して、別のタスクの処理に切り替える仕組みを割込み処理といいます。割り込んだタスクの処理が終わると、割り込まれたタスクの処理が再開されます。割込みは、**タスク自体にエラーなどが発生して起こる内部割込み**と、**ハードウェア故障といったタスク以外が原因となって起こる外部割込み**に分けられます。

　代表的な内部割込みは、次のようなものがあります。

内部割込みの種類	説明
プログラム割込み	桁あふれやゼロによる除算など、**プログラム上のエラーによって発生**する割込み
SVC 割込み	プログラム内部から入出力装置を使うときなど、**監視プログラム（SVC：SuperVisor Call）を呼び出すときに発生**する割込み

　対して、外部割込みは次のようなときに発生します。

外部割込みの種類	説明
マシンチェック割込み	**ハードウェアの誤動作や故障により発生**する割込み
入出力割込み	**入出力動作が終了したときに発生**する割込み
タイマ割込み	プログラムの実行時間が割り当てられた時間を超えたときに、その旨を通知する**インターバルタイマによって発生**する割込み

スプーリング

　タスクを実行するCPUの処理速度に比べると、入出力装置の処理速度は極端に遅くなります。そのため、**タスクの実行結果である出力データを一時的に高速な補助記憶に蓄えることで、印刷など出力までの待ち時間を減らす方法**をスプーリングといいます。また、**処理速度の違いを緩和するために設けられた記憶域**のことをバッファといいます。

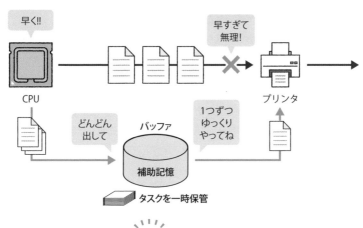

Chapter

4

ソフトウェア

ココ が試験に出る!

- ディスパッチ：実行可能なタスクにCPUの使用権を割り当てること
- ラウンドロビン方式：各タスクに均等にCPU時間を割り当てて実行する
- ノンプリエンプティブ方式：OSではなくプログラムがタスクを切り替える。実行状態のタスクが、自ら待ち状態に遷移するか終了するまで、ほかのタスクは実行状態に遷移しない
- 割込み処理：タスク自体にエラーが発生して起こる内部割込みと、タスク以外の外的要因で起こる外部割込みがある
- スプーリング：低速な装置への出力データを一時的に高速な補助記憶に蓄え、待ち時間を減らすこと
- バッファ：処理速度の違いを緩和するために、入出力装置と処理装置の間に設けた記憶域のこと

試験問題にチャレンジ

問題❶

タスクのディスパッチの説明として，適切なものはどれか。

ア 各タスクの実行順序を決定すること

イ 実行可能なタスクに対してプロセッサの使用権を割り当てること

ウ タスクの実行に必要な情報であるコンテキストのこと

エ 一つのプロセッサで複数のタスクを同時に実行しているかのように見せかける機能のこと

正解 **イ**

解説 **ア**は、タスクのスケジューリングの説明です。**ウ**は、タスクコントロールブロックの説明です。例えば、タスクの実行に必要な情報である優先度や状態を指します。**エ**は、マルチタスクの説明です。

問題❷

スケジューリングに関する記述のうち，ラウンドロビン方式の説明として，適切なものはどれか。

ア 各タスクに，均等にCPU時間を割り当てて実行させる方式である。

イ 各タスクに，ターンアラウンドタイムに比例したCPU時間を割り当てて実行させる方式である。

ウ 各タスクの実行イベント発生に応じて，リアルタイムに実行させる方式である。

エ 各タスクを，優先度の高い順に実行させる方式である。

正解 **ア**

解説

イ 処理時間順方式です。

ウ イベントドリブンプリエンプション方式の説明です。

エ 静的優先順位方式の説明です。

問題❸ H29春-問16

四つのジョブA〜Dを次の条件で実行し印刷する。全ての印刷が完了するのは，ジョブを起動してから何秒後か。

〔条件〕
(1) ジョブは一斉に起動され，多重度1で実行される。
(2) 優先順位はAが最も高く，B，C，Dの順に低くなる。
(3) 各ジョブの実行後，スプーリング機能が1台のプリンタを用いて逐次印刷を行う。
(4) 各ジョブを単独で実行した場合の実行時間と印刷時間は，表のとおりである。
(5) その他のオーバヘッドは考慮しない。

単位　秒

ジョブ	実行時間	印刷時間
A	50	50
B	30	40
C	20	30
D	40	20

ア 100
イ 160
ウ 190
エ 280

正解　ウ

解説 多重度1なので、1つのジョブが完了してから次のジョブに移る流れになります。ジョブは、優先順位にしたがってA→B→C→Dの順に実行されます。各ジョブは実行完了したあと、スプーリング機能によって印刷処理待ちとなり、順に実行されます。

CPU	A（50）	B（30）	C（20）	D（40）			
プリンタ		A（50）		B（40）	C（30）	D（20）

全体の処理時間＝50＋30＋20＋40＋30＋20＝190（秒）

内部割込みに分類されるものはどれか。

ア 商用電源の瞬時停電などの電源異常による割込み

イ ゼロで除算を実行したことによる割込み

ウ 入出力が完了したことによる割込み

エ メモリパリティエラーが発生したことによる割込み

正解 **イ**

解説 内部割込みは、プログラムの中で入出力装置を使うときやプログラムの誤りによって起こる割込みなので、正解は**イ**です。なお、**ア**、**ウ**、**エ**は外部割込みに該当します。

スプーリング機能の説明として，適切なものはどれか。

ア あるタスクを実行しているときに，入出力命令の実行によってCPUが遊休（アイドル）状態になると，他のタスクにCPUを割り当てる。

イ 実行中のプログラムを一時中断して，制御プログラムに制御を移す。

ウ 主記憶装置と低速の入出力装置との間のデータ転送を，補助記憶装置を介して行うことによって，システム全体の処理能力を高める。

エ 多数のバッファから成るバッファプールを用意し，主記憶にあるバッファにアクセスする確率を上げることによって，補助記憶のアクセス時間を短縮する。

正解 **ウ**

解説 スプーリングは、低速な装置への出力データを一時的に高速な補助記憶に蓄えることで、出力までの待ち時間を減らし、システム全体の処理能力を高める機能です。

なお、**ア**はマルチタスク、**イ**は割込み、**エ**はディスクキャッシュの説明です。

Chapter 4

03 記憶管理

 OSの記憶管理に ついて学びましょう

- OSの記憶管理について理解しよう。
- 実記憶管理の区画方式について理解しよう。
- 仮想記憶管理のページング方式について理解しよう。

記憶管理の役割

主記憶は価格が高く、容量も限られています。限られた主記憶の容量を効率的に使用するために、OSは記憶管理を行います。記憶管理には、**主記憶そのものを効果的に使用するための**実記憶管理と、補助記憶の一部を使って実際の主記憶より大きな記憶空間を作り出し、主記憶より大きな容量のプログラムを実行できるようにする仮想記憶管理があります。

実記憶管理

同時に複数のプログラムを実行することができるマルチプログラミングでは、複数のプログラムを主記憶に読み込みます。**主記憶の容量は限られているので、複数のプログラムをできるだけ無駄がないように主記憶に配置する必要があります。**主記憶を有効活用するための方法には、区画方式、スワッピング方式などがあります。

区画方式

　区画方式は、**主記憶をいくつかの区画に分割して、プログラムに割り当てる方法**です。

　固定区画方式（固定長方式）では、**決まったサイズに区画を分割**します。プログラムに割り当てた区画の中に余った領域ができても、ほかのプログラムは使用できないため無駄が発生しますが、メモリの獲得や返却などの処理時間は一定です。

　一方、**可変区画方式（可変長方式）**は、**プログラムのサイズにあわせた大きさで区画を分割し割り当てる方法**です。区画のサイズは必要に応じて変えられるため、無駄が出ません。余った領域を使用でき効率的ですが、処理手順が複雑になるため処理時間は遅くなります。

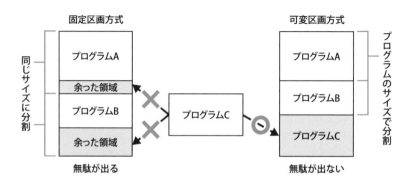

スワッピング方式

　OSは、プログラムを主記憶に読み込もうとした際に容量が足りないと、**優先度の低いプログラムを一時的に中断して補助記憶に退避させ、優先度の高いプログラムを実行**させます。この仕組みを**スワッピング方式**といいます。

　スワッピングとは、**プログラムを補助記憶に待避させたり（スワップアウト）、主記憶に戻したり（スワップイン）**することを指しています。

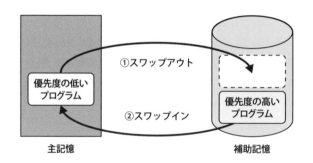

OSやアプリケーションのバグが原因で、動作中に確保した主記憶が解放されないことをメモリリークといいます。メモリリークが発生すると、主記憶中の利用可能な部分が減少します。

仮想記憶管理

コンピュータで実行するプログラムのサイズは年々大きくなり、また同時に実行するプログラムの数も増えています。しかし、主記憶の容量不足に対して、これまで見てきたような主記憶の効率的な使い方だけでは限界があります。

そこで考えられたのが、**補助記憶の一部を主記憶であるかのように見せかけて、実際の主記憶よりもはるかに大きな記憶領域を仮想的に作り出す方法**です。これを仮想記憶管理といいます。**主記憶であるかのように見せかけた補助記憶上の領域を**仮想記憶といいます。

主記憶と仮想記憶をうまく連携させることで、主記憶の容量を超える大きなプログラムや多くのプログラムを実行します。

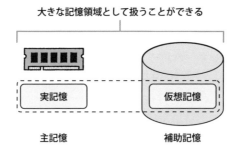

大きな記憶領域として扱うことができる

実記憶　　　仮想記憶

主記憶　　　補助記憶

ページング方式

仮想記憶システムにおけるメモリ割当ての代表的な方式は、ページング方式です。ページング方式とは、**主記憶と補助記憶をページと呼ばれる同じ大きさの領域に分割し、管理する方法**です。

ページングとは、**命令の実行中、主記憶上に必要なページがない（ページフォールト）場合に、不要なページを補助記憶へ追い出したり（ページアウト）、必要なページを主記憶に読み込んだり（ページイン）**することを指しています。

ページングは、次のような流れで実行されます。

Chapter

4

ソフトウェア

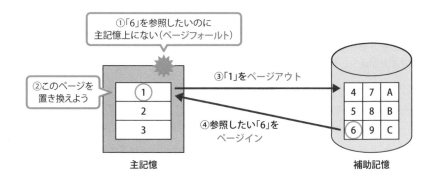

ページアウトするページを決定する方法には、次のようなものがあります。

方式名	方法
FIFO方式	ページが読み込まれた順にページアウトする方式。FIFO は First-In First-Out（先入れ先出し）の略
LRU方式	最後に参照された時間が古い順にページアウトする方式。LRU は Least Recently Used（一番昔に使われた）の略
LFU方式	参照された回数が少ない順にページアウトする方式。LFU は Least Frequently Used（使われた回数が一番少ない）の略

仮想記憶管理において、**プログラムが過大なメモリ領域を要求することでページングが頻繁に発生し、システム性能が低下することをスラッシングといいます。**

ココが試験に出る！

- 固定区画方式：主記憶の使用効率は悪いが、処理時間は一定で早い
- 可変区画方式：主記憶の使用効率は良いが、処理時間は不定で遅い
- メモリリーク：OSなどのバグが原因で、動作中に確保した主記憶が解放されない状態
- ページフォールト：主記憶上に必要なページがない状態
- FIFO方式：一番古くから存在するページを置き換える方式
- LRU方式：最後に参照されてから経過時間が最も長いページを置き換える方式
- LFU方式：最も参照回数が少ないページを置き換える方式
- スラッシング：ページングが頻繁に発生し、システム性能が低下すること

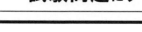

試験問題にチャレンジ

問題❶

様々なサイズのメモリ資源を使用するリアルタイムシステムのメモリプール管理において，可変長方式と比べた場合の固定長方式の特徴として，適切なものはどれか。

ア メモリ効率が良く，獲得及び返却の処理速度は遅く一定である。

イ メモリ効率が良く，獲得及び返却の処理速度は遅く不定である。

ウ メモリ効率が悪く，獲得及び返却の処理速度は速く一定である。

エ メモリ効率が悪く，獲得及び返却の処理速度は速く不定である。

正解　ウ

解説 固定長方式はアルゴリズムが単純で、処理速度が速く一定です。また、区画に未使用領域が発生するため、メモリ効率が悪くなります。

問題❷

メモリリークの説明として，適切なものはどれか。

ア OSやアプリケーションのバグなどが原因で，動作中に確保した主記憶が解放されないことであり，これが発生すると主記憶中の利用可能な部分が減少する。

イ アプリケーションの同時実行数を増やした場合に，主記憶容量が不足し，処理時間のほとんどがページングに費やされ，スループットの極端な低下を招くことである。

ウ 実行時のプログラム領域の大きさに制限があるときに，必要になったモジュールを主記憶に取り込む手法である。

エ 主記憶で利用可能な空き領域の総量は足りているのに，主記憶中に不連続で散在しているので，大きなプログラムをロードする領域が確保できないことである。

正解　ア

解説 メモリリークとは、動作中に利用可能な主記憶がだんだん減っていく現象です。OSやアプリケーションが占有した主記憶領域を、バグなどが原因で解放しないで放置するために起きます。

なお、**イ**はスラッシング、**ウ**はオーバレイ方式、**エ**はフラグメンテーションの説明です。

ページング方式の仮想記憶において，ページフォールトの発生回数を増加させる要因はどれか。

ア 主記憶に存在しないページへのアクセスが増加すること

イ 主記憶に存在するページへのアクセスが増加すること

ウ 主記憶のページのうち，更新されたページの比率が高くなること

エ 長時間アクセスしなかった主記憶のページをアクセスすること

正解 **ア**

解説 ページフォールトは、主記憶上に必要なページが存在しないときに発生します。

仮想記憶システムにおいて主記憶の容量が十分でない場合，プログラムの多重度を増加させるとシステムのオーバヘッドが増加し，アプリケーションのプロセッサ使用率が減少する状態を表すものはどれか。

ア スラッシング

イ フラグメンテーション

ウ ページング

エ ボトルネック

正解 **ア**

解説 オーバーヘッドとは、ある処理を行う上で、付加的にかかってしまう処理時間のことです。仮想記憶管理方式のシステムでは、主記憶の容量が十分でないとページングが頻繁に発生し、システム性能が低下します。

イ フラグメンテーションは、断片化という意味で、主記憶領域の中に使用されない領域の断片が多く存在して、連続したメモリ領域が確保できなくなってしまう状態のことです。

ウ ページングは、仮想記憶管理において、主記憶と補助記憶をページ単位で区切り、対応づけて管理することです。

エ ボトルネックは、処理性能を制限してしまう要素のことです。

04 ファイル管理

OSのファイル管理について学習していきます

- ファイルとディレクトリについて理解しよう。
- ディレクトリの階層構造の仕組みを学ぼう。
- 相対パスと絶対パスの指定方法を理解しよう。

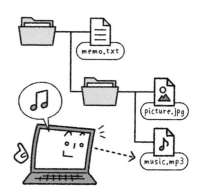

OSのファイル管理

コンピュータは、文書、音声、画像、動画などのさまざまな種類のデータを扱います。**OS**は、これらのデータをファイルという単位で管理しています。ファイルは、カテゴリごとにディレクトリ（フォルダ）という入れ物を使って整理します。ディレクトリの中には、ファイルだけでなくほかのディレクトリも入れることができ、上から下に段々になった階層構造になっています。

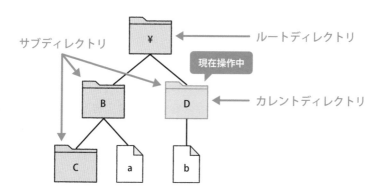

図のような**階層構造の一番上にあるディレクトリを**ルートディレクトリ、その**下にあるディレクトリを**サブディレクトリと呼びます。また、**現在操作の対象となっているディレクトリを**カレントディレクトリといいます。

ココに気をつけて! 1台のコンピュータを複数の利用者で使う場合、利用者ごとに専用のディレクトリが用意されます。**各利用者がファイルの保存などに使用できる最上位のディレクトリを**ホームディレクトリといいます。

パスの指定

コンピュータでは、**目的のファイルにたどり着くまでの道順を示さなければならない**ことがよくあります。その**道順のことを**パスといいます。パスの表し方には、**ルートディレクトリからたどった場合の道順で示す**絶対パスと、**カレントディレクトリからたどった場合の道順で示す**相対パスがあります。どちらも、決められた記号を使って表します。

記号	意味
「/」または「¥」	ディレクトリの区切りの記号。**パスの先頭に使うときは、ルートディレクトリを意味する**
「..」	1つ上の階層に移動。**相対パスの指定でしか使われない**
「.」	カレントディレクトリ

ココに気をつけて! 試験問題では、相対パスの表示が[.¥..¥..¥a¥b¥file]というように冒頭が「.」で始まることがあります。これは、カレントディレクトリから始まることを明示的に表しているだけで、[..¥..¥a¥b¥file]と同じ意味です。

絶対パス

絶対パスでは、**ルートディレクトリから目的のディレクトリやファイルまでの道順をすべて記載し**、そのパス名を絶対パス名といいます。例えば「物理レポート」というファイルまでの絶対パス名は[**¥物理¥物理レポート**]です。

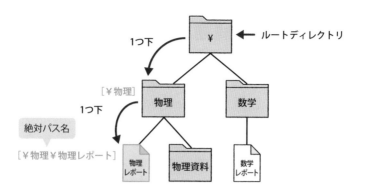

相対パス

相対パスは、**現在作業中のディレクトリであるカレントディレクトリから目的の**ディレクトリやファイルまでの道順を記載し、そのパス名を相対パス名といいます。例えば、カレントディレクトリが「物理」ディレクトリである場合、「数学レポート」というファイルまでの相対パス名は[..¥数学¥数学レポート]です。

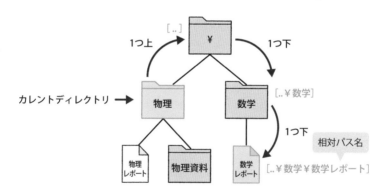

ココが試験に出る!

- ルートディレクトリ：階層構造の一番上にあるディレクトリ
- サブディレクトリ：下の階層にあるディレクトリ
- カレントディレクトリ：現在操作の対象となっているディレクトリ
- ホームディレクトリ：利用者ごとの専用ディレクトリ
- パスの表し方：絶対パスと相対パスの2種類の方法がある
- 絶対パス：ルートディレクトリを基点にたどった場合の道順
- 相対パス：カレントディレクトリを基点にたどった場合の道順

試験問題にチャレンジ

ファイルシステムの絶対パス名を説明したものはどれか。

ア あるディレクトリから対象ファイルに至る幾つかのパス名のうち，最短のパス名

イ カレントディレクトリから対象ファイルに至るパス名

ウ ホームディレクトリから対象ファイルに至るパス名

エ ルートディレクトリから対象ファイルに至るパス名

解答　エ

解説 絶対パス名は、ルートディレクトリから対象ファイルまでの道順です。

ア あるディレクトリではなく、ルートディレクトリが基点です。また、この間のパス
は1つしかないため、幾つかのパス名というのも誤りです。

イ 相対パスの説明です。

ウ ホームディレクトリではなく、ルートディレクトリが基点です。

絶対パス名¥a¥a¥b¥cをもつディレクトリがカレントディレクトリであるとき，相対
パス名.¥..¥..¥a¥b¥fileをもつファイルを，絶対パス名で表現したものはどれか。ここ
で，ディレクトリ及びファイルの指定方法は，次の規則に従うものとする。

〔ディレクトリ及びファイルの指定方法〕

(1) ファイルは，"ディレクトリ名¥…¥ディレクトリ名¥ファイル名"のように，経路
上のディレクトリを順に"¥"で区切って並べた後に"¥"とファイル名を指定する。

(2) カレントディレクトリは"."で表す。

(3) 1階層上のディレクトリは".."で表す。

(4) 始まりが"¥"のときは，左端にルートディレクトリが省略されているものとする。

(5) 始まりが"¥"、"."、".."のいずれでもないときは，左端にカレントディレクトリ配
下であることを示す".¥"が省略されているものとする。

ア ￥a￥b￥file
イ ￥a￥a￥b￥file
ウ ￥a￥a￥a￥b￥file
エ ￥a￥a￥b￥a￥b￥file

正解　ウ

解説

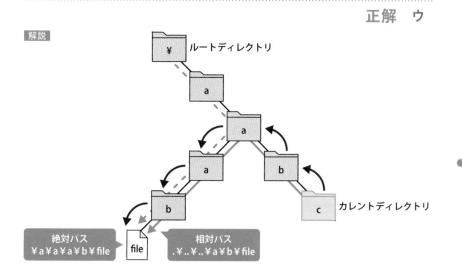

ルートディレクトリ

カレントディレクトリ

絶対パス
￥a￥a￥a￥b￥file

相対パス
.￥..￥..￥a￥b￥file

file

05 オープンソース ソフトウェア

 OSSについて学ぼう

- OSSの定義を理解しよう。
- 代表的なOSSの種類について学ぼう。
- コピーレフトの利用形態について理解しよう。

オープンソースソフトウェア

オープンソースソフトウェア（OSS：Open Source Software）とは、**プログラムの作成者がソースコードを公開し、誰でも改変や再配布ができるようにしたソフトウェアのことです。**ただし著作権は放棄されていないので、著作権はあくまで作成者にあります。また、必ずしも無料ではなく、他システムと組み合わせて商用システムの一部として利用されることもあります。

代表的なOSSには、**UNIX系のOS**であるLinuxや、**アプリケーションを開発するときに使うさまざまな支援ツールが組み込まれた統合開発環境の**Eclipse、**大規模データの分散処理を実現する**Apache Hadoopなどがあります。

OSSの定義

非営利組織であるOSI（Open Source Initiative）では、OSSの定義（OSD：The Open Source Definition）を次のように定めています。

1. 再配布の自由を許可する
2. ソースコードの再配布を許可する
3. 派生ソフトウェアの配布を許可する
4. 作者のソースコードの完全性を守る
5. 個人やグループに対して差別を禁止する
6. 利用する分野の差別を禁止する
7. 再配布時に、追加ライセンスを必要としない
8. 特定のソフトウェアに依存しない
9. 同じ媒体で配布されるほかのソフトウェアを制限しない
10. 特定の技術やインタフェースに依存しない

OSS は、他システムと組み合わせて商用システムの一部として利用できます。試験でも、OSS の特徴について「OSS をパッケージ化したり、自社のソフトウェアを組み合わせたりして、有償で販売することができる」という選択肢を正解として選ばせる問題が出されました。

コピーレフト

　OSS の作者が著作権を保持したまま、ほかの人が自由に複製や改変、再配布することを許可し、そこから派生した二次著作物には、元のソフトウェアと同じ配布条件を適用すると定めた利用形態を**コピーレフト**といいます。コピーレフトという単語は造語で、著作権を意味するコピーライトの反対（右：right と左：left）という意味と、著作権を残す（残す：left）という意味が込められています。

- オープンソースソフトウェア（OSS）：著作権は保持しつつ、一定の条件で使用、複製、改変、再配布を許可。商用システムの一部として利用可能
- Eclipse：ソフトウェア統合開発環境の OSS
- Apache Hadoop：大規模データの分散処理を実現する OSS
- コピーレフト：派生した二次著作物に、オリジナルと同じ配布条件を適用する利用形態

試験問題にチャレンジ

問題❶

ソフトウェアの統合開発環境として提供されているOSSはどれか。

- ア Apache Tomcat
- イ Eclipse
- ウ GCC
- エ Linux

正解　イ

解説

- ア Apache Tomcat（アパッチ トムキャット）は、OSSのWebアプリケーションサーバです。
- ウ GCC（ジーシーシー）は、GNU（グヌー）という組織が配布しているさまざまなプログラム言語のコンパイラ群です。
- エ Linuxは、OSSのUNIX系OSです。

問題❷

オープンソースライセンスにおいて、"著作権を保持したまま，プログラムの複製や改変，再配布を制限せず，そのプログラムから派生した二次著作物（派生物）には，オリジナルと同じ配布条件を適用する"とした考え方はどれか。

- ア BSDライセンス
- イ コピーライト
- ウ コピーレフト
- エ デュアルライセンス

正解　ウ

解説

- ア BSD（ビーエスディー）ライセンスでは、二次著作物についてソースコード公開の義務がありません。
- イ コピーライトは、著作権を表す用語です。
- エ デュアルライセンスでは、1つのソフトウェアを2つの異なる利用許諾条件に基づいて配布します。

基礎理論

テクノロジ系　コンピュータシステム

技術要素

開発技術

マネジメント系　プロジェクト
マネジメント

サービスマネジメント

システム戦略　ストラテジ系

経営戦略

企業と法務

解説動画 ▶

コンピュータ
システム

本章の学習ポイント

- システムを分散処理することで障害発生時も稼働を続けられる。
- 同じ構造のシステムを2つ用意して同じ処理を行うものをデュアル
  システム、2つの同じシステムを用意して、1つは予備として待機
  させておくものをデュプレックスシステムという。
- RAID0はストライピング、RAID1はミラーリング、RAID5はデー
  タとパリティ情報を分散して記録。
- 正常稼働時間の平均をMTBF、故障している時間の平均をMTTR
  という。

01 システムの処理形態

**システムの構成方法や
処理形態について学ぼう**

- システムの集中処理と分散処理について、長所と短所を理解しよう。
- リアルタイム処理とバッチ処理の違いを理解しよう。
- リアルタイムシステムの種類にはどんなものがあるかを理解しよう。

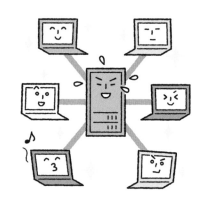

システムの構成方法

システムとは、**特定の仕事を処理してもらうために、必要なハードウェアとソフトウェアを組み合わせた仕組み**のことです。例えば、銀行のATMや飛行機の座席予約システムなど、私たちのまわりにはさまざまなシステムがあります。代表的な構成として、集中処理と分散処理があります。

集中処理

集中処理は、**ホストコンピュータと呼ばれる1台のコンピュータに処理をさせる方式**です。処理を行うのは1台だけなので、管理しやすい点がメリットです。しかし、ホストコンピュータに障害が発生してしまうと、システム全体がダウンしてしまう点がデメリットです。

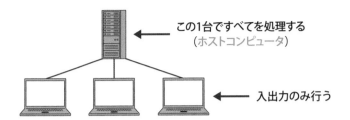

この1台ですべてを処理する
（ホストコンピュータ）

入出力のみ行う

分散処理

分散処理は、**複数のコンピュータに分散して処理をさせる方式**です。分散することにより、いずれかのコンピュータで障害が発生しても、システムが停止することなく稼働を続けられる点がメリットです。その反面、複数のコンピュータを管理しなければならないため、メンテナンスにコストがかかる点がデメリットです。

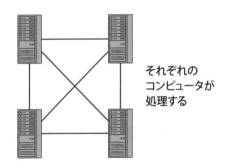

それぞれの
コンピュータが
処理する

処理のタイミング

システムは、システムの目的によって処理を行うべきタイミングが異なります。例えば銀行のATMは、利用者が操作したらすぐに処理されないと振込金額と口座残高に差異が生じてしまいます。一方、企業における売上データの集計などは、1日1回やひと月に1回など、集計できるだけのデータが集まった段階で処理をします。

要求された処理をすぐに行う方法をリアルタイム処理、**ある程度まとまったデータを一括して処理する方法**をバッチ処理といいます。

リアルタイムシステムの種類

リアルタイム処理を行うシステムは、決められた時刻までに処理を終了させることが要求されますが、その厳密性により次の2つに分けられます。

種類	厳密性	適応例
ハードリアルタイムシステム	決められた時刻までに処理を終了できなかった場合に、**システムやそれを扱う人に致命的なダメージが発生**	エアバッグ制御システム
ソフトリアルタイムシステム	決められた時刻までに終了できなくても**致命的な問題とはならない**	座席予約システム、バンキングシステム

自動車、医療機器、航空宇宙システムなどに組み込まれているシステムを**組込みシステム**といいます。この組込みシステムでは、入力に対して即時処理が求められます。そこで、**期待される応答時間内にタスクや割込みを処理するための仕組みを備えたリアルタイムOS**が用いられています。

ココが試験に出る！

- ハードリアルタイムシステム：処理を決められた時刻までに終了できなかった場合、システムやそれを扱う人に致命的ダメージが発生
- ソフトリアルタイムシステム：決められた時刻までに終了できなくても致命的な問題とはならない
- 組込みシステム：期待される応答時間内にタスクや割込みを処理するための仕組みを備えたリアルタイムOSを用いる

試験問題にチャレンジ

問題❶

リアルタイムシステムをハードリアルタイムシステムとソフトリアルタイムシステムとに分類したとき，ハードリアルタイムシステムに該当するものはどれか。

- **ア** Web配信システム
- **イ** エアバッグ制御システム
- **ウ** 座席予約システム
- **エ** バンキングシステム

正解　**イ**

解説 ハードリアルタイムシステムは、処理を決められた時刻までに終了できなかった場合に、システムやそれを扱う人に致命的ダメージが発生するもののことです。エアバッグ制御システムは、決められた時間までにエアバッグが作動しなければ搭乗者を保護できません。ほかの選択肢はすべて、ソフトリアルタイムシステムです。

問題❷

組込みシステムでリアルタイムOSが用いられる理由として，適切なものはどれか。

- **ア** アプリケーションがハングアップしても，データが失われない。
- **イ** 期待される応答時間内にタスクや割込みを処理するための仕組みが提供される。
- **ウ** グラフイカルなユーザインタフェースを容易に利用できる。
- **エ** システムのセキュリティが保証される。

正解　**イ**

解説 組込みシステムでは、入力に対して即時処理が求められるため、タスクや割込み処理の仕組みが提供されているリアルタイムOSが採用されています。

02 クライアントサーバ システム

 クライアントサーバ システムについて学ぼう

- 3層クライアントサーバシステムの構成を理解しよう。
- クラウドコンピューティングについて理解しよう。
- ストアドプロシージャについて理解しよう。

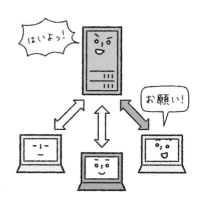

クライアントサーバシステム

　システム構成において分散処理型の代表的なシステムは、クライアントサーバシステムです。**処理の要求を送信する**クライアントと、**要求に応答して処理結果を提供する**サーバで構成され、互いに協調して処理を実現します。

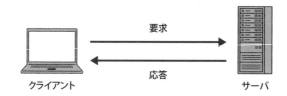

クライアント　　要求／応答　　サーバ

　メールサーバやWebサーバなど、種類の異なるサーバ機能をまとめて1台のコンピュータに入れることもできますし、逆に1つのサーバ機能を何台かのコンピュータに分散させて構成することもできます。

3層クライアントサーバシステム

　クライアントサーバシステムを構築する場合、かつてはクライアント層とサーバ層からなる2層構造が主流でした。しかし、**2層構造だと、クライアント層ではOSなどの環境を統一する必要があります**。システムを変更する際には、1つ1つのクライアントすべてに変更を反映させなくてはならず、大きなコストがかかってしまうという問題点がありました。

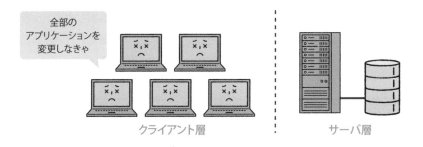

　そのため、クライアント層とサーバ層の間にもう1つ階層を設けて役割を分担する**3層クライアントサーバシステム**が主流となっています。

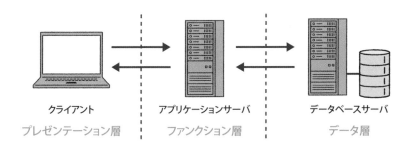

　3層クライアントサーバシステムでは、**各階層の役割が独立しており、クライアント側の環境が異なっていても同じ機能を提供できます**。また、**アプリケーションを変更する際にも、ファンクション層だけを変更すればよく、修正や追加が頻繁に発生するシステムにも適応できます**。

	階層名	対象	役割
1	プレゼンテーション層	クライアント	入力チェックや画面表示を行う
2	ファンクション層 （アプリケーション層）	アプリケーション サーバ	検索条件の組立てやデータの 加工を行う
3	データ層	データベースサーバ	データベース管理システムを 運用し、データへアクセスする

　3層の分割はあくまでも論理的なものなので、アプリケーションサーバとデータ
ベースサーバを、物理的に同じコンピュータで稼働させる場合もあります。**クライ
アント側は汎用的なWebブラウザを利用して、Webサーバ側でデータの加工や
データベースアクセスを行うWebアプリケーションが主流です。**

シンクライアントシステム

　クライアント側に搭載する機能と実行する処理を必要最低限にとどめ、代わりに
**サーバ内のアプリケーションやデータを使用するシステムをシンクライアントシス
テム**といいます。ウイルス対策といったセキュリティ管理などをサーバ側で集中管
理できるメリットがあります。

クラウドコンピューティング

　**ネットワークを経由して、アプリケーションやデータなどのコンピュータ資源を
提供する方式**のことを、クラウドコンピューティングといいます。拡張性や可用性
の高いサービスを利用できるメリットがあります。

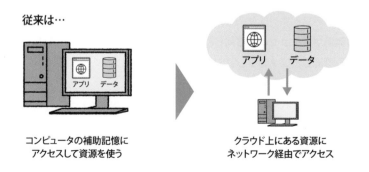

従来は…

コンピュータの補助記憶に
アクセスして資源を使う

クラウド上にある資源に
ネットワーク経由でアクセス

ストアドプロシージャ

クライアントサーバシステムにおいて、クライアントが頻繁にデータベースサーバとやり取りをすると、クライアントとサーバをつなぐネットワークの負担が増加し、処理速度が低下します。

そこで、やり取りの回数を減らすストアドプロシージャという方法が考えられました。**この方法ではよく使う命令をあらかじめまとめてサーバ側に用意しておき、その命令群に対してクライアントが要求を出します。**これにより、クライアントとサーバ間でやり取りするデータベース問合せの通信負荷を下げることができます。

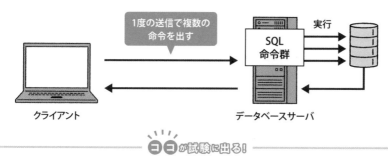

- 3層クライアントサーバシステム構成：サーバ側ではデータ加工やデータベースアクセスなどの処理、クライアント側はWebブラウザで結果を表示。シンクライアントも利用可能
- クラウドコンピューティング：コンピュータ資源をネットワーク経由で提供し、拡張性や可用性の高いサービスを実現
- ストアドプロシージャ：よく利用する命令群をサーバ側に用意し、データベース問合せの通信負荷を軽減する方法

Chapter

5

コンピュータシステム

試験問題にチャレンジ

3層クライアントサーバシステム構成で実現したWebシステムの特徴として，適切なものはどれか。

ア　HTMLで記述されたプログラムをサーバ側で動作させ，クライアントソフトはその結果を画面に表示する。

イ　業務処理の変更のたびに，Webシステムを動作させるための業務処理用アプリケーションを配布し，クライアント端末にインストールする必要がある。

ウ　業務処理はサーバ側で実行し，クライアントソフトはHTMLの記述に従って，その結果を画面に表示する。

エ　クライアント端末には，サーバ側からのHTTP要求を待ち受けるサービスを常駐させておく必要がある。

正解　ウ

解説 3層クライアントサーバシステム構成では、クライアント側はプレゼンテーション層の機能のみを担います。そのため、**ウ**が正しいです。

ア　HTMLで記述されたプログラムをサーバ側で動作させるという記述が誤りです。

イ　業務処理用アプリケーションを端末にインストールする必要があるという記述が誤りです。

エ　HTTP要求を待ち受けるサービスを常駐させておく必要があるのはサーバ側なので誤りです。

問題❷

2層クライアントサーバシステムと比較した3層クライアントサーバシステムの特徴として，適切なものはどれか。

ア クライアント側で業務処理専用のミドルウェアを採用しているので，業務処理の追加・変更などがしやすい。

イ クライアント側で業務処理を行い，サーバ側ではデータベース処理に特化できるので，ハードウェア構成の自由度も高く，拡張性に優れている。

ウ クライアント側の端末には，管理が容易で入出力のGUI処理だけを扱うシンクライアントを使用することができる。

エ クライアントとサーバ間でSQL文がやり取りされるので，データ伝送量をネットワークに合わせて最少化できる。

正解　ウ

解説 3層クライアントサーバシステムでは、各階層の役割が独立しているので、プレゼンテーション層を担うクライアント側の端末にはシンクライアントを使用することができます。

問題❸

クラウドコンピューティングの説明として，最も適切なものはどれか。

ア あらゆる電化製品をインテリジェント化しネットワークに接続することによって，いつでもどこからでもそれらの機器の監視や操作ができるようになること

イ 数多くのPCの計算能力を集積することによって，スーパコンピュータと同程度の計算能力を発揮させること

ウ コンピュータの資源をネットワークを介して提供することによって，利用者がスケーラビリティやアベイラビリティの高いサービスを容易に受けられるようになること

エ 特定のサーバを介することなく，ネットワーク上のPC同士が対等の関係で相互に通信を行うこと

正解　ウ

解説 クラウドコンピューティングは、コンピュータ資源をネットワーク経由で提供するシステム構成です。自前のコンピュータよりも大きな容量のデータ領域を使ったり、必要なときに必要なだけ資源を使ったりできるので、拡張性（スケーラビリティ）や可用性（アベイラビリティ）が高まります。

03 高信頼化システムの構成

信頼性と性能を高めるシステム構成について学ぼう

- デュアルシステムとデュプレックスシステムの違いを理解しよう。
- デュプレックスシステムの3つの方式を理解しよう。
- 負荷分散のシステム構成を理解しよう。

信頼性と性能を高めるシステム構成

　システムで最も大事なのは、必要なときに必要な機能を利用できるという**信頼性**です。正しく処理をしてくれなかったり、故障ばかりしていたり、処理が遅かったりすると、システムを安心して使えません。システムの信頼性を高める構成方法には、次のようなものがあります。

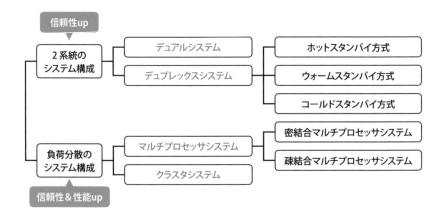

2系統のシステム構成

　信頼性を高める方法の1つに、システムが故障したときに備えて**予備のシステムを用意する**方法があります。予備のシステムの構成方法にはデュアルシステムとデュプレックスシステムという2つの種類があります。

デュアルシステム

　デュアルシステムでは、**同じ構造のシステムを2つ用意して、2つのシステムで同じ処理を行います**。なおかつ、処理結果が正しいかどうかお互いに確かめ合うことによって、常に同じデータをもつようにします。こうすることで、お互いが相手に対する予備となり、一方が故障しても、もう一方で処理をし続けることが可能です。

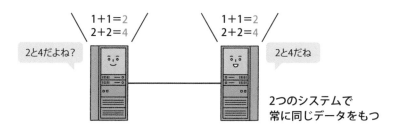

デュプレックスシステム

　デュプレックスシステムは、**正規のシステム（現用系）で処理を行い、もう1つのシステム（待機系）は予備として待機させておく**方法です。稼働中のシステムに故障が発生したら、待機していたシステムに切り替えて稼働させます。

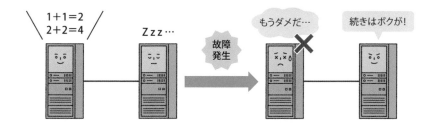

デュプレックスシステムのスタンバイ方式

デュプレックスシステムは、**待機系の運用方法**によって次の３つの方式に分けられます。

方式	待機系の運用方法
ホットスタンバイ方式 （ホットサイト）	待機系の業務システムを**常に起動状態**にしておいて、障害時にはすぐに自動で切り替える方式。最も素早く切り替えできる
ウォームスタンバイ方式 （ウォームサイト）	待機系は**OSだけ起動**しておき、業務システムは起動しないで待機させておく方式
コールドスタンバイ方式 （コールドサイト）	待機系は通常、**電源を切った状態か、バッチ処理など別の処理を行っており**、障害が起きたときに現用系と同じ処理に切り替える方式。切り替えに最も時間がかかる

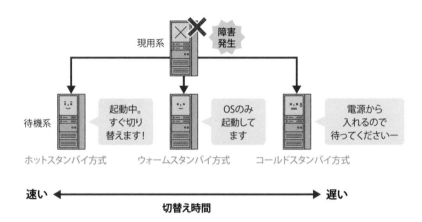

負荷分散のシステム構成

システムは、信頼性だけでなく**処理速度も重要なポイントとなります**。いくら常に故障なく、正確に処理をしてくれるシステムでも、いつまでたっても処理が終わらないシステムでは使いものになりません。

システムの処理速度を上げるには、**処理速度低下の原因となっているハードウェアへの負荷軽減**が有効です。これを負荷分散といいます。負荷分散を実現するシステム構成には、マルチプロセッサシステムとクラスタリングがあります。

マルチプロセッサシステム

マルチプロセッサシステムは、**複数のCPU（プロセッサ）を用意するシステム**です。1つのCPUに集中していた処理を分散させ、それぞれ同時並行で異なる処理を進めることで、システム全体の処理時間を短縮します。

マルチプロセッサシステムは、**主記憶を共有するかしないかによって**、密結合マルチプロセッサシステムと疎結合マルチプロセッサシステムに分けられます。

密結合マルチプロセッサシステム

複数のCPUが1つの主記憶を共有し、単一のOSで制御される方式です。主記憶を共有するため、CPUの数が増えると競合が発生しやすくなります。タスクは基本的にどのCPUでも同じように実行できるので、できるだけ細かい単位に分けて負荷を分散することで、処理能力を向上させます。

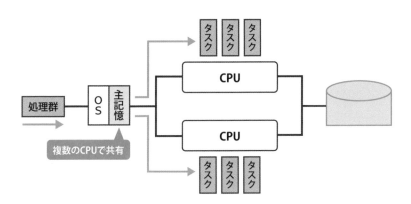

疎結合マルチプロセッサシステム

CPUごとに自分専用の主記憶をもち、それぞれが独立したOSで制御されます。CPUの独立性が高く競合が起こりにくいため、いくらでも簡単にCPUの数を増やすことができます。ジョブと呼ばれるひとまとまりの仕事単位で負荷を分散し、処理能力を向上させます。

Chapter

5

コンピュータシステム

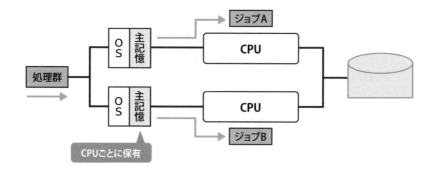

クラスタリング

複数のコンピュータを組み合わせて信頼性の高いシステムを構築する方式をクラスタリングといいます。システムの一部で障害が発生しても、ほかのコンピュータに処理を肩代わりさせることによって、システム全体が停止するのを防止します。

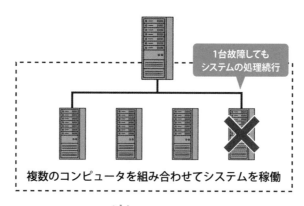

- デュアルシステム：2つのシステムで同一処理
- デュプレックスシステム：一方の現用系が稼働し、もう一方の待機系は待機
- ホットスタンバイ方式（ホットサイト）：待機系も起動状態。障害時には、すぐに自動で切り替え
- 密結合マルチプロセッサシステム：CPUが主記憶を共有、単一のOSで制御、タスク単位で分散

試験問題にチャレンジ

問題❶

コンピュータを2台用意しておき，現用系が故障したときは，現用系と同一のオンライン処理プログラムをあらかじめ起動して待機している待機系のコンピュータに速やかに切り替えて，処理を続行するシステムはどれか。

ア コールドスタンバイシステム
イ ホットスタンバイシステム
ウ マルチプロセッサシステム
エ マルチユーザシステム

正解　イ

解説 ホットスタンバイシステムは、待機系も起動状態にしておき、現用系の障害時には自動で切り替えます。

問題❷

ロードバランサを使用した負荷分散クラスタ構成と比較した場合の，ホットスタンバイ形式によるHA（High Availability）クラスタ構成の特徴はどれか。

ア 稼働している複数のサーバ間で処理の整合性を取らなければならないので，データベースを共有する必要がある。
イ 障害が発生すると稼働中の他のサーバに処理を分散させるので，稼働中のサーバの負荷が高くなり，スループットが低下する。
ウ 処理を均等にサーバに分散できるので，サーバマシンが有効に活用でき，将来の処理量の増大に対して拡張性が確保できる。
エ 待機系サーバとして同一仕様のサーバが必要になるが，障害発生時には待機系サーバに処理を引き継ぐので，障害が発生してもスループットを維持することができる。

正解　エ

解説 HAクラスタ構成とは、障害が発生したときも正常時と同様の処理を継続できるようにした構成です。ホットスタンバイ形式では、現用系で処理していたものをすべて待機系に引き継ぐので、スループットを維持することが可能です。**ア**、**イ**、**ウ**は負荷分散クラスタ構成の説明です。

コンピュータシステムの構成に関する記述のうち，密結合マルチプロセッサシステムを説明したものはどれか。

ア 通常は一方のプロセッサは待機しており，本稼働しているプロセッサが故障すると，待機中のプロセッサに切り替えて処理を続行する。

イ 複数のプロセッサが磁気ディスクを共用し，それぞれ独立したOSで制御される。ジョブ単位で負荷を分散することで処理能力を向上させる。

ウ 複数のプロセッサが主記憶を共用し，単一のOSで制御される。システム内のタスクは，基本的にどのプロセッサでも実行できるので，細かい単位で負荷を分散することで処理能力を向上させる。

エ 並列に接続された2台のプロセッサが同時に同じ処理を行い，相互に結果を照合する。1台のプロセッサが故障すると，それを切り離して処理を続行する。

正解 ウ

解説 密結合マルチプロセッサシステムは、CPUが主記憶を共有し単一OSで制御されています。

なお、**ア**はデュプレックスシステム、**イ**は疎結合マルチプロセッサシステム、**エ**はデュアルシステムの説明です。

Chapter 5

04 システムの信頼性設計

データは大切に…

システムの信頼性を保つための障害対策について学ぼう

・障害対策の基準を理解しよう。
・フォールトトレラントにおける3つの考え方を理解しよう。
・RAIDの仕組みを理解しよう。

信頼性の高いシステムとは

　システムは常に正常に稼働していることが理想です。システムが故障したり、停止したりしてしまうと、システムが提供するサービスの内容によっては、私たちの生活や企業活動に大きなダメージを与える可能性があるからです。しかし、**故障しないシステムというのは現実的にあり得ないので、障害への対策がシステムの信頼性を考える上でのポイント**となります。

障害対策の考え方

　システム障害の対策には、次のような考え方があります。

名称	考え方	対策例
フォールトアボイダンス (fault avoidance)	**障害そのものを回避する**ために、事前に対策を行っておく	システム構築において、故障実績の少ないハードウェアを選ぶ
フォールトトレラント (fault tolerant)	**障害が起こっても継続してシステムを稼働**できるようにしておく	障害が発生した場合、予備機に切り換えたり、機能を低下させることで、完全にシステムが停止しないように設計しておく
フォールトマスキング (fault masking)	**障害が発生してもその影響を隠蔽**し、外部からはシステムが正常に動作しているように見せる	デュアルシステム方式で同じ処理を並行し、片方が故障しても、もう片方が正常に動作し続けるようにする

システムの信頼性を高める考え方

　システムが故障したときにどう対応するか、誤動作を起こさない工夫など、システムの信頼性を高めるための考え方には、次のようなものがあります。

フェールセーフ

　故障が発生したときに、**被害を最小限にとどめるために安全性を重視した対策を行っておく**という考え方を**フェールセーフ**（fail safe）といいます。例えば、工場において産業用ロボットの作業範囲に人間が入ったことを検知するセンサが故障した場合には、産業用ロボットを停止させることで事故を防止します。

フェールソフト

　故障が発生したときに、故障した部分を切り離すなどして、正常な部分だけで稼働を続けられるような対策を行っておくという考え方を、フェールソフト (fail soft) といいます。これは**稼働し続けることを重視した対策方法**です。例えば、複数のサーバによるクラスタ構成のシステムで、あるサーバが故障しても、ほかのサーバが引き継いで機能を提供するようにしてあるのがフェールソフトです。なお、**システム全体が止まらないように、性能を落として限定的に動作**させることをフォールバック (縮退運転) といいます。

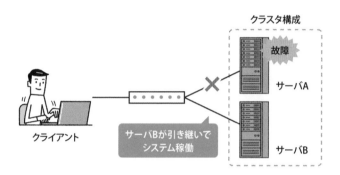

フールプルーフ

　ユーザが**誤った操作を行えないようにする、または誤った操作をしたとしても、危険にさらされたり誤作動で故障したりすることがないように対策しておく考え方**を、フールプルーフ (fool proof) といいます。例えば、ふたを閉めないとドラムが回転しないように設計された洗濯機はフールプルーフです。

磁気ディスクの信頼性を上げるRAID

磁気ディスクはハードウェアの中でも故障することが多い装置です。磁気ディスクのフォールトトレラントを考慮した仕組みにRAID（レイド）があります。

RAIDとは、**複数台のハードディスクを組み合わせてあたかも1台のハードディスクであるかのように扱うこと**です。RAIDは、高速性や信頼性のレベルによりRAID0（レイドゼロ）からRAID6（レイドシックス）に分かれています。ここでは代表的なものを見ていきましょう。

RAID0

RAID0は、**複数のディスクにデータを分散して書き込む方式**です。ストライピングとも呼ばれます。1台でもディスクが故障すると読み書きができなくなるため信頼性は向上しませんが、処理を高速化できます。

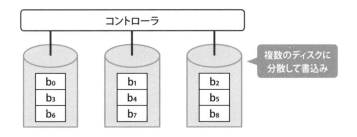

RAID1

RAID1（レイドワン）は、**同じデータを複数台のディスクにコピーして書き込む方式**です。**読み書きを制御するRAIDコントローラを共有する方式**をミラーリング、**RAIDコントローラも複数使用する方式**をデュプレキシングといいます。信頼性は向上しますが、多重化した分、余分にディスクが必要になります。

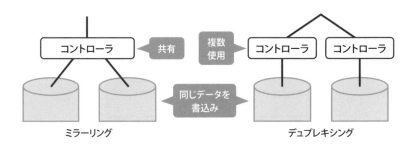

RAID5

RAID5は、データにパリティと呼ばれるエラー検出・修復のための符号をもた
せ、データとパリティを別々のディスクに分散して書き込む方式です。ディスクが
1台故障しても、残りのディスクに格納されたデータとパリティから、失われた
データを復旧することが可能です。パリティの合計容量がディスク1台分となるた
め、実際のデータを書き込める容量は「ディスク台数－1台分」になります。

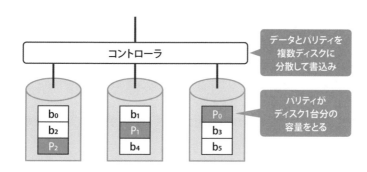

データとパリティを
複数ディスクに
分散して書込み

パリティが
ディスク1台分の
容量をとる

RAID0とRAID1を組み合わせた方式は、RAID01と呼ばれます。また、RAID2〜4、
6については、詳細を覚える必要はありません。データの書き込み単位、誤り訂正方
式、誤り訂正符号をどこに書き込み二重化もするか、といった点が異なります。

──── ココが試験に出る！ ────

- フォールトアボイダンス：障害を回避するため事前に対策を行っておく
- フォールトトレラント：故障が発生しても稼働するような対策を行っておく
- フェールセーフ：システムの安全性を重視する
- フェールソフト：システムを稼働し続けることを重視する
- フールプルーフ：誤った操作をそもそもさせない、もし誤っても、システムが壊れたり危険が生じたりしないようにしておく
- RAID0：データを分散して記録する（ストライピング）→アクセスの高速化
- RAID1：別の磁気ディスクにも同じデータを書き込む（ミラーリング）→システムの高信頼化
- RAID5：データとパリティ情報を分散して記録

試験問題にチャレンジ

問題❶

フォールトトレラントシステムを実現する上で不可欠なものはどれか。

ア システム構成に冗長性をもたせ，部品が故障してもその影響を最小限に抑えることで，システム全体には影響を与えずに処理が続けられるようにする。

イ システムに障害が発生したときの原因究明や復旧のために，システム稼働中のデータベースの変更情報などの履歴を自動的に記録する。

ウ 障害が発生した場合，速やかに予備の環境に障害前の状態を復旧できるように，定期的にデータをバックアップする。

エ 操作ミスが発生しにくい容易な操作にするか，操作ミスが発生しても致命的な誤りとならないように設計する。

正解　ア

解説 フォールトトレラントシステムは、故障が発生しても稼働するように設計されたシステムです。そのため、システム構成に冗長性をもたせておき、故障時にも影響を最小限に抑えることが不可欠です。

問題❷

情報システムの安全性や信頼性を向上させる考え方のうち，フェールセーフはどれか。

ア システムが部分的に故障しても，システム全体としては必要な機能を維持する。

イ システム障害が発生したとき，待機しているシステムに切り替えて処理を続行する。

ウ システムを構成している機器が故障したときは，システムが安全に停止するようにして，被害を最小限に抑える。

エ 利用者が誤った操作をしても，システムに異常が起こらないようにする。

正解　ウ

解説 **ア**はフェールソフト、**イ**はフォールトトレラント、**エ**はフールプルーフの説明です。

問題❸ R1秋-問15

RAIDの分類において，ミラーリングを用いることで信頼性を高め，障害発生時には冗長ディスクを用いてデータ復元を行う方式はどれか。

ア RAID1

イ RAID2

ウ RAID3

エ RAID4

正解　ア

解説 ミラーリングを用いて冗長化する方式はRAID1です。

問題❹ H29秋-問12

RAID5の記録方式に関する記述のうち，適切なものはどれか。

ア 複数の磁気ディスクに分散してバイト単位でデータを書き込み，さらに，1台の磁気ディスクにパリティを書き込む。

イ 複数の磁気ディスクに分散してビット単位でデータを書き込み，さらに，複数の磁気ディスクにエラー訂正符号（ECC）を書き込む。

ウ 複数の磁気ディスクに分散してブロック単位でデータを書き込み，さらに，複数の磁気ディスクに分散してパリティを書き込む。

エ ミラーディスクを構成するために，磁気ディスク2台に同じ内容を書き込む。

正解　ウ

解説 アはRAID3、イはRAID2、エはRAID1の説明です。

Chapter

5

コンピュータシステム

05 システムの性能評価

システムの性能評価について学ぼう

- ターンアラウンドタイムとレスポンスタイムの違いを理解しよう。
- スループットについて理解しよう。
- ベンチマークテストについて理解しよう。

システムの性能評価とは

　一般に、利用者がシステムの性能を評価するときには処理速度が注目されます。ただ、一言でシステムといっても、バッチ処理システムやリアルタイム処理システムなど、**処理内容や形態が異なるシステムが存在**します。そのため、**処理速度を測る指標にもいくつかの種類があります。**

ターンアラウンドタイム

　バッチ処理システムなどの性能を測る指標で、**利用者がシステムに処理の要求を入力し始めてから、すべての結果の出力が終了するまでにかかる時間**をターンアラウンドタイムといいます。値が小さいほど性能がよいといえます。

ココに気をつけて！ ターンアラウンドタイムには、**処理を開始するまでの待ち時間なども含まれます。**試験問題でターンアラウンドタイムを計算するときには、注意しましょう。

レスポンスタイム

　リアルタイム処理システムの性能を測る指標で、**利用者がシステムに処理の要求を入力し終わってから、出力が開始するまでにかかる時間**をレスポンスタイム（応答時間）といいます。値が小さいほどシステムの反応がよく、性能がよいといえます。

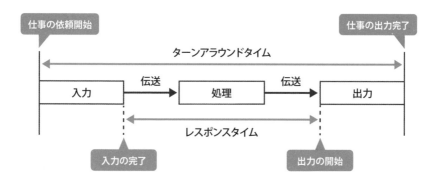

スループット

　システムが単位時間あたりにジョブを処理する能力を測る指標をスループットといいます。この値は、大きいほど性能がよいといえます。

ココに気をつけて!　プリンタへの出力を一時的に磁気ディスク装置へ保存するスプーリングの仕組みは、プリンタの出力を待たずに次のジョブを処理することができるため、スループットの向上に役立ちます。

ベンチマークテスト

　コンピュータシステムの性能は、ほかのシステムと比べることでも評価できます。ベンチマークテストは、**使用目的に合わせて選定した標準的なプログラムを複数のシステムで実行させ、その実行時間を比較することで、システムの性能を評価する手法**です。

Chapter

5

コンピュータシステム

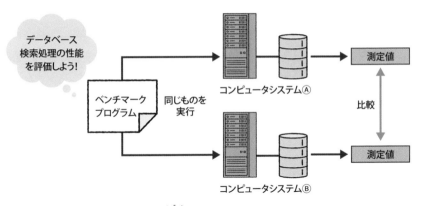

- ターンアラウンドタイム：利用者がシステムに処理の要求を入力し始めてから、すべての結果の出力が終了するまでにかかる時間
- レスポンスタイム：利用者がシステムに処理の要求を入力し終わってから、出力が開始するまでにかかる時間
- スループット：単位時間あたりに処理される仕事量。スプーリングはスループット向上に役立つ
- ベンチマークテスト：標準的なプログラムを実行させて処理性能を測定し比較する

試験問題にチャレンジ

問題❶

システムが単位時間内にジョブを処理する能力の評価尺度はどれか。

ア MIPS値

イ 応答時間

ウ スループット

エ ターンアラウンドタイム

正解　**ウ**

解説 単位時間あたりに処理される仕事量を表す評価尺度は、スループットです。

問題❷

スループットの説明として，適切なものはどれか。

ア ジョブがシステムに投入されてからその結果が完全に得られるまでの経過時間のことであり，入出力の速度やオーバヘッド時間などに影響される。

イ ジョブの稼働率のことであり，"ジョブの稼働時間÷運用時間"で求められる。

ウ ジョブの同時実行可能数のことであり，使用されるシステムの資源によって上限が決まる。

エ 単位時間当たりのジョブの処理件数のことであり，スプーリングはスループットの向上に役立つ。

正解　**エ**

解説 スループットは単位時間当たりのジョブの処理量を表す指標です。

なお、**ア**はターンアラウンドタイム、**イ**は稼働率、**ウ**は多重度についての説明です。

ベンチマークテストの説明として，適切なものはどれか。

ア 監視・計測用のプログラムによってシステムの稼働状態や資源の状況を測定し，システム構成や応答性能のデータを得る。

イ 使用目的に合わせて選定した標準的なプログラムを実行させ，システムの処理性能を測定する。

ウ 将来の予測を含めて評価する場合などに，モデルを作成して模擬的に実験するプログラムでシステムの性能を評価する。

エ プログラムを実際には実行せずに，机上でシステムの処理を解析して，個々の命令の出現回数や実行回数の予測値から処理時間を推定し，性能を評価する。

....

正解　**イ**

解説 ベンチマークテストは、測定用のプログラムを実行したときの処理性能を測定し、比較して評価する方法です。

なお、**ア**はモニタリング、**ウ**はシミュレーション、**エ**は静的積算の説明です。

06 信頼性の基準と指標

システムの信頼性についての基準と指標を学ぼう

- システムの信頼性を表す RASIS を理解しよう。
- MTBF と MTTR について理解しよう。
- 複数のシステムが接続された場合の稼働率の計算方法を学ぼう。

Chapter

5

コンピュータシステム

信頼性の基準

　信頼できるシステムかを判断するために、システムを総合的に評価する指標として、5つの要素の頭文字を表した RASIS という概念があります。

概念	説明	指標
信頼性 (Reliability)	**故障しにくいこと**	エムティービーエフ MTBF
可用性 (Availability)	使いたいときに**使える状態である**こと	稼働率
保守性 (Serviceability)	故障から**迅速に復旧できる**こと	エムティーティーアール MTTR
完全性 (Integrity)	改ざんなどが行われていないこと、データに整合性があること。保全性ともいう	
機密性 (Security)	不正アクセスされにくいこと	

信頼性の指標

システムは、故障が少なく稼働している時間が長いほど、性能がよいといえます。

正常に稼働している時間の平均を MTBF（Mean Time Between Failures：平均故障間隔）といいます。システム障害の予防保守を行うことで、システムの信頼性が高まり、MTBFは長くなります。

故障している時間の平均を MTTR（Mean Time to Repair：平均修復時間）といいます。エラーログ機能などを備えたシステムは保守性が高く、MTTRは短くなります。

稼働している時間を計るための指標に稼働率があります。稼働率は、**全運転時間のうちどれだけ稼働しているかの割合**を表します。計算式は、次のとおりです。

公式

$$稼働率 = \frac{MTBF}{MTBF + MTTR}$$

次のシステムの場合、稼働率は、40 ÷（40 ＋ 15）≒ 0.73 です。**MTBFの値が大きいほど、また、MTTRが小さいほど稼働率が高くなります。**

- - - - - - 全運転時間 - - - - - -

稼働	故障	稼働	故障	稼働	故障
40	10	50	20	30	15

$$MTBF = \frac{40+50+30}{3} = 40 \qquad MTTR = \frac{10+20+15}{3} = 15$$

$$稼働率 = \frac{MTBF}{MTBF + MTTR} = \frac{40}{40 + 15} = \frac{8}{11} ≒ 0.73$$

複数システムの稼働率

規模の大きいシステムでは、複数のシステムを接続して利用します。複数のシステムを接続している場合、全体の稼働率は、システムの接続方法によって求め方が異なります。

直列システムの場合

次の図のように、**システム同士を直線上に接続したシステムを**直列システムといいます。直列システムは、**どれか1つが故障すると、システム全体が稼働しなくなります。**

直列システムの稼働率は、次の式で求められます。

> **公式**
>
> **稼働率** = システムA の稼働率 × システムBの稼働率

例えば、システムAとシステムBの稼働率がいずれも0.9であった場合、全体の稼働率は0.9 × 0.9 = 0.81となります。

並列システムの場合

次の図のように、**システム同士を並列に接続したシステムを**、並列システムといいます。並列システムは**いずれか1つが稼働していれば、システム全体は稼働します。**そのため、各システムの稼働率が同じ場合は、直列システムより並列システムのほうがシステム全体の稼働率は高くなります。

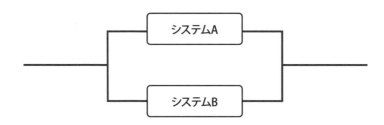

並列システムの稼働率は、次の式で求められます。

公式

稼働率 ＝ 1 － （1 －システムAの稼働率）×（1 －システムBの稼働率）

システムAとシステムBの稼働率がいずれも0.9であった場合、全体の稼働率は
1 －（1 － 0.9）×（1 － 0.9）＝ 0.99となります。

バスタブ曲線

ハードウェアやソフトウェアに故障が発生する確率は、時間の経過とともに変化
します。故障率と時間の関係をグラフに表すと、形が浴槽（バスタブ）を横から見
た形に似ているので、バスタブ曲線と呼ばれます。

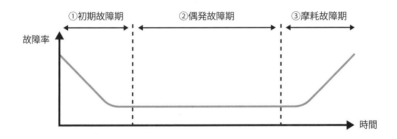

①初期故障期	②偶発故障期	③摩耗故障期
ソフトウェアのバグ、ハードウェア初期不良などにより故障率が高くなる	初期故障が修正されて**安定稼働**するため、故障率はほぼ**一定**になる	**時間経過による物理的な機器の摩耗**などにより故障率が高くなる

　このように、故障率だけでなく故障内容もシステム運用期間に伴って変化しま
す。そのため、**システムの信頼性を比較するために稼働率を測定する場合は、安定
運用されている②の期間が適切です。**

- MTBF (平均故障間隔):隣接した故障と故障の間の時間の平均値。MTBFの値が大きいほどシステムの信頼性は高い
- MTTR (平均修理時間):故障の修理などに要する時間の平均値。MTTRの値が小さいほどシステムの保守性は高い

公式

$$稼働率 = \frac{MTBF}{MTBF + MTTR}$$

- 直列システムの稼働率＝システムAの稼働率×システムBの稼働率
- 並列システムの稼働率＝1－(1－システムAの稼働率)×(1－システムBの稼働率)
- バスタブ曲線:時間と故障率の関係を表したバスタブのような形のグラフ
- システムの信頼性比較には、初期故障が修正され安定稼働している偶発故障期が適切

Chapter

5

コンピュータシステム

試験問題にチャレンジ

問題❶

システムの稼働率に関する記述のうち，適切なものはどれか。

ア MTBFが異なってもMTTRが等しければ，システムの稼働率は等しい。

イ MTBFとMTTRの和が等しければ，システムの稼働率は等しい。

ウ MTBFを変えずにMTTRを短くできれば，システムの稼働率は向上する。

エ MTTRが変わらずMTBFが長くなれば，システムの稼働率は低下する。

正解　**ウ**

解説 MTBF（平均故障間隔）は、隣接した故障と故障の間の時間の平均値です。つまり、MTBFの値が大きいほどシステムの信頼性は高いといえます。MTTR（平均修理時間）は、故障の修理などに要する時間の平均値です。MTTRの値が小さいほど、システムの保守性は高いといえます。よって、MTBFを変えずにMTTRを短くできれば、システム稼働時間が長くなり、稼働率が向上します。

問題❷

MTBFが45時間でMTTRが5時間の装置がある。この装置を二つ直列に接続したシステムの稼働率は幾らか。

ア 0.81

イ 0.90

ウ 0.95

エ 0.99

正解　**ア**

解説 この装置の稼働率を計算すると、

$$稼働率 = \frac{MTBF}{MTBF + MTTR} = \frac{45}{45 + 5} = 0.9$$

2つ直列に接続した場合の稼働率は、0.9 × 0.9 = 0.81となります。

問題❸

東京と福岡を結ぶ実線の回線がある。東京と福岡の間の信頼性を向上させるために，大阪を経由する破線の迂回回線を追加した。迂回回線追加後における，東京と福岡の間の稼働率は幾らか。ここで，回線の稼働率は，東京と福岡，東京と大阪，大阪と福岡の全てが0.9とする。

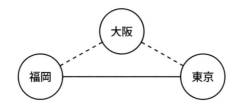

ア　0.729

イ　0.810

ウ　0.981

エ　0.999

正解　ウ

解説 直列に接続されている迂回回線（東京－大阪－福岡）の稼働率は、

$0.9 \times 0.9 = 0.81$

（東京－福岡）間が並列に接続されている全体の稼働率は、

$1 - (1 - 0.9) \times (1 - 0.81) = 0.981$

バスタブ曲線を説明したものはどれか。

ア 抜取り検査において，横軸にロットの不良率，縦軸にロットの合格率をとると，ある不良率のロットが合格する確率を知ることができる。不良率が高くなると合格率は下がる。

イ プログラムのテストにおいて，横軸にテスト時間，縦軸に障害累積数をとると，その形状は時間の経過に伴って増加率が次第に高くなり，ある時点以降は増加率が次第に鈍化し，一定の値に漸近していく。

ウ 横軸に時間，縦軸に故障率をとって経過を記録すると，使用初期は故障が多く，徐々に減少して一定の故障率に落ち着く。更に時間が経過すると再び故障率は増加する。

エ 横軸に累積生産性，縦軸に生産量1単位当たりのコストをとると，同一製品の累積生産量が増加するにつれて生産量1単位当たりのコストが逓減していくという経験則を表す。

正解　**ウ**

解説 バスタブ曲線は、時間と故障率の関係を表したバスタブを横からみたような形のグラフです。

ア OC曲線の説明です。

イ 信頼度成長曲線の説明です。

エ 経験曲線の説明です。

システムの信頼性を比較する目的で稼働率を測定するのに適切な時期はどれか。

ア システムの運用を開始した直後に発生したトラブルが解決されて安定してきた時期

イ システムの運用を開始した時

ウ システムリリースの可否を判断する時期

エ 長期間のシステム利用を経て，老朽化によるトラブルが増え始めた時期

正解　**ア**

解説 システムの信頼性を比較する目的で稼働率を測定する場合は、システムの安定運用時期において比較することが適切です。

テクノロジ系

Chapter

6

テクノロジ系 | 基礎理論
| コンピュータシステム
| 技術要素
| 開発技術
マネジメント系 | プロジェクト
マネジメント
| サービスマネジメント
ストラテジ系 | システム戦略
| 経営戦略
| 企業と法務

解説動画 ▶

システム開発

本章の学習ポイント

- システムが達成・動作すべき基準のことをシステム要件という。
- アジャイル開発にはスクラム、エクストリームプログラミングといった手法がある。
- プログラムを解析して仕様の復元を試みることをリバースエンジニアリングという。
- データと処理をひとまとまりで扱う手法をオブジェクト指向という。
- ホワイトボックステストは内部構造を注視し、ブラックボックステストは入力と出力のみに注視する。

01 システム開発の概要

 システム開発の
流れを学ぼう

- システム開発の全体像を理解しよう。
- 要件定義における機能要件・非機能要件の違いを知ろう。
- システム開発の各プロセスで何を行うのか学ぼう。

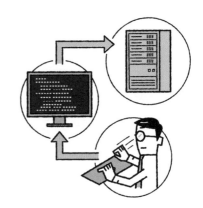

システム開発の流れ

システムは発注者からの依頼を受けて企画され、要求に応じて設計・開発を行います。無事完成したあとは、定期的な保守を行いながら運用し、役割を終えると廃棄されます。このように、システムには**企画から廃棄まで一連の流れ**があり、これをシステムのライフサイクルと呼びます。

開発工程で行われる各プロセスは、次のような流れになっています。

開発プロセス

システム要件定義
↓
システム設計
↓
プログラミング
↓
テスト
↓
ソフトウェア受入れ

各プロセスでは、次の作業を行います。

システム要件定義

システム要件とは、**システムが具体的に何を達成すべきで、どのように動作すべきかを明確にする基準**のことです。

この**要件を定義する工程**がシステム要件定義です。この工程では、**発注者のリクエストを基に現状業務を分析し、システムに必要な機能や性能といったシステム要件を整理して文書化**します。のちのち揉めないためにも、システム開発の早い段階で、システムに関わる利害関係者を洗い出し、それぞれのニーズや要望、制約条件などを明らかにすることが重要です。

機能要件と非機能要件

システム要件は、次のように機能要件と非機能要件の2つに分類されます。

種別	説明	ATMシステムでの具体例
機能要件	業務要件を実現するため必要な機能に関する要件	「入出金ができる」「振込ができる」
非機能要件	機能要件以外の要件。例えば、**システムが満たすべき品質要件、技術要件、運用・操作要件など**	「故障しにくい」「処理が速い」「画面操作がしやすい」

試験では、非機能要件に該当するものを選択させる問題が出題されています。

システム設計

システム設計は、次の4つの工程に分けて実施します。

まず、システム方式設計では、**システムの目的や機能を実現するために必要なハードウェアとソフトウェアが何かを考え、それらをどう組み合わせるかを検討し**て決めていきます。

次に行う工程が、ソフトウェア要件定義（外部設計）です。**入力画面といった、システムの見た目の部分を設計**したり、**システムに必要なデータ項目を洗い出して、データ構造を決定**したりなど、論理データの設計を行います。

次がソフトウェア方式設計（内部設計）です。前工程で決定したソフトウェア要件を基に、**開発側の視点からソフトウェア全体の構造を決定**し、ソフトウェアコン

ポーネントと呼ばれる単位に分割します。

そして、分割した各プログラムに盛り込む機能や、プログラム間での処理の流れなど、内部の仕組みを設計します。

最後が**ソフトウェア詳細設計（詳細設計）**で、プログラムの構造を設計します。多くの人が分担してプログラミング作業をしやすいように、**プログラムをさらに細かいモジュールという単位にまで分割して設計**します。

> **ココに気をつけて!** 設計工程ではソフトウェアをどのような単位で扱うかに注意しましょう。試験問題の選択肢を絞り込むときに役立ちます。ソフトウェア方式設計では「ソフトウェアコンポーネント単位」、ソフトウェア詳細設計では「モジュール単位」です。

プログラミング

設計書に従って**プログラミング（コーディング）**を行い、**プログラムの機能ごとのまとまりであるモジュール**を完成させます。

テスト

単体モジュール、モジュールを結合したソフトウェア全体が、**設計書どおりに動くかどうかを段階的にテスト**します。

ソフトウェア受入れ

実際に運用するのと同じハードウェア環境にソフトウェアを導入し、正しく動作するかを確認します。この確認は発注者が行いますが、販売元のベンダも発注者に使い方を説明するなど、スムーズに受け入れられるように協力します。

> **ココに気をつけて!** 開発プロセスの各工程で、何を決めて何を行うのかを選択肢を見て適切に選べるようにしておきましょう。

 **ココが試験に出る!**

- ・非機能要件：業務要件の実現に必要な品質・技術・運用・操作要件を明確化
- ・外部設計：画面などシステムの見た目の部分を設計
- ・ソフトウェア方式設計（内部設計）：ソフトウェア全体の構造を決定し、ソフトウェアコンポーネントと呼ばれる単位に分割

試験問題にチャレンジ

問題❶

非機能要件項目はどれか。

ア 新しい業務の在り方や運用に関わる業務手順，入出力情報，組織，責任，権限，業務上の制約などの項目

イ 新しい業務の遂行に必要なアプリケーションシステムに関わる利用者の作業，システム機能の実現範囲，機能間の情報の流れなどの項目

ウ 経営戦略や情報戦略に関わる経営上のニーズ，システム化・システム改善を必要とする業務上の課題，求められる成果・目標などの項目

エ システム基盤に関わる可用性，性能，拡張性，運用性，保守性，移行性などの項目

....

正解　**エ**

解説 **ア**は業務要件、**イ**は機能要件、**ウ**は要件定義の前段階で定義する事業要件です。

問題❷

開発プロセスにおいて，ソフトウェア方式設計で行うべき作業はどれか。

ア 顧客に意見を求めて仕様を決定する。

イ ソフトウェア品目に対する要件を，最上位レベルの構造を表現する方式であって，かつ，ソフトウェアコンポーネントを識別する方式に変換する。

ウ プログラムを，コード化した1行の処理まで明確になるように詳細化する。

エ 要求内容を図表などの形式でまとめ，段階的に詳細化して分析する。

....

正解　**イ**

解説 ソフトウェア方式設計（内部設計）では、ソフトウェアをどのように分割し、組み合わせるかを決めます。

Chapter 6
02 システム開発手法

 開発の進め方を学ぼう

超効率ポイント

- システム開発の手法にはどんなモデルが あるかを理解しよう。
- アジャイル開発の代表的な手法を理解し よう。
- XPにおける開発プラクティスの内容を 理解しよう。

ウォータフォールモデル

「要件定義」→「システム設計」→「プログラミング（実装）」→「テスト」の順に行 う開発手法をウォータフォールモデルといいます。最初から順番に進んでいくの で、進行状況を把握しやすいという特徴があります。その反面、いったん次のプロ セスに進んでしまうと、前のプロセスに戻って修正するのは難しいので、前の工程 への手戻りが発生しないように、それぞれの工程が終了する際には、しっかりと チェックを行う必要があります。

ココに
気をつけて！

ウォータフォールモデルの開発において、運用テストで誤りが発見された場合、 開発プロセスの初期段階である上流工程に起因するものほど修復に要するコストが 高くなります。

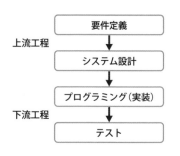

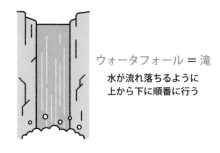

ウォータフォール＝滝

水が流れ落ちるように
上から下に順番に行う

プロトタイピングモデル

　最初に試作品（プロトタイプ）を作成して、利用者（発注者）に出来具合いや使い勝手を確認してもらいながら開発を進めていく手法を、プロトタイピングモデルといいます。発注者と開発者の間に勘違いや誤解があっても、早い段階で確認して修正できるので、開発ミスや手戻りを少なくすることができます。

スパイラルモデル

　大規模なシステムになると、システムをすべてウォータフォールモデルの流れ作業で進めるのは大変ですし、プロトタイプを作るのも簡単ではありません。このようなケースでは、システムをいくつかのサブシステムに分割して、開発サイクルを繰り返すスパイラルモデルで開発を進めます。

　完成したサブシステムはプロトタイプを作って利用者に評価してもらい、それを部品としてさらに大きなサブシステムを開発します。こうして徐々にサブシステムが大きくなっていく過程が螺旋（スパイラル）をイメージさせるので、スパイラルモデルと呼ばれています。

アジャイル開発

　アジャイルとは「機敏な」という意味です。アジャイル開発は、**スパイラルモデルの派生型の開発手法で、1週間から4週間程度の短い期間の開発サイクルを繰り返しながら、段階的に機能を完成させていきます。**

　開発者側と利用者側で少人数のチームを組み、コミュニケーションを取りながら進めていくため、仕様変更に柔軟に対応できるメリットがあります。

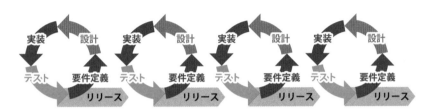

スクラム

　スクラムは、短い期間で開発を行い、頻繁にフィードバックを行うアジャイル開発手法の1つです。スクラムでは、デイリースクラムと呼ばれる日々のミーティングが重要な意味をもちます。**開発チームの全員が1人ずつ、「昨日やったこと」「今日やること」「障害になっていること」などを話し、全員でプロジェクトの状況を共有します。**これにより、正確に進捗を把握し、生産効率を高めています。

エクストリームプログラミング（XP）

　エクストリームプログラミングはXP（エックスピー）とも略され、アジャイル開発を行うために、継続的な成長に重点をおいた開発手法です。プラクティスと呼ばれる慣習的な実践手法が存在し次の4つに分類されます。

種類	対象者
共同プラクティス	全員
開発プラクティス	開発チーム
管理者プラクティス	管理者
顧客プラクティス	顧客

この中で、開発プラクティスにおける代表的な取組みは次のとおりです。

プラクティス	内容
ペアプログラミング	**2人1組でプログラミングを行う**
ソースコードの共同所有	すべてのコードに対してすべての人が責任を負う
継続的インテグレーション	自分のコード変更を定期的に統合し、**コードの結合とテストを継続的に繰り返す**
テスト駆動開発	プログラム実装よりも**テストコードを先に作成し、テスト→実装→リファクタリングで開発**を進める
リファクタリング	**完成したコードを、内部構造だけ書き換えてわかりやすくする**

ココが試験に出る！

- スパイラルモデル：開発サイクルを繰り返して開発
- アジャイル開発手法の代表格：スクラムとエクストリームプログラミング（XP）
- デイリースクラム：開発チーム全員が1人ずつ状況を共有
- ペアプログラミング：2人1組でプログラムを開発するXPの手法
- 継続的インテグレーション：コードの結合とテストを継続的に繰り返して開発

試験問題にチャレンジ

アジャイル開発手法のスクラムにおいて，開発チームの全員が1人ずつ"昨日やったこと"，"今日やること"，"障害になっていること"などを話し，全員でプロジェクトの状況を共有するイベントはどれか。

- **ア** スプリントプランニング
- **イ** スプリントレビュー
- **ウ** デイリースクラム
- **エ** レトロスペクティブ

正解　ウ

解説 開発チームの全員が1人ずつ毎日顔を合わせて行う会議は、デイリースクラムです。スプリントとは、スクラム開発の反復期間のことです。

- **ア** スプリント開始に先立って開催し、これから何を開発するかを決定します。
- **イ** スプリントの終了時に開催し、成果物のチェックとフィードバックをします。
- **エ** スプリントの終了後、次を見据えての振り返りをします。

XP（Extreme Programming）のプラクティスの説明のうち，適切なものはどれか。

- **ア** 顧客は単体テストの仕様に責任をもつ。
- **イ** コードの結合とテストを継続的に繰り返す。
- **ウ** コードを作成して結合できることを確認した後，テストケースを作成する。
- **エ** テストを通過したコードは，次のイテレーションまでリファクタリングしない。

正解　イ

解説 開発プラクティスの継続的インテグレーションに当てはまります。

- **ア** XPでは顧客だけではなくチーム全体が共同で責任をもちます。
- **ウ** XPではコード作成より先にテストケースを作成します。
- **エ** XPではリファクタリングは随時または定期的に実施します。

問題❸ H23秋-問50

要求分析から実装までの開発プロセスを繰り返しながら，システムを構築していくソフトウェア開発手法はどれか。

ア ウォータフォールモデル

イ スパイラルモデル

ウ プロトタイピングモデル

エ リレーショナルモデル

正解　イ

解説 開発サイクルを繰り返すことによってシステムを構築していく開発手法は、スパイラルモデルです。

問題❹ R1秋-問50

XP（eXtreme Programming）において，プラクティスとして提唱されているものはどれか。

ア インスペクション

イ 構造化設計

ウ ペアプログラミング

エ ユースケースの活用

正解　ウ

解説 XPでは、2人1組で開発を進めるペアプログラミングの手法が開発プラクティスとして提唱されています。

03 業務のモデル化

**モデル化の際に使われる
図解方法を学ぼう**

・DFDの読み方を理解しよう。
・E-R図の読み方を理解しよう。
・状態遷移図の読み方を理解しよう。

モデル化の手法

モデル化とは、**現実世界を構成する概念を定義する**ことです。

システム開発を始めるにあたって、まずはシステム化しようと考えている**業務の流れ（ビジネスプロセス）**や、**取り扱う情報（データクラス）**の関係をわかりやすく図解します。この作業を**業務のモデル化**といいます。

ココに気をつけて！　企業では、**情報戦略における全体最適化計画策定の段階で、業務モデルを定義します。**このタイミングで実施する目的は、企業の全体業務と使用される情報の関連を整理することで、組織全体の情報システムのあるべき姿を明確化するためです。

DFD（データフロー図）

DFD（Data Flow Diagram）は、**データの流れに着目して、対象業務を分析するときに使う図解手法**です。**データの流れ（データフロー）と、データを処理するプロセスを図にする**ことで、業務内容を確認しやすいというメリットがあります。ただし、DFDは処理のタイミングなど時間的な表現はできません。

DFDで使用される記号は、次の4種類です。

記号	名称	意味
———	データストア	ファイル・帳票やデータベースなど、データの蓄積
———→	データフロー	データの流れ。データフローの上にはデータ名を記述する
◯	プロセス	データの処理や変換
▭	データの発生源（源泉）データの行先（吸収）	データの発生源または最終的な行先

DFDの作図例

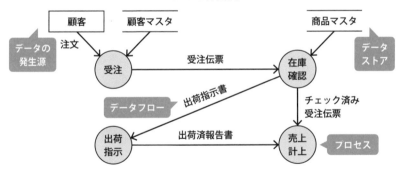

203

E-R図

E-R図（Entity-Relationship Diagram）は、**データの構造を実体（エンティティ）** と、**実体同士の関係（リレーションシップ）** の2つの概念で表現したもので、データ間の関連分析に用いられます。

E-R図では、「実体」を長方形で描き、「実体間の関連」を直線、または矢印で表します。関連の違いによって、次の4種類に分けられます。

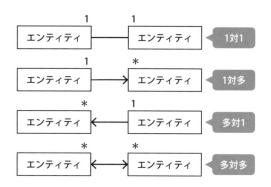

例えば、「顧客が注文を行う」という、最も単純なビジネスプロセスを、E-R図で描いてみます。

「顧客」から「注文」の方向を考えてみると、1人の顧客は複数の注文をするので1対多の関係です。反対に、「注文」から「顧客」の方向を考えてみると、1つの注文は1人の顧客からなされるので1対1の関係になります。

よって、次のようなE-R図の表記になります。

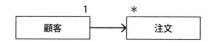

状態遷移図

状態遷移図は、**状態の移り変わりを矢印で表現した図**です。**状態が移り変わるきっかけ**と、そのときに実行する動作を併せて記します。

次の例では、S_0の状態のときに、50円を投入すると（きっかけ）、何も出力せず（実行する動作）、S_1の状態に変化するということを表しています。終了状態は、二重丸で囲んで表します。

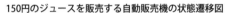

150円のジュースを販売する自動販売機の状態遷移図

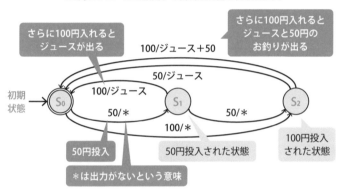

状態遷移図は、業務などの状態変化や画面遷移などを表すのに適しています。そのため、DFDが苦手とする**リアルタイム性のあるシステムの分析や設計**などに用いられています。

ココに気をつけて！ **コンピュータの状態や遷移といった動作の仕組みをモデル化した仮想的な機械をオートマトン**といいます。自動販売機の動きを状態遷移図でモデル化したものが、それに該当します。

が試験に出る！

- DFD：データの流れに着目して、対象業務を分析するときに使う図解手法
- E-R図：実体（エンティティ）と実体間の関連（リレーションシップ）に着目してデータの構造を表現
- 状態遷移図：システムの状態の推移を表現。リアルタイムシステムに適用される

試験問題にチャレンジ

問題❶

H24 春 - 問 28

E-R図に関する記述のうち，適切なものはどれか。

ア 関係データベースの表として実装することを前提に表現する。

イ 管理の対象をエンティティ及びエンティティ間のリレーションシップとして表現する。

ウ データの生成から消滅に至るデータ操作を表現する。

エ リレーションシップは，業務上の手順を表現する。

正解　イ

解説 E-R 図は、エンティティとエンティティ間のリレーションシップに着目して表現した図です。

問題❷

H25 春 - 問 46

設計するときに，状態遷移図を用いることが最も適切なシステムはどれか。

ア 月末及び決算時の棚卸資産を集計処理する在庫棚卸システム

イ システム資源の日次の稼働状況を，レポートとして出力するシステム資源稼働状況報告システム

ウ 水道の検針データを入力として、料金を計算する水道料金計算システム

エ 設置したセンサの情報から、温室内の環境を最適に保つ温室制御システム

正解　エ

解説 状態遷移図は、温室制御システムのようなリアルタイムシステムの設計に適しています。

問題❸　　　　　　　　　　　　　　　　　　　　H28春-問2

次の状態遷移図で表現されるオートマトンで受理されるビット列はどれか。ここで，ビット列は左から順に読み込まれるものとする。

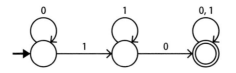

ア 0000
イ 0111
ウ 1010
エ 1111

正解　ウ

解説 このオートマトンが二重丸で表された終了状態に遷移するのは、「1010」が読み込まれたときです。

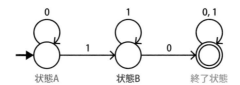

状態A　　　　　状態B　　　　　終了状態

状態Aから「1」を入力→状態Bへ
状態Bから「0」を入力→終了状態へ
終了状態から「1」を入力→終了状態のまま
終了状態から「0」を入力→終了状態のまま

04 インタフェース設計

 ## ユーザインタフェース の設計について学ぼう

- ユーザインタフェースとは何かを理解しよう。
- 自然言語インタフェースを理解しよう。
- GUIの画面設計の考え方を理解しよう。

ユーザインタフェースの設計

　システムの見た目の部分を設計する工程では、ユーザに対する情報の表示方法や、ユーザが実際に操作する画面を設計します。このような、**ユーザとコンピュータをつないでいる部分のこと**をユーザインタフェースといいます。ユーザインタフェースは、「ユーザにとって使いやすいかどうか」を考えて設計する必要があります。**使いやすさのこと**をユーザビリティといいます。

ココに気をつけて! 人間が話しかけると、インターネットに接続して、調べものをしたり音楽を再生したりするスマートスピーカーのように、**人間とコンピュータが音声だけで自然な会話をすることで機器を操作するインタフェースを、自然言語インタフェースと**いいます。

GUI

　現在普及している $\overset{\text{ジーユーアイ}}{\text{GUI}}$（Graphical User Interface）も、ユーザビリティを考慮したものです。GUIとは、**ユーザに対する情報の表示にイラストを使用するユーザインタフェース**のことです。

　以前のコンピュータは文字だけで表示され、コマンドと呼ばれる命令文を入力して操作していました。そのため、専門知識のある人でないとコンピュータを操作できませんでした。しかし、GUIが採用されたコンピュータは、文字ではなくイラストで表示され、**マウスを使って直感的に操作することができます**。

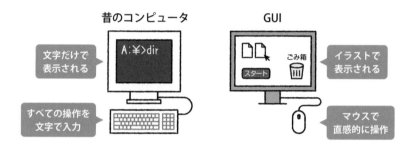

GUIの画面設計

　GUIの画面設計では、システムの操作内容をメニュー形式で表示させることができます。どの画面でも共通するボタンやメニューは、できるだけ形や位置を同じにして、ユーザビリティに配慮します。

　また、**ユーザがデータを入力する画面では、あらかじめラジオボタンやリストボックスなどで選択肢を用意しておくと、ユーザの入力の手間を省くことができます**。

　具体的には、次のような部品を設計することができます。

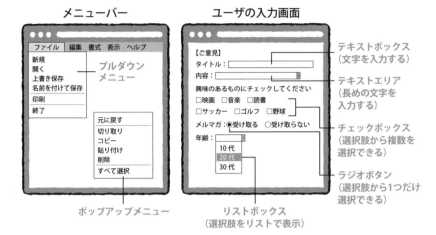

メニューバー　　　　　　　　　ユーザの入力画面

ファイル　編集　書式　表示　ヘルプ

新規
開く
上書き保存
名前を付けて保存
印刷
終了

プルダウン
メニュー

元に戻す
切り取り
コピー
貼り付け
削除
すべて選択

ポップアップメニュー

【ご意見】
タイトル：
内容：
興味のあるものにチェックしてください
□映画　□音楽　□読書
□サッカー　□ゴルフ　□野球
メルマガ：◉受け取る　○受け取らない
年齢：
10代
20代
30代

テキストボックス
（文字を入力する）

テキストエリア
（長めの文字を
入力する）

チェックボックス
（選択肢から複数を
選択できる）

ラジオボタン
（選択肢から1つだけ
選択できる）

リストボックス
（選択肢をリストで表示）

ココに
気をつけて！

UI/UXという表記もあるように、UIと一緒に出てくる用語にUXがあります。**UX（User Experience）とは、ユーザが製品やサービスを利用する際に得られる体験全般のこと**をいいます。システムの使いやすさだけではなく、製品の使いやすさ、満足度、感動、ストレスの少なさといったユーザ体験のすべてが含まれます。そのため、UXデザインに基づいてUIを検討することが重要です。

── ココが試験に出る！ ──

- 自然言語インタフェース：人間とコンピュータが自然な会話でやり取りして機械を操作
- プルダウンメニュー：選ぶときにリスト形式で表示し、1つを選択させる
- ラジオボタン：並べて表示した選択肢から1つを選択させる
- チェックボックス：並べて表示した選択肢から複数を選択させる

試験問題にチャレンジ

問題❶   H30秋-問24

　列車の予約システムにおいて，人間とコンピュータが音声だけで次のようなやり取りを行う。この場合に用いられるインタフェースの種類はどれか。

〔凡例〕

P：人間

C：コンピュータ

P　"5月28日の名古屋駅から東京駅までをお願いします。"
C　"ご乗車人数をどうぞ。"
P　"大人2名でお願いします。"
C　"ご希望の発車時刻をどうぞ。"
P　"午前9時頃を希望します。"
C　"午前9時3分発，午前10時43分着の列車ではいかがでしょうか。"
P　"それでお願いします。"
C　"確認します。大人2名で，5月28日の名古屋駅午前9時3分発，東京駅午前10時43分着の列車でよろしいでしょうか。"
P　"はい。"

ア　感性インタフェース
イ　自然言語インタフェース
ウ　ノンバーバルインタフェース
エ　マルチモーダルインタフェース

正解　イ

解説　人間とコンピュータが自然な会話で音声だけでやり取りするインタフェースは、自然言語インタフェースです。

Chapter 6

05 モジュール分割

モジュールについて
理解しよう

- モジュールの独立性について理解しよう。
- モジュール強度について理解しよう。
- モジュール結合度について理解しよう。

プログラム構造化設計

　ソフトウェア詳細設計では、プログラムを**モジュール**という**ひとまとまりの機能をもった単位**に分割して設計します。これを、**プログラム構造化設計**といいます。

　プログラムを複数のモジュールに分割することで、**大勢の人間で分担してプログラムを開発できる**ようになります。また、モジュール単位でテストできるので、もし問題が起こっても**原因を特定しやすく**、**修正はモジュール内だけ**で済みます。

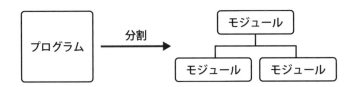

モジュールの独立性

　不具合がなく安定稼働を維持するプログラムにするためには、1つのモジュールに入れる機能をできるだけ少なくし、モジュールの独立性を高くします。**独立性が高ければ、あるモジュールが故障したり、変更されたりしても、ほかのモジュールへの影響が少なくなる**からです。

　モジュールの独立性を表す指標としては、次の2つの観点があります。

モジュール強度

　1つのモジュール内の機能同士の関連の強さを示すものをモジュール強度といいます。機能同士の関連のしかたによって、次の7種類に分類されます。**モジュール強度が強いほど、モジュールの独立性は高くなります。**

独立性	強度	名称	概要
低い ↑ ↓ 高い	弱い ↑ ↓ 強い	暗号的強度	内部の機能同士に関連性がない
		論理的強度	関連した複数の機能をもち、その中からどれか1つを選択するようなモジュール
		時間的強度	機能が時間順に実行されるモジュール
		手順的強度	機能が順番に実行されるモジュール
		連絡的強度	内部の機能同士がデータを共有するモジュール
		情報的強度	データを共有する機能を1つにまとめたモジュール
		機能的強度	**1つの機能だけからなるモジュール**

モジュール結合度

　あるモジュールを変更したときに、**ほかのモジュールに与える影響が少ないかどうかを示す指標**を、モジュール結合度といいます。モジュール同士の関係のしかたによって、次の6種類に分類されます。**モジュール結合度が弱いほうが、モジュールの独立性は高くなります。**

独立性	結合度	名称	概要
低い ↑ ↓ 高い	強い ↑ ↓ 弱い	内容結合	ほかのモジュールの内容を直接参照する
		共通結合	共通領域に定義したデータを参照する
		外部結合	外部宣言しているデータを共有する
		制御結合	制御パラメタを引数(ひきすう)として渡し、モジュールの実行順序を制御する
		スタンプ結合	データ構造を引数として受け渡す
		データ結合	**データ項目だけを引数として受け渡す**

モジュール強度については最強、モジュール結合度については最弱が問われることが多いため、特にしっかりと内容まで理解しておきましょう。また、**問題で問われているのが強度なのか結合度なのかについては、問題文をよく読み、間違えないように注意しましょう。**

──────── **ココ**が試験に出る！ ────────

- モジュール強度：最も強いのは機能的強度、最も弱いのは暗号的強度。強いほうがモジュールの独立性が高い
- モジュール結合度：最も強いのは内容結合、最も弱いのはデータ結合。弱いほうがモジュールの独立性が高い

試験問題にチャレンジ

問題❶

モジュール間の情報の受渡しがパラメタだけで行われる，結合度が最も弱いモジュール結合はどれか。

- **ア** 共通結合
- **イ** 制御結合
- **ウ** データ結合
- **エ** 内容結合

正解　ウ

解説 結合度が最も弱いモジュール結合は、データ結合です。

問題❷

モジュールの変更による影響を少なくするためには，モジュール間の関連性をできるだけ少なくして独立性を高くすることが重要である。モジュールの独立性が最も高いものはどれか。

- **ア** 関係するモジュールが共有域に定義したデータを参照する。
- **イ** 制御要素を引数として渡し，そのモジュールの実行を制御する。
- **ウ** 必要なデータだけを外部宣言して共有する。
- **エ** モジュール間の引数として単一のデータ項目を渡す

正解　エ

解説 データ項目だけを引数で受け渡すデータ結合が、モジュール独立性が高いです。
なお、**ア**は共通結合、**イ**は制御結合、**ウ**は外部結合のことです。

プログラミング（コーディング）について学ぼう

- 言語プロセッサの種類と違いを理解しよう。
- ソフトウェア実行までの手順を理解しよう。
- リバースエンジニアリングについて理解しよう。

プログラミングとは

ソフトウェア詳細設計で分割されたモジュール単位で、**専用の言語を使ってプログラムを作成**していきます。この作成作業を<u>プログラミング（コーディング）</u>といいます。

ココに気をつけて！ プログラミングをするときに、記述ミスや処理の書き間違いといったプログラマが犯しやすい誤りを未然に防止することを目的に、ファイル名やコメントの付け方などに一定の規則を決めることを**プログラミングの標準化**といいます。

プログラム言語

プログラムを書くための専用の言語を<u>プログラム言語</u>といいます。プログラム言語には、さまざまな種類があります。**コンピュータがより理解しやすいプログラム言語**を<u>低水準言語</u>といい、**人間に理解しやすいプログラム言語**を<u>高水準言語</u>といいます。

種類	具体的なプログラム言語の例
低水準言語	機械語、アセンブラ言語など
高水準言語	COBOL、FORTRAN、BASIC、Pascal、C、C++、Java、Pythonなど

ココに気をつけて! C言語などのプログラム言語では、プログラマが処理に必要なメモリ領域を確保し、処理後には解放する命令を記述する必要がありました。しかし、Javaなどのプログラム言語ではプログラマがメモリ管理を意識しなくてもいいように、**自動的に不要なメモリ領域を解放して利用可能にするガーベジコレクションという仕組み**があり、わざわざメモリ解放の命令を書く必要がなくなりました。

言語プロセッサ

コンピュータは、0と1だけで構成される機械語で書かれたプログラムしか理解できません。そのため、**人間が記述したプログラム**である原始プログラム（ソースプログラム）は、そのままではコンピュータ上で実行できません。そこで言語プロセッサという翻訳プログラムを使って、機械語のプログラムである目的プログラムに翻訳する必要があります。

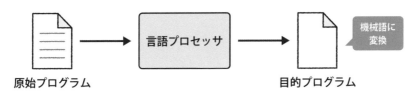

原始プログラム　　　　　　　　　　　　目的プログラム　　機械語に変換

言語プロセッサは、翻訳のしかたによって、アセンブラ、コンパイラ、インタプリタに分類できます。

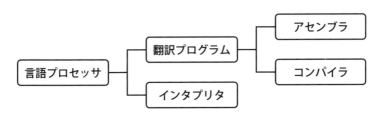

アセンブラ

アセンブラは、**アセンブラ言語で書かれた原始プログラムを、目的プログラムに翻訳する言語プロセッサ**です。アセンブラ言語は機械語に記号を割り当てたもので、命令は原則1対1で機械語に翻訳されます。**アセンブラで翻訳すること**をアセンブルといいます。

コンパイラ

コンパイラは、**高水準言語で書かれた原始プログラムを一括して目的プログラムに翻訳する言語プロセッサ**です。コンパイラで翻訳することをコンパイルといいます。

インタプリタ

インタプリタは、**高水準言語で書かれた原始プログラムを1行ずつ解釈し、実行する言語プロセッサ**です。機械語の目的プログラムは作成されず、実行するたびに解釈が必要となるためプログラムの実行速度は遅くなります。

ソフトウェア実行までの手順

コンパイラ方式の高水準言語で書かれたプログラムが、ソフトウェアとなって実行されるまでの手順を見ていきます。

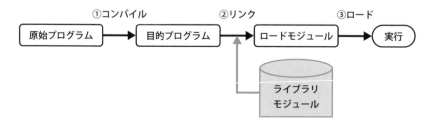

①コンパイル

高水準言語で書かれた原始プログラムを、コンパイラによって、機械語の目的プログラムに翻訳します。

＜コンパイル時の処理＞

1. 原始プログラムの文字の並びを単語ごとに区切っていく（字句解析）
2. 単語の並びが構文として正しいかをチェック（構文解析）
3. 構文が意味的に誤りを犯していないかをチェック（意味解析）
4. **プログラム実行時の処理効率を高める処理を行う（最適化）**

この処理が行われたあとに、目的プログラムができあがります。

ココに
気をつけて！

目的プログラムは、単体では実行できません。なぜなら、ほかのモジュールに書かれた処理を参照して、あらかじめ用意されている**ライブラリモジュール**を使ってプログラムを作っているため、まだ断片的な部品の状態だからです。**ライブラリモジュール**とは、**よく使われる汎用的な機能をもったプログラムを、部品化して集めたもの**です。

②リンク

コンパイラによって翻訳された**目的プログラム**に、**必要なライブラリモジュールなどを付け加えて、実行可能なプログラムであるロードモジュールを生成します。**この作業をリンクといい、**リンクを行うプログラム**をリンカといいます。

リンクには、**静的リンクと動的リンク**があります。

種類	内容
静的リンク	プログラムを実行する前に、リンカによってあらかじめ必要な目的プログラムやライブラリモジュールをリンクする方法
動的リンク	プログラム実行中に別のプログラムモジュールの機能が必要となったときに、そのプログラムを随時リンクする方法 ※**動的リンクを前提としたソフトウェアモジュール群をまとめたライブラリファイルをDLL（動的リンクライブラリ）という**

③ロード

プログラムを実行するためにロードモジュールを主記憶上にもってくる作業をロードといい、ローダと呼ばれるプログラムが担当します。

リファクタリング

　プログラムの動作を変更することなく、ソースコードを変更することをリファクタリングといいます。無駄な処理をなくして、処理の流れがわかりやすくなるように変更します。

リバースエンジニアリング

　プログラムのソースコードを解析して、プログラムの仕様や設計情報を復元することを、リバースエンジニアリングといいます。

　例えば、実際に稼働しているデータベースシステムの定義情報から、E-R図作成ツールを使って、E-R図で表現した設計書を生成したり、プログラムからUMLのクラス図を生成したりすることが、これにあたります。

ココが試験に出る！

- ・最適化：コンパイル時に原始プログラムを解析し、実行時の処理効率を高めた目的プログラムを作成
- ・リンカ：複数の目的モジュールやライブラリモジュールを組み合わせて、ロードモジュールを生成
- ・動的リンク：アプリケーションの実行中、必要に応じて動的リンクライブラリを呼び出してプログラム本体と結合
- ・ロード：ロードモジュールを主記憶上に配置
- ・リファクタリング：プログラムの動作は変更せず、内部を変更
- ・リバースエンジニアリング：ソースコードを解析して、内部仕様や構造を復元

試験問題にチャレンジ

問題❶

コンパイラによる最適化の主な目的はどれか。

ア プログラムの実行時間を短縮する。

イ プログラムのデバッグを容易にする。

ウ プログラムの保守性を改善する。

エ 目的プログラムを生成する時間を短縮する。

正解 **ア**

解説 コンパイラによる最適化の目的は、プログラム実行時の処理時間を短縮することです。

イ プログラムのデバッグを容易にする方法には、プログラムの実行中に変数の値や命令の実行順序を逐一確認できるデバッガーの利用があります。

ウ プログラムの保守性を改善する方法には、コーディングの記述方法の標準化があります。

エ 目的プログラムの生成時間の短縮方法には、アルゴリズムの最適化があります。

問題❷

リンカの機能として，適切なものはどれか。

ア 作成したプログラムをライブラリに登録する。

イ 実行に先立ってロードモジュールを主記憶にロードする。

ウ 相互参照の解決などを行い，複数の目的モジュールなどから一つのロードモジュールを生成する。

エ プログラムの実行を監視し、ステップごとに実行結果を記録する。

正解 **ウ**

解説 リンカは、モジュール同士が参照している部分をつなぎあわせて、実行可能なロードモジュールを生成します。

なお、**ア**はアーカイバ／ライブラリマネージャ、**イ**はローダ、**エ**はデバッガの機能です。

プログラムからUMLのクラス図を生成することを何と呼ぶか。

ア バックトラッキング

イ フォワードエンジニアリング

ウ リエンジニアリング

エ リバースエンジニアリング

正解 エ

解説 UMLのクラス図は、オブジェクト指向のプログラム設計図です。プログラムを解析し、内部仕様や構造を取り出すことを、リバースエンジニアリングといいます。

07 オブジェクト指向

オブジェクト指向について学ぼう

- オブジェクト指向の特徴を理解しよう。
- 「汎化－特化」「集約－分解」の関係性を理解しよう。
- UMLの代表的な図法を理解しよう。

オブジェクト指向とは

　従来のシステム開発では、「データ」や「処理」の流れに注目して、「データ」と「処理」を別々の単位で捉えて、システムを設計する手法がとられてきました。コンピュータの基本的な動作が、「データ」に対して「何らかの処理をする」という形で構成されているからです。

　一方、現実世界ではまず人や物があり、それらが「データ」と「処理」をもっています。例えば、車は、色や車種というデータをもち、走る・止まるといった処理を行います。このように、**「データ」と「処理」をひとまとまりの「オブジェクト」という単位で捉え、システム上で表現する手法が**オブジェクト指向です。

　オブジェクト指向では、「データ（属性）」と、データを操作する「メソッド（手続き）」をまとめた**オブジェクト単位でプログラムを作り、それらを組み合わせてシステムを開発**していきます。プログラムの仕様変更や再利用がしやすいことによって柔軟性が高くなることがメリットです。

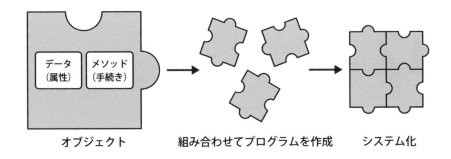

オブジェクト　　　組み合わせてプログラムを作成　　システム化

カプセル化

　データ（属性）とデータを操作するメソッド（手続き）を、1つのオブジェクトにまとめて、内部仕様を外から見えないように隠ぺいすることをカプセル化といいます。ほかのオブジェクトが直接内部データにアクセスできないので、オブジェクトの内部仕様を変更しても、ほかのオブジェクトに影響を与えません。オブジェクト同士は、メッセージを送ることで協調して動作します。

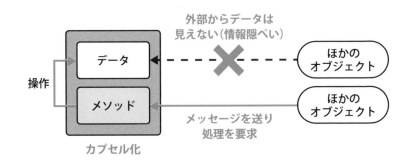

クラスとインスタンス

　オブジェクトの設計図をクラスといいます。クラスには、オブジェクトの名前、データの構造、メソッドの処理内容などが書かれています。このクラスという設計図を基に作られた1つ1つのオブジェクトのことをインスタンスと呼びます。

　例えば、「自動車」というオブジェクトのクラスには、自動車とは何か、何でできていて、どのような構造をしているのかが書かれているだけで、それに乗ってドライブできるわけではありません。一方、インスタンスは、設計図を基に作られた1台の自動車で、実際に動作します。

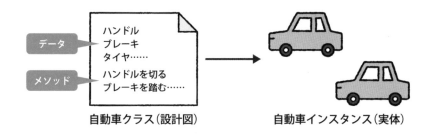

自動車クラス（設計図）　　　　自動車インスタンス（実体）

クラスの階層構造

　オブジェクト指向では、ほかのクラスで流用できるように、クラスも部品化されています。部品化のしかたには汎化−特化と集約−分解があります。

汎化−特化

　いくつかのクラスに共通している事柄をまとめて、1つの別のクラスを作ることを汎化（抽象化）といいます。例えば、バス、タクシー、トラックをそれぞれクラスと考えると、これらにはどれも「自動車である」という共通点があります。「ハンドルがあって、タイヤが4つあって、エンジンがあって……」というような、自動車ならどれにでも共通している事柄をまとめて「自動車」というクラスを作るのが汎化なのです。「自動車」というクラスを使えば、バスやタクシーのクラスには、「自動車」以外の特徴を書き加えるだけで済みます。

　これとは逆に、**汎化したクラスから個々のクラスを考え出すこと**を特化といいます。「自動車」というクラスから、トラックやバスはもちろん、電気自動車というクラスを考え出すことが特化です。

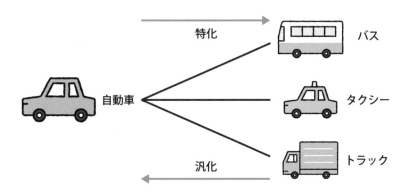

クラスＡとクラスＢが汎化－特化の関係にあるとき、**汎化されたクラスＡのこ**とを基底クラス（スーパクラス）といい、**特化されたクラスＢのことを**派生クラス（サブクラス）といいます。

派生クラスを作るときに、**基底クラスに決められた手続きやデータを受け継ぐこ**とを継承（インヘリタンス）といいます。バス、タクシー、トラックなどの派生クラスは、自動車クラスを継承しているというわけです。

また、**基底クラスで定義された手続きを、そのまま継承するのではなく、派生ク**ラスで再度定義することをオーバーライドといいます。

例えば、「自動車」クラスの「ブレーキ」という手続きの処理内容が「止まる」と定義されている場合、「バス」クラスの「ブレーキ」では「徐々に減速して止まる」というふうに処理内容を上書きすることです。これにより、**手続きの名称を統一し**たまま、クラスの種類によってさまざまな処理を行うことができます。

集約－分解

クラスの部品化のもう１つの方法は、集約－分解です。これもまた自動車の例で考えてみます。自動車は、タイヤ、ハンドル、ブレーキなどいくつかの部品を集めて組み合わせたものです。これはすなわち、自動車というクラスは、タイヤ、ハンドル、ブレーキといったクラスを集約したものであるといえます。逆に、タイヤ、ハンドル、ブレーキというクラスは、自動車というクラスを分解したものです。

集約－分解の関係においては、継承はありません。分解されたクラスはあくまでも集約されたクラスの構成部品の一部にすぎないからです。

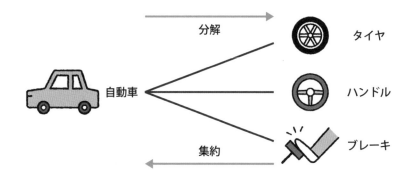

委譲

　あるオブジェクト内部で実行するメソッドの処理を、ほかのオブジェクトに任せることを委譲といいます。依頼先に処理を任せることで、オブジェクト本体の変更を最小限にすることができます。

ココが試験に出る！

- メソッド：オブジェクトのもつ振る舞いを記述
- カプセル化：データ（属性）とメソッド（手続き）を1つにして、オブジェクト内部に隠ぺい
- クラス：オブジェクトのデータやメソッドを定義した情報
- インスタンス：クラスの定義に基づいて生成される実体
- 継承（インヘリタンス）：基底クラスのデータとメソッドが派生クラスで利用できる
- オーバーライド：基底クラスで定義されたメソッドを派生クラスで再定義する
- 委譲：あるオブジェクト内部で実行するメソッドの処理を、ほかのオブジェクトに依頼

UML

オブジェクト指向を用いた開発では、**オブジェクトの構成や関係性などをモデル化し、プログラムの設計図を作成**します。その際に使われるモデリング言語をUML（Unified Modeling Language）といいます。UMLにはさまざまな図法がありますが、ここでは代表的なものを紹介します。

クラス図

クラス図は、**各クラスがもつデータを定義した属性と操作、クラス間の関係を表した構造図**です。クラス図には、クラス名、属性、操作、クラス間での役割を表すロール名のほか、クラス間の関係性が記述されます。

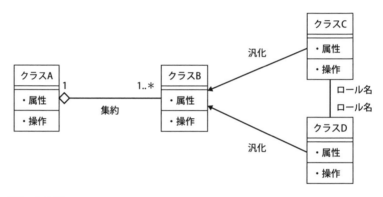

オブジェクト図

オブジェクト図は、**クラスの定義に基づいて生成されるインスタンス間の関係を表した構造図**です。クラス図に似ていますが、属性には具体的な値が入っています。

ココに気をつけて！ 関連するクラス間の数量的な関係を表現したものを**多重度**といいます。例えば、組織と社員の関係について多重度を表記する場合、1つの組織には複数の社員が所属している関係となるため、会社側に「1」、社員側に「1..＊」と記述します。「＊」は複数を表し、「1..」は1かそれ以上という意味を表しています。試験問題で出題されても慌てないように、意味を理解しておきましょう。

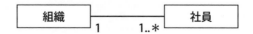

228

ユースケース図

　ユースケース図は、**システムが提供する機能とサービスの範囲を表した図**です。ユースケース図には、提供機能を示すユースケース、ユーザを示すアクター、これらの関連性が記述されます。

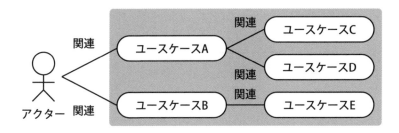

シーケンス図

　シーケンス図は、**オブジェクト間の相互作用を時系列で表した図**です。各オブジェクトの生存期間を表すライフライン（オブジェクトを囲む四角と垂直に伸びる破線）、アクション期間を表すアクティベーション、オブジェクト間でやり取りされるメッセージなどが記述されます。

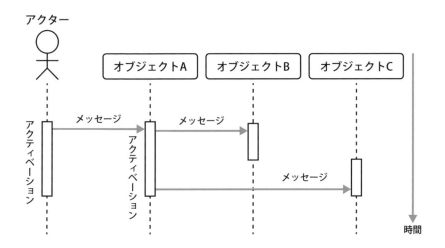

229

コミュニケーション図

コミュニケーション図は、**オブジェクト間のメッセージの流れを表した図**です。シーケンス図と同様、オブジェクト間のメッセージが記述されますが、コミュニケーション図ではオブジェクト間の関連を中心に、シーケンス図では時系列に沿って表現するため、それぞれ表現方法が異なります。

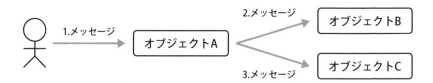

アクティビティ図

アクティビティ図は、**オブジェクトの一連の振る舞いを流れ図のように表した図**です。ある事象の開始から終了までの振る舞いが、実行される順番に記述されます。

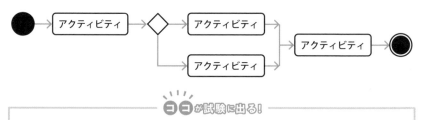

━━━ ココが試験に出る！ ━━━

・UML：オブジェクト指向開発で使用されるモデル化の統一表記法
・クラス図：操作、属性、ロール名を記述
・シーケンス図：オブジェクト間の相互作用を時系列で記述
・アクティビティ図：オブジェクトの一連の振る舞いの流れを記述

試験問題にチャレンジ

問題❶

オブジェクト指向分析を用いてモデリングしたとき，クラスとオブジェクトの関係になる組みはどれか。
- **ア** 公園，ぶらんこ
- **イ** 公園，代々木公園
- **ウ** 鉄棒，ぶらんこ
- **エ** 中之島公園，代々木公園

正解　**イ**

解説 クラスとは、オブジェクトの仕様を定義した設計図です。オブジェクトは、クラスの定義に従って作られた具体的な実体です。よって、選択肢を見ていくと一般的な「公園」という定義に対して、具体的な実体を表す「代々木公園」が、クラスとオブジェクトの関係である組みになります。

問題❷

オブジェクト指向において，あるクラスの属性や機能がサブクラスで利用できることを何というか。
- **ア** オーバーライド
- **イ** カプセル化
- **ウ** 継承
- **エ** 多相性

正解　**ウ**

解説 スーパクラスのデータとメソッドをサブクラスで利用できることを継承といいます。
- **ア** オーバーライドは、スーパクラスで定義されたメソッドをサブクラスで再定義することです。
- **イ** カプセル化は、データとメソッドを1つにして、オブジェクト内部に隠ぺいすることです。
- **エ** 多相性は、本来決まったデータ型しか受け付けないメソッドを、異なる型でも処理できるようにすることです。

UML2.0において，オブジェクト間の相互作用を時系列に表す図はどれか。

ア アクティビティ図

イ コンポーネント図

ウ シーケンス図

エ 状態遷移図

正解 **ウ**

解説 オブジェクト間の相互作用を時系列で表した図は、シーケンス図です。

ア アクティビティ図は、オブジェクトの一連の振る舞いの流れを記述したものです。

イ コンポーネント図は、システム内の部品やモジュールであるコンポーネントをボックスで表し、それらの相互関係を記述したものです。

エ 状態遷移図は、システムの異なる状態と、その状態間の遷移を図で記述したものです。

UMLを用いて表した図のデータモデルのa，bに入れる多重度はどれか。

〔条件〕

（1）部門には1人以上の社員が所属する。

（2）社員はいずれか一つの部門に所属する。

（3）社員が部門に所属した履歴を所属履歴として記録する。

	a	b
ア	0..*	0..*
イ	0..*	1..*
ウ	1..*	0..*
エ	1..*	1..*

正解 エ

解説 1つの部門につき最低でも1件の所属履歴があり、複数の社員が所属していれば人数分の所属履歴が記録されるため、空欄aには1以上を表す「1..＊」が入ります。社員は必ずいずれかの部門に所属するため最低でも1件、異動すれば複数の所属履歴が記録されるため、空欄bにも1以上を表す「1..＊」が入ります。

Chapter **6**

08 テスト

さまざまなテスト技法を学ぼう

- ホワイトボックステストとブラックボックステストの違いを理解しよう。
- テストカバレージの分析方法を理解しよう。
- システム開発の各工程でどんなテストが行われるかを理解しよう。

プログラムのバグとテスト

　プログラムの間違いのことをバグといいます。プログラミングのあとにはテストを行い、バグを発見・修正していくことが大切です。テストは、**一般的に細かい部分から段階的に行っていきます**。

単体テスト

　ソフトウェア詳細設計時に分割したモジュールごとに、**正しく動作するかを確かめるテストを単体テスト**といいます。単体テストには、ホワイトボックステストとブラックボックステストがあります。

　ホワイトボックステストは、**モジュールの内部構造に注目して、1つ1つの処理が正しく動作しているかどうかをテスト**します。一方、ブラックボックステストは、モジュールの内部構造は考慮せず、モジュールの機能仕様やインタフェースの仕様に基づいて、**入力データに対して正しく出力されるかだけをテスト**します。そのため、対象となるプログラムに冗長なコードがあっても見つけることはできません。

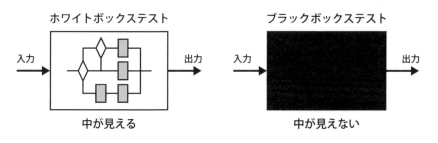

テストを行うために作成されるテスト項目や実行条件をテストケースといいます。ホワイトボックステストにおけるテストケースの設計方法には、次の4つがあります。

設計方法	説明
命令網羅	**全命令を最低1回**は実行
判定条件網羅（分岐網羅）	分岐の判定において、**真と偽の分岐を少なくとも1回**は実行
条件網羅	分岐の判定文が複数ある場合に、それぞれの条件が真と偽の場合を組み合わせる
複合条件網羅	判定文の条件が取りうるすべてのパターンを網羅

判定条件網羅（分岐網羅）のテストケース例

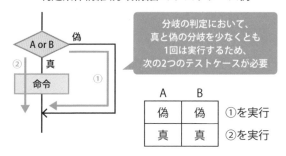

分岐の判定において、真と偽の分岐を少なくとも1回は実行するため、次の2つのテストケースが必要

A	B	
偽	偽	①を実行
真	真	②を実行

ココに気をつけて! 試験では、命令網羅や判定条件網羅の手法でテストする場合、どのようなテストケースが必要かという問題が出されています。

235

テストカバレージ分析

ホワイトボックステストにおいて、コード中のどれだけの割合の部分を実行できたかを評価するために行う分析を、テストカバレージ分析といいます。

ブラックボックステストでは、プログラムが想定どおりに動作するのかを確認するために、次の２つの方法でテストデータを作成します。

名前	説明
同値分割法	データを種類ごとのグループに分け、**各グループの代表値**を使う
境界値分析	グループの**境目となる部分の値**を使う

ブラックボックステストにおけるテストデータの作成方法

整数１～1000を有効とする入力値が、１～100の場合は処理Ａを、101～1000の場合は処理Ｂを実行する入力処理モジュールを、同値分割法と境界値分析でテスト。なお、**出力結果が同じになる入力データの範囲**のことを同値クラスという。また、有効同値クラスとは**正常な出力をする同値クラス**、無効同値クラスとは**エラーを出力する同値クラス**のこと。

（条件）
①有効同値クラス１つにつき、１つの値をテストデータとする（境界値でないもの）
②有効同値クラス、無効同値クラスのすべての境界値をテストデータとする

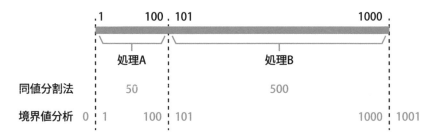

この条件でテストする場合には、テストデータは最低８つ必要となります。

ココに気をつけて！ 試験では、同値分割法、境界値分析などの手法でテストする場合、どのようなテストデータが必要かという問題が出されています。問題文をよく読み、上記のような図を書いて代表値や境界値を間違えないように取り組みましょう。

結合テスト

　単体テストが終わった複数のモジュールを組み合わせ、正しく動作するかをテストします。これを結合テストといい、モジュールの間のデータのやり取りや、ほかのモジュールの呼出しが正しく行われているかを確認します。結合テストは、テストする順序によって、ボトムアップテスト、トップダウンテストがあります。

ボトムアップテスト

　下位のモジュールから上位のモジュールへ順にテストする方法をボトムアップテストといいます。上位には、ドライバと呼ばれるダミーモジュールを使用します。ダミーモジュールとは中身が何もなく処理を行わないため、ほかに影響を及ぼさないモジュールです。

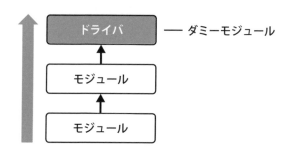

トップダウンテスト

　上位のモジュールから下位のモジュールへ順にテストします。下位には、スタブと呼ばれるダミーモジュールを用意します。

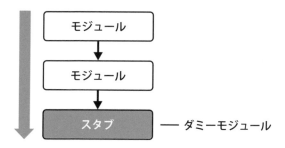

状態遷移テスト

　状態遷移テストとは、結合テストにおいて、**設計された状態遷移図どおりにシステムが動作するかを確認するテスト**です。「実行ボタン押下」といった、状態が遷移する条件であるイベントに対して、正しく状態が遷移するかをもれなくチェックします。

システムテスト

　結合テストが完了したら、**システム全体をテスト**するシステムテストを行い、要求された仕様のとおりにシステムが動作するかをチェックします。

ストレステスト

　システムに通常以上の負荷を掛けて、**要求されている処理能力の限界状態における動作が正常かどうかを確認するテスト**を、ストレステストといいます。

運用テスト

　運用テストでは、利用者に提供する視点で、**運用環境と同じ条件で動作確認を行います。**システムが要件定義の要求を満足していることを確認します。

リグレッションテスト

　リグレッション（退行）テストでは、プログラムにバグが見つかり、修正を行った場合に、その**修正がほかの部分に影響を及ぼしていないかどうかをテスト**します。

Chapter

6

システム開発

信頼度成長曲線

　テストを始めると、最初は多くのバグが発見されますが、テストを続けるにつれて次第にその数は減っていきます。**テスト項目の消化件数と検出されたバグの件数を表したグラフ**を信頼度成長曲線（ゴンペルツ曲線）といいます。十分なテストを行い、バグが減ってきたらテスト終了の合図です。曲線が収束しない場合、まだ多くのバグが内在している可能性があります。

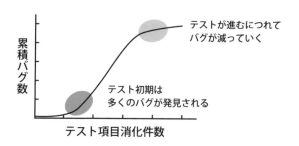

テストが進むにつれて
バグが減っていく

テスト初期は
多くのバグが発見される

累積バグ数

テスト項目消化件数

移行テスト

　既存のシステムを新しいシステムに切り替えることを、「システムを移行する」といいます。移行テストでは、移行ツールがうまく動くかをテストして、**データが正常に受渡しされるか、処理時間が想定内か、システムを切り替える手順に問題がないかを確認**します。

ココが試験に出る！

- ・システムテスト：システム全体をテスト
- ・ストレステスト：システムに要求された処理能力の限界での動作をテスト
- ・運用テスト：利用者の視点から、システムが要求を満たすか確認
- ・リグレッション（退行）テスト：修正がほかに影響を及ぼしていないか確認
- ・移行テスト：新システムへの切替え手順や問題点を確認するテスト

問題❶

ブラックボックステストのテストデータの作成方法のうち，最も適切なものはどれか。

ア 稼動中のシステムから実データを無作為に抽出し，テストデータを作成する。

イ 機能仕様から同値クラスや限界値を識別し，テストデータを作成する。

ウ 業務で発生するデータの発生頻度を分析し，テストデータを作成する。

エ プログラムの流れ図を基に，分岐条件に基づいたテストデータを作成する。

正解　イ

解説 ブラックボックステストでは、グループごとの代表値や限界値をもとに、テストデータを作ります。

ア 実データだけではなく無効なデータも必要なため、誤りです。

ウ 発生頻度ではなく入力データの範囲を分析してテストデータを作成する必要があるため、誤りです。

エ 分岐条件など内部の処理に基づいたテストデータを作るのはホワイトボックステストのため、誤りです。

問題❷

階層構造のモジュール群から成るソフトウェアの結合テストを，上位のモジュールから行う。この場合に使用する，下位のモジュールの代替となるテスト用のモジュールはどれか。

ア エミュレータ

イ シミュレータ

ウ スタブ

エ ドライバ

正解　ウ

解説 上位のモジュールから結合テストを行うときには、下位のモジュールにスタブを使ってテストします。

ア エミュレータは、コンピュータの機能を別の環境で再現するためのプログラムや装置です。

イ シミュレータは、実際の状況や業務を模倣して再現し、テストを行うプログラムや
装置です。

エ ドライバは、上位モジュールの代わりをするテスト用モジュールです。

問題❸ H26秋-問49

ソフトウェアのテストの種類のうち，ソフトウェア保守のために行った変更によって，
影響を受けないはずの箇所に影響を及ぼしていないかどうかを確認する目的で行うものは
どれか。

ア 運用テスト
イ 結合テスト
ウ システムテスト
エ リグレッションテスト

正解 **エ**

解説 修正によってほかの部分に影響していないかを確認するのは、リグレッション（退
行）テストです。

問題❹ H31春-問56

システムの移行テストを実施する主要な目的はどれか。

ア 確実性や効率性の観点で，既存システムから新システムへの切替え手順や切替えに
伴う問題点を確認する。
イ 既存システムの実データのコピーを利用して，新システムでも十分な性能が得られ
ることを確認する。
ウ 既存の他システムのプログラムと新たに開発したプログラムとのインタフェースの
整合性を確認する。
エ 新システムが，要求された全ての機能を満たしていることを確認する。

正解 **ア**

解説 移行テストは、新システムの切替え手順や切替えに伴う問題点を確認するために実
施します。
なお、**イ**は性能テスト、**ウ**はシステム結合テスト、**エ**は機能テストの説明です。

Chapter 6

09 レビュー手法

レビュー手法について 学ぼう

- デザインレビューとコードレビューのねらいを理解しよう。
- 代表的なレビュー手法であるウォークスルーとインスペクションを理解しよう。
- インスペクションにおける参加者の役割を理解しよう。

レビューの種類

　レビューとは、システム開発の各プロセスにおいて、**問題点を洗い出したり、各工程が終わったといえるかどうかの判定を行ったりするために実施される会議**です。人間の目や手によってプログラムの仕様やプログラムそのものに誤りがないかどうかをチェックして、次の工程に問題を残さないようにします。レビューには**デザインレビューとコードレビュー**があります。

デザインレビュー

　デザインレビューは、要件定義、外部設計、内部設計などの**設計段階で行われる**レビューで、**仕様の不備や誤りを早い段階で見つけて手戻りを少なくするために行**われます。

コードレビュー

　コードレビューは、**プログラミングの段階で行われるもので、プログラムのミスを発見するために実施**されます。

レビューの手法

レビューのやり方には、次のようなものがあります。

ウォークスルー

レビュー対象物の作成者が主催者となって、ほかの関係者に説明するレビューのやり方を**ウォークスルー**といいます。少人数で短時間で行い、エラーの早期発見を目指します。

インスペクション

レビュー対象物の作成者でも関係者でもない、**モデレータと呼ばれる第三者が議長となって行うレビュー**を**インスペクション**といいます。作成者みずからが運営役を担うと、指摘を受けて感情的になってしまって客観的なレビューが行えない可能性があります。そこで、参加者の役割を明確に区別して、厳密なルールに基づいて運用します。

種別	役割
レビューイ	レビュー対象物の作成者。ほかの参加者からの説明・指摘に集中するために、**レビュー運営の役割は割り当てられない**
モデレータ	レビューの運営を担当。**レビューを主導し、参加者にそれぞれの役割を果たすよう働きかける**
プレゼンタ	レビュー対象物の説明を担当する
レコーダ	レビューで指摘された内容を記録する
インスペクタ（レビューア）	レビューを担当。**客観的な視点を提供することが期待される**

ココが試験に出る!

- デザインレビュー：設計上の問題点を発見
- コードレビュー：プログラム上の問題点を発見
- ウォークスルー：レビュー対象物の作成者が主催者になりレビューを行う
- インスペクション：第三者により役割を分担し、客観的なレビューを行う
- モデレータ：レビューを主導し参加者に役割を果たすよう働きかける役割

試験問題にチャレンジ

問題❶

デザインレビューを実施するねらいとして，適切なものはどれか。

ア 開発スケジュールを見直し，実現可能なスケジュールに変更する。

イ 仕様の不備や誤りを早期に発見し，手戻り工数の削減を図る。

ウ 設計工程での誤りの混入を防止し，テストを簡略化して，開発効率の向上を図る。

エ 設計の品質を向上させることで，開発規模見積りの精度の向上を図る。

正解 **イ**

解説 デザインレビューは、仕様の不備や誤りを早期に発見し、手戻り工数の削減を図る目的で実施されます。

問題❷

ソフトウェアのレビュー方法の説明のうち，インスペクションはどれか。

ア 作成者を含めた複数人の関係者が参加して会議形式で行う。レビュー対象となる成果物を作成者が説明し，参加者が質問やコメントをする。

イ 参加者が順番に司会者とレビュアになる。司会者の進行によって，レビュア全員が順番にコメントをし，全員が発言したら，司会者を交代して次のテーマに移る。

ウ モデレータが全体のコーディネートを行い，参加者が明確な役割をもってチェックリストなどに基づいたコメントをし，正式な記録を残す。

エ レビュー対象となる成果物を複数のレビュアに配布又は回覧して，レビュアがコメントをする。

正解 **ウ**

解説 **ア**はウォークスルー、**イ**はラウンドロビン、**エ**はパスアラウンドの説明です。

Chapter

7

	基礎理論
テクノロジ系	コンピュータシステム
	技術要素
	開発技術
マネジメント系	プロジェクトマネジメント
	サービスマネジメント
ストラテジ系	システム戦略
	経営戦略
	企業と法務

解説動画 ▶

アルゴリズムと
データ構造

本章の学習ポイント

- プログラムの処理を順番にたどって動作を確認することをトレースという。
- キューはFIFO、スタックはLIFO。
- 探索アルゴリズムには線形探索法、2分探索法、ハッシュ探索法がある。
- 整列アルゴリズムにはバブルソート、選択ソート、挿入ソートがある。
- 同じ関数を呼び出して処理することを再帰呼出しという。

01 アルゴリズム

**プログラムの仕組みに
ついて学ぼう**

・ アルゴリズムとは何かを理解しよう。
・ 流れ図（フローチャート）の記述方法を
　理解しよう。
・ 擬似言語の記述方法を理解しよう。

アルゴリズムとは

　アルゴリズムとは、**問題を解決したり、目標を達成したりするまでの一連の処理
手順のことです。アルゴリズムの良し悪しで、結果を得るための効率は異なります。**

　例えば、星形のにんじんを完成させる場合で考えてみましょう。方法1では、ま
ず輪切りにしてから1つずつ星形にカットしていくため、手間がかかります。方法
2では、先に切り込みをいれて星形を作ってからカットしていくため、効率よく作
業を終えることができます。

| 方法1 | 方法2 |

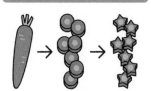

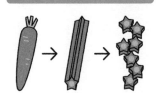

　プログラムを記述して処理する場合も同様です。**データをどのような単位で扱い、どんなタイミングで処理するかといったアルゴリズムの工夫によって、無駄がなく、処理時間が短い、効率的なプログラムを作成する**ことができます。

流れ図（フローチャート）

　アルゴリズムで最も重要なのは**処理の順番**です。アルゴリズムを頭の中だけで整理しようとすると、混乱してしまいがちですので、流れ図（フローチャート）を作成し、**処理を1つずつ、上から下に並べて視覚化**します。

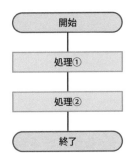

　流れ図に使用する記号は J̇IS（日本産業規格）**によって決められています**。試験によく出題される記号は次のとおりです。

記号	記号名	役割
⬭	端子	**流れ図の開始と終了を表す**。開始の端子記号は中に「開始」、終了の端子記号は中に「終了」と書き入れる
| 　↓	線	上の処理と下の処理を結んで、**処理の順番を表す**。処理の方向をはっきりさせるために矢印にする場合もある
◇	判断	**2つ以上に分岐する判定を表す**
▭	処理	値の代入や計算などの**処理を表す**
⬡	ループ端	**繰り返して行われる処理（ループ）の始まりと終わりを表す**

流れ図の処理パターン

流れ図の処理には、順次・選択・繰返しの3つのパターンがあります。

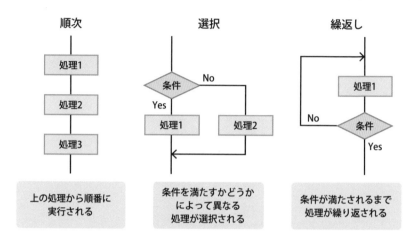

変数と代入

プログラムの処理の中でデータを扱うには、変数が使われます。変数とは、**プログラムで扱う文字や数値を記憶しておくための入れ物**で、計算途中の値を一時的に保管するときにも使われます。変数にそれぞれ別の名前を付けて区別することで、複数のデータをプログラムの中で扱うことができます。

変数にデータを入れる処理を代入といいます。3という値を変数aに代入する処理は、「3→a」(または「a←3」)と記述します。また、変数に入っているデータ同士を比較するときには、変数をコロンで区切って「a:b」と記述します。

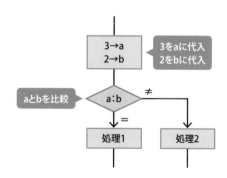

トレース

　アルゴリズムが正しく書かれているかをチェックするには、**処理を順番にたどっ
て変数の値や実行結果を確認し、プログラムが正しく動作しているかを確認しま
す。**このチェックのことをトレースといいます。プログラムが正しく動作するよう
にアルゴリズムの内容をチェックするためには、トレース作業が重要です。具体的
には、**流れ図の経路を追いながら変数の値をトレース表に書いていくことで、処理
の過程を確認していきます。**

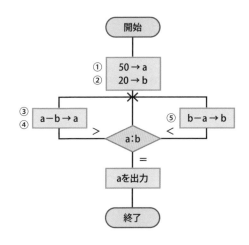

トレース表

手順	a	b
①	50	
②	50	20
③	**30**	20
④	**10**	20
⑤	10	**10**

50−20をaに代入

30−20をaに代入

20−10をbに代入

擬似言語

　流れ図と同じく、アルゴリズムを記述する方法に擬似言語があります。擬似言語は、**流れ図のような図形は使わずに、主に文章や記号などによってアルゴリズムを記述します**。プログラム言語によるプログラムの記述に見た目が似ているので、擬似言語と呼ばれています。擬似言語の記述は次のように表します。

記述形式	説明
○	手続き、変数名、型などを宣言する
変数←式	変数に式の値を代入する
▲ 条件式 　・処理1 　・処理2 ▼	**選択処理を示す**。条件式が満たされるときは処理1を実行し、満たされないときは処理2を実行する
■ 条件式 　処理 ■	**前判定繰返し処理を示す**。条件が満たされる間、処理を繰返し実行する
■ 　処理 ■ 条件式	**後判定繰返し処理を示す**。処理を実行し、条件が満たされる間、処理を繰返し実行する

基本情報技術者試験の科目Bでは、擬似言語を使った問題が出ます。擬似言語で記述されたアルゴリズムからも処理の流れを理解できるように、しっかり学習しておきましょう。

ーーーコ コが試験に出る！ーーー

- ・アルゴリズム：プログラムの処理手順。プログラムの良し悪しに影響する
- ・流れ図：処理は順次・選択・繰返しの3パターン
- ・変数：プログラムで扱う文字や数字を記憶しておくための入れ物
- ・代入：変数にデータを入れる処理
- ・トレース：処理を順番にたどって変数の値や実行結果をチェックすること
- ・擬似言語：プログラムの記述に似たアルゴリズム記述方法

試験問題にチャレンジ

次の流れ図は，2数 A，B の最大公約数を求めるユークリッドの互除法を，引き算の繰返しによって計算するものである。A が876，B が204のとき，何回の比較で処理は終了するか。

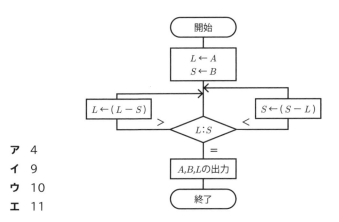

ア 4

イ 9

ウ 10

エ 11

正解 **エ**

解説 流れ図の各変数がどのように変化するかを、トレース表にまとめると次のようになり、11回目の比較で処理が終了することがわかります。

比較回数	L	S	L：S
1	876	204	＞
2	672	204	＞
3	468	204	＞
4	264	204	＞
5	60	204	＜
6	60	144	＜

比較回数	L	S	L：S
7	60	84	＜
8	60	24	＞
9	36	24	＞
10	12	24	＜
11	12	12	＝

O2 配列

超効率ポイント

データの保持方法である　データ構造の種類を学ぼう

- データ構造にはどんな種類のものがあるかを理解しよう。
- 配列の仕組みを理解しよう。
- 二次元配列の添字（インデックス）を理解しよう。

データ構造

　コンピュータがプログラムに書かれた処理を実行するときには、扱うデータをどこかに保持しておく必要があります。**扱うデータをどのような方法で保持するかを決めたものが**、データ構造です。例えば住所録は、郵便番号、住所、氏名といった個々のデータをばらばらに扱うのではなく、ひとまとまりの集合体として保持することで、効率よく処理できます。

　主なデータ構造には、配列、キュー、スタック、リスト構造、木構造などがあります。どのデータ構造を用いるかによって、**処理の効率が大きく変わる**ため、それぞれの特徴を理解して適切なデータ構造を選ぶことが大切です。

配列

　整数なら整数だけ、文字なら文字だけなど、**同じ型のデータの集まりを順番に並べたデータ構造を**配列といいます。コインロッカーのように、データを1つずつ格納する場所が用意されていて、目的のデータが「何番目にあるか」を指定すること

で、データを取り出すことができます。そのため、**配列はデータを整列したり探したりするときによく使われます。データの場所を表す数**を添字（インデックス）といい、**配列の各データの入れ物**を要素といいます。

ココに気をつけて! 添字は、CやJava言語などのように0から始まるもののほか、COBOL言語などのように1から始まるものもあります。試験では、添字が0始まりか1始まりかが問題で指定されていますので、間違えないようにしましょう。

1次元配列と2次元配列

配列には、添字を1種類しか使わない1次元配列や、添字を2種類使う2次元配列があります。2次元配列の添字は、行方向と列方向にそれぞれ指定し、[行,列]の順で表します。

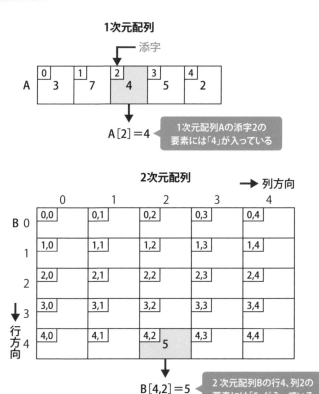

1次元配列

添字

A　3　7　4　5　2
　　0　1　2　3　4

A[2]＝4 　1次元配列Aの添字2の要素には「4」が入っている

2次元配列　　→列方向

　　0　　1　　2　　3　　4
B 0　0,0　0,1　0,2　0,3　0,4
　1　1,0　1,1　1,2　1,3　1,4
　2　2,0　2,1　2,2　2,3　2,4
　3　3,0　3,1　3,2　3,3　3,4
行方向 4　4,0　4,1　4,2 5　4,3　4,4

B[4,2]＝5 　2次元配列Bの行4、列2の要素には「5」が入っている

- データ構造：扱うデータをどのような方法で保持するかを決めたもの
- 主なデータ構造：配列、キュー、スタック、リスト構造、木構造
- 配列：同じ型のデータの集まりを順番に並べたデータ構造
- 添字：配列でデータの場所を表す数のこと
- 要素：配列の各データの入れ物のこと
- 2次元配列：添字は［行, 列］の順で表す

試験問題にチャレンジ

問題❶

次の規則に従って配列の要素 $A[0]$，$A[1]$，…，$A[9]$ に正の整数 k を格納する。k として16，43，73，24，85を順に格納したとき，85が格納される場所はどこか。ここで，$x \bmod y$ は，x を y で割った剰余を返す。また，配列の要素は全て0に初期化されている。

〔規則〕

(1) $A[k \bmod 10] = 0$ ならば，k を $A[k \bmod 10]$ に格納する。

(2)(1)で格納できないとき，$A[(k + 1) \bmod 10] = 0$ ならば，k を $A[(k + 1) \bmod 10]$ に格納する。

(3)(2)で格納できないとき，$A[(k + 4) \bmod 10] = 0$ ならば，k を $A[(k + 4) \bmod 10]$ に格納する。

ア $A[3]$ **イ** $A[5]$ **ウ** $A[6]$ **エ** $A[9]$

正解 **エ**

解説 16、43、73、24、85を順に格納して、配列の要素の変化を確認します。

16の格納場所：$A[16 \bmod 10] = A[6]$ から、16を $A[6]$ に入れます。

43の格納場所：$A[43 \bmod 10] = A[3]$ から、43を $A[3]$ に入れます。

73の格納場所：$A[73 \bmod 10] = A[3]$ となります。$A[3]$ は0ではなく値43が入っているので、規則(2)より、$A[(73 + 1) \bmod 10] = A[4]$ となり、73を $A[4]$ に入れます。

24の格納場所：$A[24 \bmod 10] = A[4]$ となります。$A[4]$ には値73が入っているので、規則(2)より、$A[(24 + 1) \bmod 10] = A[5]$ となり、24を $A[5]$ に入れます。

85の格納場所：$A[85 \bmod 10] = A[5]$ となります。$A[5]$ には値24が入っているので、規則(2)より、$A[(85+1) \bmod 10] = A[6]$、となります。$A[6]$ にも値16が入っているので、規則(3)より、$A[(85 + 4) \bmod 10] = A[9]$ となり、85を $A[9]$ に入れます。よって、85が格納される場所は $A[9]$ となります。

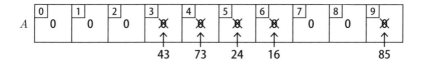

２次元の整数型配列 a の各要素 $a(i, j)$ の値は，$2i + j$ である。

このとき，$a(a(1, 1) \times 2, a(2, 2) + 1)$ の値は幾つか。

ア 12

イ 13

ウ 18

エ 19

正解 エ

解説 まず与えられたカッコの中の部分から計算していきます。

$a(i, j) = 2i + j$ なので

$a(1, 1) = 2 \times 1 + 1 = 3$

$a(2, 2) = 2 \times 2 + 2 = 6$

よって

$$
\begin{aligned}
a(a(1, 1) \times 2, a(2, 2) + 1) &= a(3 \times 2, 6 + 1) \\
&= a(6, 7) \\
&= 2 \times 6 + 7 \\
&= 12 + 7 \\
&= 19
\end{aligned}
$$

Chapter 7
03 キューとスタック

代表的なデータ構造の キューとスタックを学ぼう

- キューの仕組みを理解しよう。
- スタックの仕組みを理解しよう。
- データの取り出し方であるFIFOと LIFOについて理解しよう。

キュー

　プログラムの処理では、計算結果のデータを一時的に保管しておき、あとから データを取り出して別の処理を行うことがあります。そのときに使われるデータ構 造に、キューとスタックがあります。

　キューは「列」という意味です。**待ち行列が前から順番にさばけていくように、 1次元配列で1列に格納されたデータを入れた順番に取り出すデータ構造**です。こ のようなデータの出し入れのしかたを**FIFO**（First-In First-Out：先入れ先出し） といいます。また、**データを入れることをエンキュー**、**取り出すことをデキュー**と いいます。

1 → 2 → 3 → 4
の順に入れる
（エンキュー）
　　　→ | 4 | 3 | 2 | 1 | →
1 → 2 → 3 → 4
の順に取り出す
（デキュー）

ココに気をつけて! **キューは、ディスクの入出力やOSのタスク実行などで使われています。**

スタック

スタックは「積み重ね」という意味です。スタックも、キューと同じく、1次元配列で格納されたデータですが、キューとは逆に、**最後に入れたデータから先に取り出す、つまり常に一番新しいデータから順番に使う**構造になっています。このようなデータの出し入れのしかたを LIFO（Last-In First-Out：後入れ先出し）といいます。**データを入れること**をプッシュ、**取り出すこと**をポップといいます。

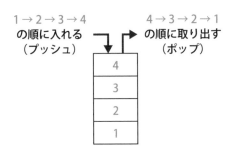

$1 \to 2 \to 3 \to 4$
の順に入れる
（プッシュ）

$4 \to 3 \to 2 \to 1$
の順に取り出す
（ポップ）

スタックは、プログラムの実行中にほかの関数（プログラム中で繰返し利用される手続きを1つにまとめたもの）を呼び出すときなどに使われています。

─── ココが試験に出る！ ───

- キュー：最初に入れたデータから先に取り出す（FIFO）
- キューの使用用途：ディスクの入出力やOSのタスク実行など
- スタック：最後に入れたデータから先に取り出す（LIFO）
- スタックの使用用途：プログラムの実行中にほかの関数を呼び出すときなど

試験問題にチャレンジ

問題❶

キューに関する記述として，最も適切なものはどれか。

ア 最後に格納されたデータが最初に取り出される。

イ 最初に格納されたデータが最初に取り出される。

ウ 添字を用いて特定のデータを参照する。

エ 二つ以上のポインタを用いてデータの階層関係を表現する。

......

正解 **イ**

解説 キューでは、最初に格納されたデータが最初に取り出されます。

問題❷

加減乗除を組み合わせた計算式の処理において，スタックを利用するのが適している処理はどれか。

ア 格納された計算の途中結果を，格納された順番に取り出す処理

イ 計算の途中結果を格納し，別の計算を行った後で，その計算結果と途中結果との計算を行う処理

ウ 昇順に並べられた計算の途中結果のうち，中間にある途中結果だけ変更する処理

エ リストの中間にある計算の途中結果に対して，新たな途中結果の挿入を行う処理

......

正解 **イ**

解説 スタックでは、最後に格納されたデータが最初に取り出されます。そのため、計算途中で別の計算に移り、それらの結果を計算するときに適しています。

A，B，C，Dの順に到着するデータに対して，一つのスタックだけを用いて出力可能なデータ列はどれか。

ア A, D, B, C

イ B, D, A, C

ウ C, B, D, A

エ D, C, A, B

正解　**ウ**

解説 スタックは最後に入れたデータから先に取り出す方法なので、それぞれの選択肢について確認すると、**ウ**のデータ列のみ出力可能です。出力の過程は次のとおりです。

   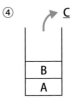

 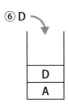 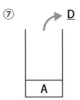

Chapter 7

04 リスト構造

 **リスト構造について
学ぼう**

- リスト構造の仕組みを理解しよう。
- 単方向連結リストと双方向連結リストの
  違いを理解しよう。
- どんな処理が多いプログラムにリスト構
  造が適しているかを理解しよう。

リスト構造

　リスト構造は、**データの格納場所が書かれたポインタを使って**、**離れた場所にあるデータ同士をつないで順番に並べたデータ構造**です。線形リスト、連結リストともいいます。

　リスト構造では、**データとポインタをセットにして扱い**、**先頭から順にポインタをたどることで**、**各データにアクセス**します。そのため、データの参照や更新には時間が掛かりますが、追加や削除はポインタを変更するだけで処理できるという特徴があります。したがって、途中のデータ追加や削除が多い処理には、配列ではなくリスト構造が適しています。

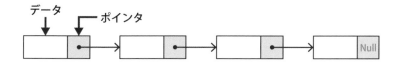

データ　　　ポインタ

リスト構造の種類

　リスト構造は、どのようなポインタをもっているかによって、単方向連結リスト、双方向連結リストに分けられます。

単方向連結リスト

　単方向連結リストは、**データの後ろにポインタを1つだけもつリスト構造**です。ポインタは次のデータの場所を指し示すので、データをたどる方向は一方向になります。最後尾にあるポインタには、「次の場所はない」ということを示す値（Null、または0）を指定します。

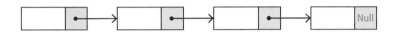

双方向連結リスト

　双方向連結リストは、**前後のデータへのポインタをもつリスト構造**です。それぞれのポインタは、前のデータと後ろのデータの場所を指し示すので、データをたどる方向は前後両方向になります。一番前、および一番後ろにあるポインタは、「次の場所はない」ということを示す値を指定します。

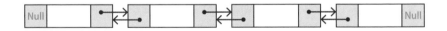

データの追加や削除

　リスト構造では、データ間をポインタでつなげるので、**データの追加や削除がポインタの書換えだけで済み、要素の個数や位置によらず短時間で処理できる**という特長があります。

　例えば、次の単方向連結リストを見てみましょう。このリストでは「社員A」「社員K」「社員T」の順につながっています。新入社員である「社員G」は、まだリストには連結していません。図中の「アドレス」はメモリ内の住所であるアドレスを指しています。

単方向連結リスト（例）と連結イメージ

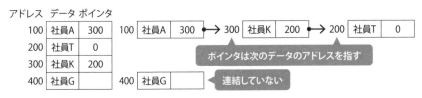

ここで、リストの「社員A」と「社員K」の間に「社員G」を追加してみます。どのポインタを書き換えるかに注目してください。

「社員G」を追加

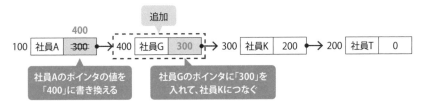

このように、リスト構造では、**ポインタの値を書き換えるだけでデータの追加や削除ができます。**

- リスト構造：データの格納場所が書かれたポインタを使って、離れた場所にあるデータ同士をつないで順番に並べたデータ構造
- 単方向連結リスト：データの後ろにポインタを1つだけもつリスト構造
- 双方向連結リスト：前後のデータへのポインタをもつリスト構造
- リスト構造：ポインタの値を書き換えるだけでデータの追加や削除ができるため、データ追加や削除が多い処理に適している

問題❶

リストを二つの1次元配列で実現する。配列要素box[i]とnext[i]の対がリストの一つの要素に対応し，box[i]に要素の値が入り，next[i]に次の要素の番号が入る。配列が図の状態の場合，リストの3番目と4番目との間に値がHである要素を挿入したときのnext[8]の値はどれか。ここで，next[0]がリストの先頭（1番目）の要素を指し，next[i]の値が0である要素はリストの最後を示し，next[i]の値が空白である要素はリストに連結されていない。

	0	1	2	3	4	5	6	7	8	9
box		A	B	C	D	E	F	G	H	I

	0	1	2	3	4	5	6	7	8	9
next	1	5	0	7		3		2		

ア 3

イ 5

ウ 7

エ 8

正解　ウ

解説 next[0]の要素は「1」。リストの最初の要素はbox[1]に入っている「A」。次のリストの要素は、next[1]の「5」が指し示すbox[5]に入っている「E」。このリスト構造は次のようになります。

	next[0]	next[1]	next[5]	next[3]	next[7]	next[2]
リスト	1 →	A 5 →	E 3 →	C 7 →	G 2 →	B 0

3番目と4番目との間にHを入れると、リストは次のように変化します。

```
        next[0] next[1] next[5] next[3] next[8] next[7] next[2]
リスト  1 → A 5 → E 3 → C 8 → H 7 → G 2 → B 0
                                    └─┘
                                    追加
```

よって、next[8] に入る要素は「7」です。

問題❷   R5公開-問2

　双方向のポインタをもつリスト構造のデータを表に示す。この表において新たな社員G を社員Aと社員Kの間に追加する。追加後の表のポインタa〜fの中で追加前と比べて値 が変わるポインタだけをすべて列記したものはどれか。

表

アドレス	社員名	次ポインタ	前ポインタ
100	社員A	300	0
200	社員T	0	300
300	社員K	200	100

追加後の表

アドレス	社員名	次ポインタ	前ポインタ
100	社員A	a	b
200	社員T	c	d
300	社員K	e	f
400	社員G	x	y

ア a, b, e, f

イ a, e, f

ウ a, f

エ b, e

正解　ウ

解説 次のように社員Aの次ポインタaと社員Kの前ポインタfの値が変わります。

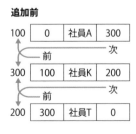

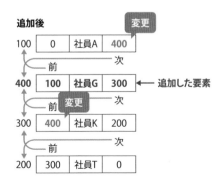

Chapter 7

05 木構造

木構造について学ぼう

・木構造の仕組みについて理解しよう。
・2分探索木について理解しよう。
・ヒープについて理解しよう。

木構造とは

データ同士に階層的な親子関係や主従関係をもたせたデータ構造を、木（ツリー）構造といいます。例えば、OSがファイルを管理するフォルダ構成は木構造です。木構造を図に書き表すと、下の図のように、樹木を逆さにしたような形になります。

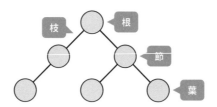

木構造の各データを**節**（ノード、節点）と呼びます。また、**逆さにすると木の根っこにあたる一番上の部分を根**（ルート）、**一番下の部分を葉**といいます。各データは、枝でつながっています。

木構造では**データは親子関係になっており、枝で結ばれた上の節を親、下の節を子**と呼びます。また、**親の左の子についている枝、節、葉をまとめて左部分木**とい

い、**右の子についている枝、節、葉を**右部分木といいます。

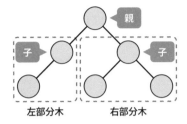

左部分木　　　右部分木

　木構造には、枝や節のつき方によって、さまざまな種類があります。代表的なものを見ていきましょう。

2分木

根やそれぞれの節から出る枝が、すべて2本以下の木を2分木といいます。右の図は、枝が3本出ているので2分木ではありません。

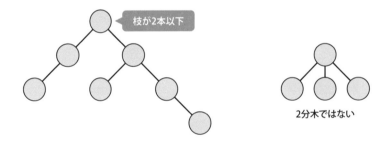

枝が2本以下

2分木ではない

　2分木の中でも、**根から葉までの枝の数がすべて一緒の2分木を**完全2分木といいます。

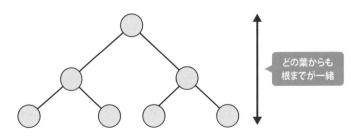

どの葉からも
根までが一緒

267

2分木のそれぞれの節は、左ポインタ部、データ部、右ポインタ部の3つの要素によって構成されています。データ部にはデータが格納され、親となっている節のポインタには、子の節の場所が格納されています。

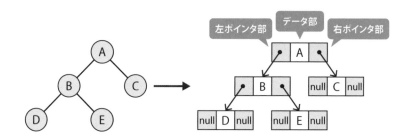

2分探索木

　2分木のうち、どの節においても、常に「親のデータが左部分木のデータより大きく、右部分木のデータよりも小さい」（左部分木＜親＜右部分木）という条件を満たした状態の木を2分探索木といいます。

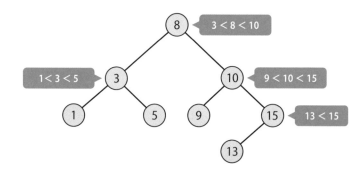

　この図では、1、3、5、8、9、10、13、15の8つの要素があります。親である根「8」に対して、左部分木（1、3、5）＜親（8）＜右部分木（9、10、13、15）という関係が成り立ちます。また、左部分木における節3を親とした場合も、左部分木（1）＜親（3）＜右部分木（5）という関係が成り立ちます。同様に、節10、節15についてもこの関係が成り立っています。

ココに気をつけて! 2分探索木では、親より左には小さいデータ、右には大きいデータしかないので、必要なデータを探索するときに少ない回数で行うことができるという特徴があります。

2分探索木のデータ探索

　2分探索木の中にあるデータを最短の手順で探し出すには、まず探しているデータと根の値を比較します。例えば、9というデータを見つけたい場合、根である8と探索データ9を比較します。すると「根（8）＜探索データ（9）」となるので、探索データは右部分木にあることがわかります。次に節10と比較すると「探索データ（9）＜節（10）」となるので、左に進みます。すると節9を見つけることができます。

　このように、データが見つかるか、データが見つからず進む節がなくなるまで比較を繰り返すことで、データを探索できます。

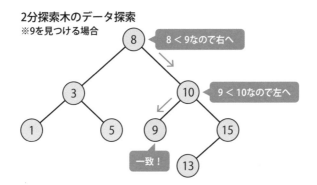

2分探索木のデータ探索
※9を見つける場合

節の追加や削除による2分探索木の再構成

　新たな節を追加する場合も、データ検索と同様の手順で行うことにより、正しい位置に追加できます。例えば、節11を追加する場合には、まず根の値8と比較します。すると「根（8）＜追加の節（11）」となるので、右部分木に置くことになります。ここから先も同様に比較を繰り返すことで、新しい節の追加位置を決めます。

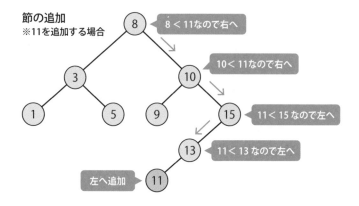

節の追加
※11を追加する場合

8 < 11なので右へ

10< 11なので右へ

11< 15 なので左へ

11< 13 なので左へ

左へ追加

反対に、**2分探索木から節を削除する場合は、節の削除によって2分探索木の性質を損なわないよう、2分探索木を再構成する必要があります。**例えば、節10を削除した場合は、左部分木の最大値をもつ節9か、右部分木の最小値をもつ節13を、削除した節10の位置に移動して、「左部分木＜親＜右部分木」という性質が成り立つようにします。

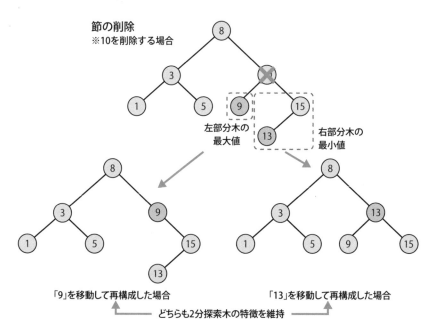

節の削除
※10を削除する場合

左部分木の最大値

右部分木の最小値

「9」を移動して再構成した場合

「13」を移動して再構成した場合

どちらも2分探索木の特徴を維持

ヒープ

2分木のうち、すべての節で「親＜子」、または「親＞子」の関係が成り立つ状態にした木をヒープといいます。ヒープでは、根がすべての要素の中で最小値（「親＜子」の場合）、または最大値（「親＞子」の場合）をとります。

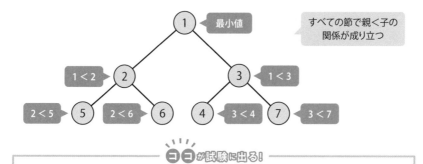

ココが試験に出る！

- 木構造：データ同士に階層的な親子関係や主従関係をもたせたデータ構造
- 2分探索木：「左部分木＜親＜右部分木」の関係を満たした状態の2分木
- ヒープ：「親＜子」か「親＞子」の関係を満たした状態の2分木

Chapter

7

アルゴリズムとデータ構造

271

問題❶

２分探索木になっている２分木はどれか。

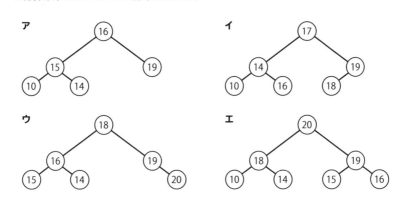

正解　イ

解説 ２分探索木は、どの節においても、左部分木のデータ＜親のデータ＜右部分木のデータが成立します。**ア**～**エ**を確認すると、**イ**だけがこの条件を満たしています。

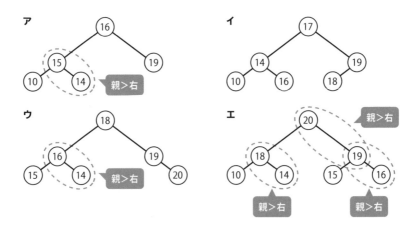

Chapter 7

06

探索アルゴリズム

 探索（サーチ）アルゴリズムについて学ぼう

- 線形探索法（逐次探索法）を理解しよう。
- ２分探索法を理解しよう。
- ハッシュ探索法を理解しよう。

探索とは

　たくさんのデータの中から、**目的のデータを見つけること**を探索（サーチ）といいます。例えば、机に積み上げられた書類の山から必要な資料を見つけることも探索です。コンピュータも、主記憶や補助記憶装置にあるデータから目的のデータやファイルを探索し、更新や削除などの処理を行っています。

　大量にあるデータの中から必要なデータを探したり、データを並べ替えたりするには、それぞれのデータ構造の特徴に合ったアルゴリズムを使う必要があります。

　代表的な探索アルゴリズムに、線形探索法や２分探索法、ハッシュ探索法があります。

線形探索法（逐次探索法）

　線形探索法は、**先頭から順番に目的のデータと比較し、一致するデータを探していくアルゴリズム**です。一致するデータが見つかった時点で探索は終了です。

　整列されていない状態で目的のデータを探索するのに向いていますが、総当たり

戦となるため、大量のデータを探索するのには不向きです。

配列Aから探索データ「3」を探します

線形探索法では、n個のデータの中から目的のデータを探索するまでに、**最少で1回、最多でn回、データの比較を行う必要があります**。したがって、平均比較回数は（n＋1）／2回となります。

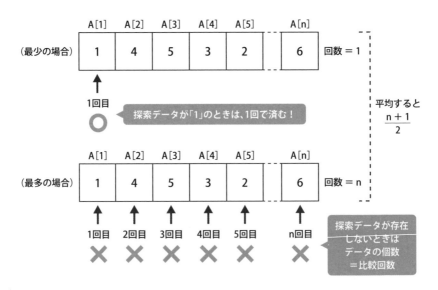

なお、線形探索法で配列構造のデータを探索する場合、探索する前にあらかじめ**最後のデータの後ろに目的のデータ（次の図では「10」）を入れておくことがあり**ます。これを番兵といいます。番兵を使うと、配列の最後で必ずデータが一致するので、**データ比較前に配列の範囲内かどうかを確認する処理を省くことができま**す。

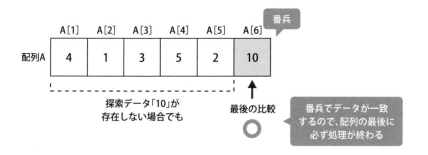

探索データ「10」が
存在しない場合でも

最後の比較

番兵でデータが一致
するので、配列の最後に
必ず処理が終わる

番兵を使った線形探索法のアルゴリズムを流れ図で示すと次のようになります。
処理の流れを確認しておきましょう。

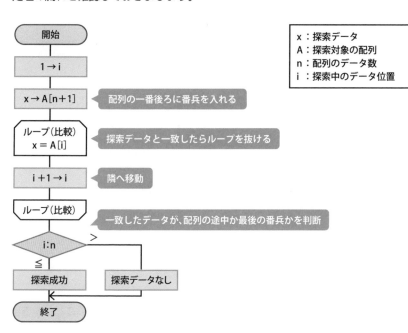

x ：探索データ
A ：探索対象の配列
n ：配列のデータ数
i ：探索中のデータ位置

配列の一番後ろに番兵を入れる

探索データと一致したらループを抜ける

隣へ移動

一致したデータが、配列の途中か最後の番兵かを判断

2分探索法

2分探索法は、**あらかじめデータが小さい順もしくは大きい順に整列されている場合に使われるアルゴリズム**です。

まずデータを2等分し、探索範囲の中央の値と探索データを比較します。探索データのほうが小さければ、目的データのありかを前半部分に絞り込みます。次に絞り込んだ前半部分のデータを2等分し、同じ手順を繰り返していきます。こうして、探索する範囲を半分ずつに狭めていくことで、探索データを見つける方法が、2分探索法です。

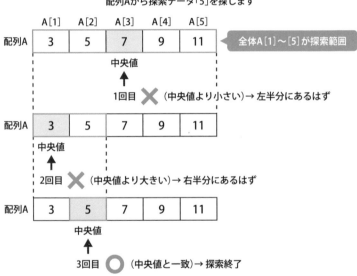

配列Aから探索データ「5」を探します

2分探索法では、**1回探索するごとに探索範囲を半分に絞っていくことができます**。n個のデータがある場合の平均比較回数は、$\log_2 n$ で求めることができます。$\log_2 n$ とは、2をnにする指数のことです。見方を変えると、$n = 2^x$ と $X = \log_2 n$ は同じ意味です。例えば、探索範囲として8個のデータがある場合、平均比較回数は $\log_2 8$ となります。$8 = 2^3$ なので、$\log_2 8 = 3$ 回です。

2分探索法のアルゴリズムを流れ図で示すと次のようになります。処理の流れを確認しておきましょう。

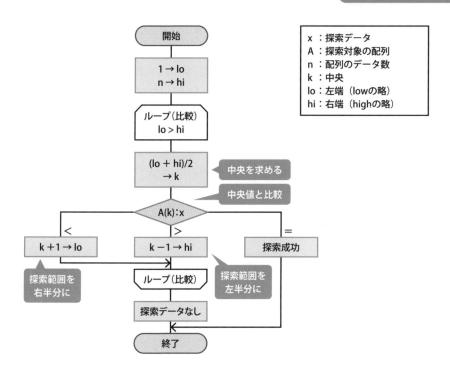

ハッシュ探索法

　データの格納場所のアドレス値を、あらかじめ関数を使った計算で決めておくアルゴリズムを**ハッシュ探索法（ハッシュ法）**といい、**格納先を決めるために用いられる関数を**ハッシュ関数、**ハッシュ関数によって求められるアドレス値を**ハッシュ値といいます。

　ハッシュ探索法を使ってデータを探索するときは、ハッシュ関数を計算してハッシュ値を求めることで、格納場所を割り出します。**ハッシュ探索法を使うと、衝突が発生しない限り、探索データは必ず1回で見つかります。**

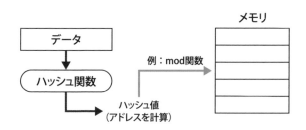

例えば、5桁の数「x_1 x_2 x_3 x_4 x_5」を、ハッシュ探索法を使って配列Aに格納してみます。このとき、ハッシュ関数をmod ($x_1 + x_2 + x_3 + x_4 + x_5, 17$) とします。**mod(a,b)は、aをbで割った余りを表します。**つまり、各桁の数を足した総数を17で割った余りを、格納場所とするということです。56789の格納先アドレスを計算すると、$(5 + 6 + 7 + 8 + 9) \div 17$の余りなので、1となります。そこで配列A[1]に格納します。このあと、例えば98765というデータを同じようにハッシュ法を使って格納しようとすると問題が起きます。というのは、ハッシュ値が1となり、配列A[1]にはすでに56789が格納されているため、衝突（シノニム）が起こってしまうのです。

衝突が起こった場合には、**配列の各要素をリスト構造にして、新しい場所にデー**タを格納します。

ココに気をつけて！ ハッシュ探索法において，衝突の確率が最も低くなるのはハッシュ値が**一様分布**にあるときです。一様分布とは、**サイコロの目の出る確率など、すべての事象の起こる確率が等しい現象です。**

―― ココが試験に出る！――

- 線形探索法：先頭から順番に目的のデータと比較し、一致するデータを探す
- 線形探索法の平均比較回数：(n + 1)/2 回
- 2分探索法：あらかじめ整列されたデータに対して、探索範囲を半分ずつに狭めて中央値と比較しながら探す
- 2分探索法の平均比較回数：$\log_2 n$ 回
- ハッシュ探索法：ハッシュ関数によりデータを格納する場所を決めておく
- ハッシュ探索法の平均比較回数：1回

試験問題にチャレンジ

問題❶

2分探索に関する記述のうち，適切なものはどれか。

ア 2分探索するデータ列は整列されている必要がある。
イ 2分探索は線形探索より常に速く探索できる。
ウ 2分探索は探索をデータ列の先頭から開始する。
エ n個のデータの探索に要する比較回数は，$n log_2 n$ に比例する。

正解 ア

解説 2分探索では、あらかじめ整列されたデータ列を半分ずつに絞って探します。検索データが最初のほうにある場合、線形探索のほうが速く検索できます。

イ 目的のデータが先頭付近にある場合は線形探索のほうが探索が速くなります。
ウ データ列の先頭ではなく、探索範囲の中央にある値との比較から開始します。
エ 2分探索における平均比較回数は、$log_2 n$ です。

問題❷

表探索におけるハッシュ法の特徴はどれか。

ア 2分木を用いる方法の一種である。
イ 格納場所の衝突が発生しない方法である。
ウ キーの関数値によって格納場所を決める。
エ 探索に要する時間は表全体の大きさにほぼ比例する。

正解 ウ

解説 キーの関数値とは、対象となるデータをハッシュ関数で計算したハッシュ値のことを指します。ハッシュ法では、ハッシュ関数を使ってデータの格納場所を決定します。

ア 2分探索法の説明です。
イ 格納場所の衝突が発生する可能性があります。
エ 探索時間は表全体の大きさに関係なくほぼ一定です。

10進法で5桁の数 $a_1\ a_2\ a_3\ a_4\ a_5$ を，ハッシュ法を用いて配列に格納したい。ハッシュ関数を $\mathrm{mod}(a_1 + a_2 + a_3 + a_4 + a_5,\ 13)$ とし、求めたハッシュ値に対応する位置の配列要素に格納する場合、54321は配列のどの位置に入るか。ここで，$\mathrm{mod}(x, 13)$ は、x を13で割った余りとする。

位置	配列
0	
1	
2	
⋮	⋮
11	
12	

ア 1
イ 2
ウ 7
エ 11

正解 イ

解説 ハッシュ関数に当てはめて計算すると、
$\mathrm{mod}(5 + 4 + 3 + 2 + 1, 13) = \mathrm{mod}(15, 13) = 2$
よってハッシュ値は2となり、配列の2の位置に入ります。

Chapter 7

07

整列アルゴリズム

 データを並べ替える整列アルゴリズムを学ぼう

- 交換法（バブルソート）の流れを理解しよう。
- 選択法（選択ソート）の流れを理解しよう。
- 挿入法（挿入ソート）の流れを理解しよう。

整列とは

　データを小さい順または大きい順に並べることを整列（ソート）といいます。**小さい順に並べ替えることを昇順、大きい順に並べ替えることを降順といいます。**

5	3	1	4	2

1	2	3	4	5
昇順

5	4	3	2	1
降順

　大量にあるデータを並べ替える整列アルゴリズムには、交換法、選択法、挿入法などがあります。

交換法（バブルソート）

　交換法は、**隣同士のデータの大小を比較して、その大小の順番が逆であれば交換していくアルゴリズム**で、バブルソートとも呼ばれます。これを繰り返すことによって、データを並べ替えます。**交換法のデータ比較回数は、（n－1）＋（n－2）＋…＋1＝n（n－1）／2回**です。

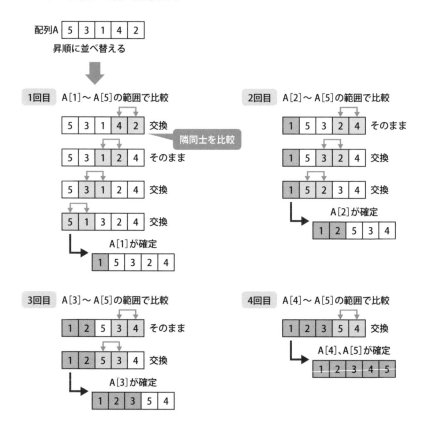

　交換法のアルゴリズムを流れ図で示すと次のようになります。処理の流れを確認しておきましょう。

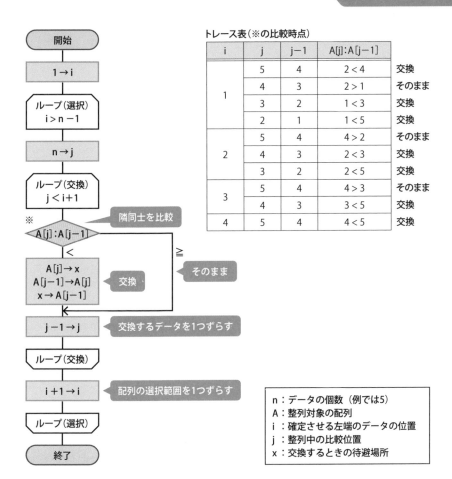

トレース表（※の比較時点）

i	j	j−1	A[j]:A[j−1]	
1	5	4	2 < 4	交換
	4	3	2 > 1	そのまま
	3	2	1 < 3	交換
	2	1	1 < 5	交換
2	5	4	4 > 2	そのまま
	4	3	2 < 3	交換
	3	2	2 < 5	交換
3	5	4	4 > 3	そのまま
	4	3	3 < 5	交換
4	5	4	4 < 5	交換

n：データの個数（例では5）
A：整列対象の配列
i：確定させる左端のデータの位置
j：整列中の比較位置
x：交換するときの待避場所

選択法（選択ソート）

　選択法は、**未整列のデータから最小値（最大値）を探して順に並べていくアルゴリズム**です。まず、先頭から順にデータの値を比べていき、最小値を探します。最小値が見つかったら、1番目にあるデータと入れ替えます。これで、1番目は確定です。次に2番目に来るデータを探します。残りのデータから最小値を探し、2番目にあるデータと入れ替えます。これを繰り返して、データを並べ替えます。**選択法のデータ比較回数は、(n−1)＋(n−2)＋…＋1＝n(n−1)／2回です。**

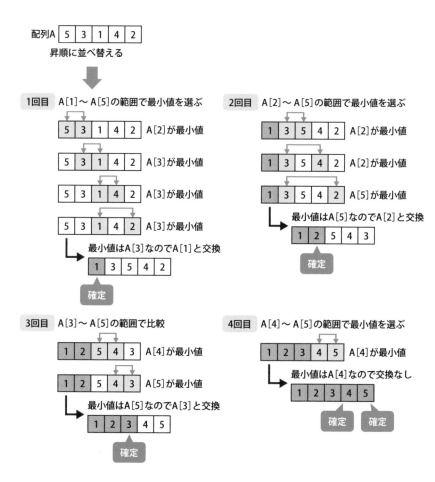

　選択法のアルゴリズムを流れ図で示すと次のようになります。処理の流れを確認しておきましょう。

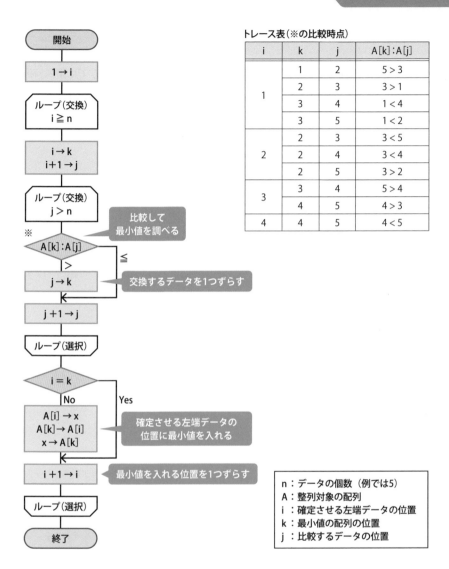

トレース表（※の比較時点）

i	k	j	A[k]：A[j]
1	1	2	5 > 3
	2	3	3 > 1
	3	4	1 < 4
	3	5	1 < 2
2	2	3	3 < 5
	2	4	3 < 4
	2	5	3 > 2
3	3	4	5 > 4
	4	5	4 > 3
4	4	5	4 < 5

開始

1 → i

ループ（交換）
i ≧ n

i → k
i+1 → j

ループ（交換）
j > n

※

比較して
最小値を調べる

A[k]：A[j]

＞

≦

j → k

交換するデータを1つずらす

j+1 → j

ループ（選択）

i = k

No   Yes

A[i] → x
A[k] → A[i]
x → A[k]

確定させる左端データの
位置に最小値を入れる

i+1 → i

最小値を入れる位置を1つずらす

ループ（選択）

終了

n：データの個数（例では5）
A：整列対象の配列
i：確定させる左端データの位置
k：最小値の配列の位置
j：比較するデータの位置

挿入法(挿入ソート)

挿入法は、**未整列データの中から1つずつデータを取り出して、すでに整列済みであるデータ列の適切な場所に挿入していく**アルゴリズムです。これを繰り返すことでデータを並べ替えます。

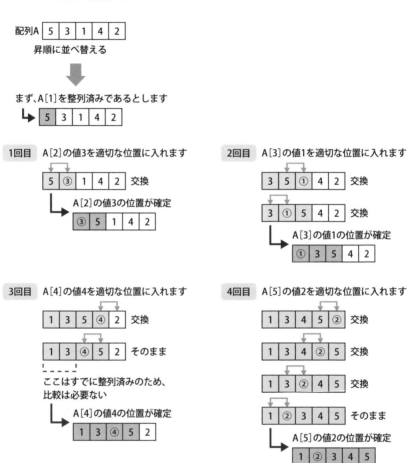

配列A | 5 | 3 | 1 | 4 | 2
昇順に並べ替える

まず、A[1]を整列済みであるとします

5 3 1 4 2

1回目 A[2]の値3を適切な位置に入れます

5 ③ 1 4 2 交換

A[2]の値3の位置が確定

③ 5 1 4 2

2回目 A[3]の値1を適切な位置に入れます

3 5 ① 4 2 交換

3 ① 5 4 2 交換

A[3]の値1の位置が確定

① 3 5 4 2

3回目 A[4]の値4を適切な位置に入れます

1 3 5 ④ 2 交換

1 3 ④ 5 2 そのまま

ここはすでに整列済みのため、
比較は必要ない

A[4]の値4の位置が確定

1 3 ④ 5 2

4回目 A[5]の値2を適切な位置に入れます

1 3 4 5 ② 交換

1 3 4 ② 5 交換

1 3 ② 4 5 交換

1 ② 3 4 5 そのまま

A[5]の値2の位置が確定

1 ② 3 4 5

挿入法のアルゴリズムを流れ図で示すと次のようになります。処理の流れを確認しておきましょう。

Chapter

7

アルゴリズムとデータ構造

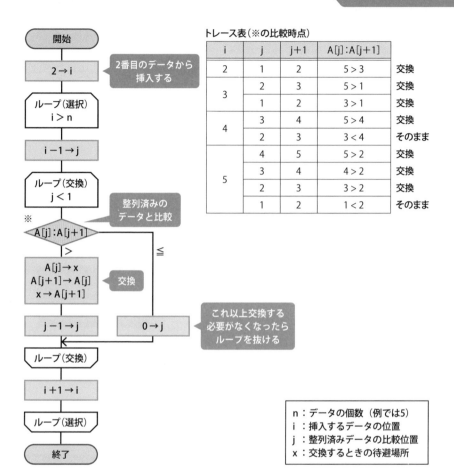

トレース表（※の比較時点）

i	j	j+1	A[j]:A[j+1]	
2	1	2	5 > 3	交換
3	2	3	5 > 1	交換
	1	2	3 > 1	交換
4	3	4	5 > 4	交換
	2	3	3 < 4	そのまま
5	4	5	5 > 2	交換
	3	4	4 > 2	交換
	2	3	3 > 2	交換
	1	2	1 < 2	そのまま

開始

2→i ← 2番目のデータから挿入する

ループ（選択）
i > n

i − 1 → j

ループ（交換）
j < 1

整列済みのデータと比較

※ A[j]:A[j+1]

A[j]→ x
A[j+1]→ A[j]
x → A[j+1] ← 交換

j − 1 → j

0→j ← これ以上交換する必要がなくなったらループを抜ける

ループ（交換）

i + 1 → i

ループ（選択）

終了

n：データの個数（例では5）
i：挿入するデータの位置
j：整列済みデータの比較位置
x：交換するときの待避場所

287

シェルソート

シェルソートは挿入法を改良したもので、**ある一定間隔おきに取り出したデータからなる部分列をそれぞれ整列し、間隔を詰めて同じ操作を行うアルゴリズム**です。最後に間隔が１になるまで繰り返してデータを並べ替えていきます。部分的に整列しておくことで、挿入の際に整列済みの要素をずらす作業を減らすことができ、処理が速くなります。

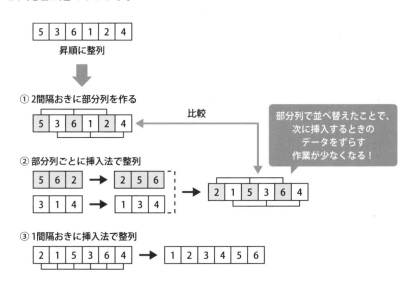

ヒープソート

ヒープソートは、**未整列のデータをヒープに構成したあと、ヒープの根から最小値または最大値を取り出して整列済みの部分列に移すことを繰り返してデータを整列するアルゴリズム**です。ヒープの根を最大値と決めると、各節には「親＞子」の関係が成り立ちます。ヒープの各要素を配列で構成しておき、データを並べ替えていきます。

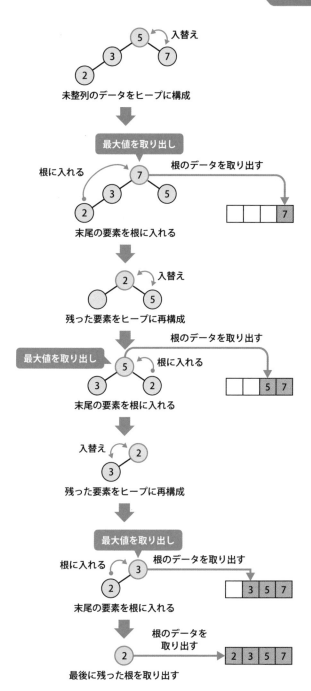

入替え

未整列のデータをヒープに構成

最大値を取り出し

根に入れる　　　　　　　　　根のデータを取り出す

末尾の要素を根に入れる

入替え

残った要素をヒープに再構成

最大値を取り出し　　　　　根のデータを取り出す

根に入れる

末尾の要素を根に入れる

入替え

残った要素をヒープに再構成

最大値を取り出し

根に入れる　　　根のデータを取り出す

末尾の要素を根に入れる

根のデータを
取り出す

最後に残った根を取り出す

289

クイックソート

クイックソートでは、**まず基準となる値を決め、それよりも小さい値のグループと大きい値のグループに分けます。次に、それぞれのグループの中で同じ処理を繰り返して、分割できなくなるまで繰り返すことで、データを並べ替えていくアルゴリズム**です。

7	3	6	2	4	1	9	5	8

昇順に整列する

① 基準値を決めます
　（今回は中央のデータを使います）

② 基準値より小さな値のグループと
　大きな値のグループに振り分けます

③ 同様に分割できなくなるまで
　繰り返します

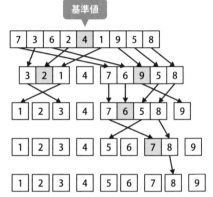

- 小さい順に並べることを昇順、大きい順に並べることを降順という
- 交換法（バブルソート）：隣同士のデータを比較して交換していく
- 選択法：未整列のデータから最小値（最大値）を探して順に並べていく
- 挿入法：未整列のデータから1つずつデータを取り出して整列済みの列に挿入する
- クイックソート：基準値を選び、基準値より大きいグループと小さいグループに分け、これを繰り返して整列

試験問題にチャレンジ

問題❶

バブルソートの説明として，適切なものはどれか。

ア ある間隔おきに取り出した要素から成る部分列をそれぞれ整列し，更に間隔を詰めて同様の操作を行い，間隔が 1 になるまでこれを繰り返す。

イ 中間的な基準値を決めて，それよりも大きな値を集めた区分と，小さな値を集めた区分に要素を振り分ける。次に，それぞれの区分の中で同様の操作を繰り返す。

ウ 隣り合う要素を比較して，大小の順が逆であれば，それらの要素を入れ替えるという操作を繰り返す。

エ 未整列の部分を順序木にし，そこから最小値を取り出して整列済の部分に移す。この操作を繰り返して，未整列の部分を縮めていく。

正解　**ウ**

解説 **ア**はシェルソート、**イ**はクイックソート、**エ**はヒープソートの説明です。

問題❷

クイックソートの処理方法を説明したものはどれか。

ア 既に整列済みのデータ列の正しい位置に、データを追加する操作を繰り返していく方法である。

イ データ中の最小値を求め，次にそれを除いた部分の中から最小値を求める。この操作を繰り返していく方法である。

ウ 適当な基準値を選び，それより小さな値のグループと大きな値のグループにデータを分割する。同様にして，グループの中で基準値を選び，それぞれのグループを分割する。この操作を繰り返していく方法である。

エ 隣り合ったデータの比較と入替えを繰り返すことによって，小さな値のデータを次第に端のほうに移していく方法である。

正解　**ウ**

解説 クイックソートは、基準値を選び、基準値より大きいグループと小さいグループに分け、この操作を分割できなくなるまで繰り返すことでデータを整列します。**ア**は挿入法、**イ**は選択法、**エ**は交換法（バブルソート）です。

データの整列方法に関する記述のうち，適切なものはどれか。

ア クイックソートでは，ある一定間隔おきに取り出した要素から成る部分列をそれぞれ整列し，更に間隔を詰めて同様の操作を行い，間隔が1になるまでこれを繰り返す。

イ シェルソートでは，隣り合う要素を比較して，大小の順が逆であれば，それらの要素を入れ替えるという操作を繰り返して行う。

ウ バブルソートでは，中間的な基準値を決めて，それよりも大きな値を集めた区分と小さな値を集めた区分に要素を振り分ける。

エ ヒープソートでは，未整列の部分を順序木に構成し，そこから最大値又は最小値を取り出して既整列の部分に移す。これらの操作を繰り返して，未整列部分を縮めていく。

....

正解 エ

解説 この中で正しい記述は、**エ**のヒープソートの説明です。

ア クイックソートではなく、シェルソートの説明です。

イ シェルソートではなく、バブルソートの説明です。

ウ バブルソートではなく、クイックソートの説明です。

Chapter 7

08

再帰アルゴリズム

再帰アルゴリズムに ついて学ぼう

- 再帰呼出しについて理解しよう。
- nの階乗を求めるプログラムの処理の流れを理解しよう。

再帰アルゴリズムとは

再帰アルゴリズムは、**ある処理を定義した関数Aの中で、同じ関数Aを呼び出して処理する再帰呼出し**を用いたアルゴリズムです。

nの階乗を求めるプログラム

例えば、nの階乗を求めるプログラムは再帰的なプログラムの１つですが、これを例として再帰アルゴリズムを具体的に見ていきましょう。

nの階乗とは、nから１までの自然数の積n×(n－1)×・・・×3×2×1で計算することができ、n!と表します。 例えば、5!は5×4×3×2×1のことです。また5!は、5×4!と表すこともできます。つまり、n!は、n×(n－1)!と定義できます。

> **公式**
>
> $$n! = n \times (n-1) \times \cdots \times 3 \times 2 \times 1$$
> $$= n \times (n-1)!$$

このように、**自分自身を呼び出す処理のやり方が再帰アルゴリズム**です。では、実際にnの階乗「n!」を求めるプログラムをf(n)と定義して、このプログラムがどのように実行されるかを見てみましょう。

自然数nの階乗「n!」を求めるプログラム

```
f( n ):
if n = 1 then return 1          nが1のとき1を返す
        else return n×f(n-1)    nが1でないときn×f(n-1)の値を返す
```

例えばn = 5のとき、上記プログラムは以下のように処理されます。

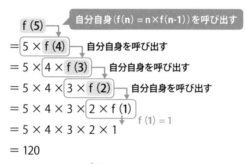

- 再帰呼び出し：関数の中で同じ関数を呼び出すこと

試験問題にチャレンジ

問題❶

再帰呼出しの説明はどれか。

ア あらかじめ決められた順番ではなく，起きた事象に応じた処理を行うこと

イ 関数の中で自分自身を用いた処理を行うこと

ウ 処理が終了した関数をメモリから消去せず，必要になったとき再び用いること

エ 処理に失敗したときに，その処理を呼び出す直前の状態に戻すこと

正解 **イ**

解説 再帰呼出しは、ある関数の中で自分自身を呼び出すことです。なお、**ア**はフィードバック制御、**ウ**は静的関数、**エ**は復帰の説明です。

問題❷

自然数 n に対して，次のとおり再帰的に定義される関数 $f(n)$ を考える。$f(5)$ の値はどれか。

$f(n)$: if $n \leq 1$ then return 1 else return $n + f(n-1)$

ア 6

イ 9

ウ 15

エ 25

正解 **ウ**

解説 次のように求められます。

$f(5) = 5 + f(4)$

$= 5 + 4 + f(3)$

$= 5 + 4 + 3 + f(2)$

$= 5 + 4 + 3 + 2 + f(1)$

$= 5 + 4 + 3 + 2 + 1$

$= 15$

Chapter 7

09 アルゴリズムの 実行時間

アルゴリズムの性能 評価について学ぼう

- アルゴリズムの性能評価の指標である オーダについて理解しよう。
- 探索アルゴリズムの実行時間を理解しよう。
- 整列アルゴリズムの実行時間を理解しよう。

実行時間を表すO記法

　同じ結果を得ることができるのであれば、**実行時間が短いアルゴリズムのほうが よいアルゴリズムである**といえます。例えば、宿題をするときを考えてみても、少 ない手間でさっさと終わらせることができるやり方のほうが嬉しいものです。

　ただし、アルゴリズムの善し悪しを、単純にかかった時間で評価することはでき ません。同じアルゴリズムで記述されたプログラムでも、実行する環境が違えば速 くも遅くもなるからです。

　そこで、アルゴリズムの性能評価には、「〇秒」といった時間表現ではなく、デー タの入力量に対してどのくらい実行に時間がかかるかを命令数を基準に評価した計 算量が用いられます。この指標を**オーダ**といい、$\overset{\text{オー}}{O}$記法という表記方法が使われま す。

探索アルゴリズムの実行時間

　探索アルゴリズムにおける実行時間のオーダは、**探索が終了するまでの平均比較 回数に比例する**と考えます。

ハッシュ探索法では、衝突が起きない限り、原則1回の比較でデータを見つけることができるため、データ個数に関わらず O(1) となります。2分探索法では、1回比較するごとに探索範囲が半分に絞り込まれていきます。線形探索法は、最大でデータ個数の分だけ比較することになるため、データが多い場合には最も遅いアルゴリズムです。

アルゴリズムの種類	平均比較回数	実行時間 (オーダ)
ハッシュ探索法	1	O (1)
2分探索法	$\log_2 n$	O $(\log_2 n)$
線形探索法	$(n+1) / 2$	O (n)

整列アルゴリズムの実行時間

整列アルゴリズムにおける実行時間のオーダは、**整列が終了するまでの平均比較回数に比例する**と考えるので、オーダは次のようになります。

アルゴリズムの種類	平均比較回数	実行時間 (オーダ)
交換法 (バブルソート)		
挿入法	$n(n-1) / 2$	O (n^2)
選択法		

O記法で計算時間を表したとき、それぞれの値を比較したものが次の図です。例えば、2分探索法 ($O(\log_2 n)$) と線形探索法 ($O(n)$) の実行時間を比較すると、2分探索法のほうが実行時間が小さく、速いアルゴリズムといえます。

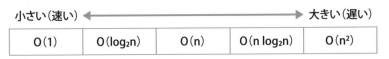

小さい（速い）←				→大きい（遅い）
O(1)	O($\log_2 n$)	O(n)	O(n $\log_2 n$)	O(n^2)

ココが試験に出る！

- [ハッシュ探索法のオーダ]：O (1)
- [2分探索法のオーダ]：O ($\log_2 n$)
- [線形探索法のオーダ]：O (n)

試験問題にチャレンジ

問題❶

H24秋-問3

探索方法とその実行時間のオーダの適切な組合せはどれか。ここで、探索するデータ数をnとし、ハッシュ値が衝突する（同じ値になる）確率は無視できるほど小さいものとする。また、実行時間のオーダがn^2であるとは、n個のデータを処理する時間がcn^2（cは定数）で抑えられることをいう。

	2分探索	線形探索	ハッシュ探索
ア	log_2n	n	1
イ	$nlog_2n$	n	log_2n
ウ	$nlog_2n$	n^2	1
エ	n^2	1	n

正解　ア

解説 ハッシュ探索法では、データの個数に関わらず原則1回の比較でデータを見つけることができるため、実行時間のオーダは1です。線形探索法は、最大でデータ個数の分だけ比較するので、実行時間のオーダはnです。2分探索法では、1回比較するごとに探索範囲が半分に絞り込まれるので、実行時間のオーダはlog_2nです。

問題❷

H27春-問6

整列されたn個のデータの中から、求める要素を2分探索法で探索する。この処理の計算量のオーダを表す式はどれか。

ア　$log\ n$
イ　n
ウ　n^2
エ　$n\ log\ n$

正解　ア

解説 2分探索法では、1回比較するごとに探索範囲が半分に絞り込まれていきます。平均比較回数は、$logn$です。

基礎理論

コンピュータシステム

技術要素

開発技術

プロジェクト
マネジメント

サービスマネジメント

システム戦略

経営戦略

企業と法務

テクノロジ系　マネジメント系　ストラテジ系

解説動画 ▶

データベース

本章の学習ポイント

- 行を一意に識別するための列を主キーという。
- 表から必要な行だけを抽出する操作を選択、必要な列だけを抽出する操作を射影という。
- SQLで条件を指定して抽出するにはWHERE句を使う。並べ替えるときはORDER BY句を使う。
- トランザクション管理ではACID特性が必要。

01 データベースの基礎

超効率ポイント

データベースについて 学ぼう

- データベースとは何かを学ぼう。
- データモデルについて理解しよう。
- スキーマという用語の意味を学ぼう。

データベースとは

　住所録や顧客情報など、**大量のデータを一定の規則に従って整理したものを、**データベースといいます。ただデータを並べただけのものとは異なり、必要なデータを検索したり抽出したりできるのが特徴です。大量にあるデータを簡単に管理・利用するために使います。

データモデル

　現実世界には、多くのデータがあり複雑にからみあっています。それらのデータの構造や関係性をわかりやすく整理しなければ、データベースとして管理することはできません。

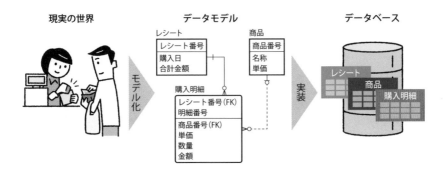

　人間が扱う現実世界にあるデータの構造や関係性をモデル化したものをデータモデルといい、データベースを作る上での設計図になります。代表的なデータモデルの特徴と、モデルを使ったデータベースは次のとおりです。

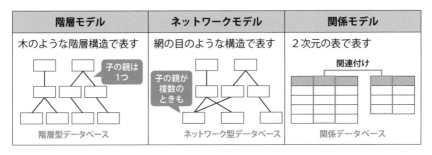

階層モデル	ネットワークモデル	関係モデル
木のような階層構造で表す	網の目のような構造で表す	2次元の表で表す
階層型データベース	ネットワーク型データベース	関係データベース

関係モデル

　関係モデルでは、**データを2次元の表形式**で表します。このモデルを使ってデータベースにしたものが関係データベースです。各要素についての名称が異なるため、対応を確認しておきましょう。

関係モデル	関係データベース
関係	表・テーブル
組	行・レコード
属性	列・フィールド
定義域	データ型（整数型、文字列型など）

　関係データベースの表、行、列は、関係モデルでは関係、組、属性に対応しています。関係データベースの列が表を定義するうえで並び順に意味がないように、**関係モデルの属性も順番を入れ替えても同じ関係を表します。**

また、**ある属性がとりうる整数型・文字型といったデータの種類を表すデータ型**のことを定義域といいます。関係内の異なる属性において、定義域は重複してもかまいませんが、属性に同じ名前を付けることはできません。また、属性には必ず名前を付ける必要があります。

スキーマ

　データベースのデータ構造や性質、形式などの定義をスキーマといいます。コンピュータにデータベースを作るときは、このスキーマに従います。例えば、**関係データベース（RDB）のスキーマは、データを行と列で表し、データ同士の関連を定義**しています。

３層スキーマ

　同じデータベースを、内部スキーマ・概念スキーマ・外部スキーマという３つの異なる階層に分けて定義する考え方を３層スキーマといいます。スキーマを分けて定義することで、データベースの設計や管理を効率的に行い、データの独立性を確保し、変更の影響を最小限に抑えます。例えば、**データの物理的な格納構造を変えたとしても、アプリケーションに影響を与えずに済む**というメリットがあります。

種類	説明
内部スキーマ	データが**物理的にどのように格納されるか**を定義
概念スキーマ	データベース全体の**論理的な構造**を定義
外部スキーマ	**利用者やアプリケーションから見たデータベースのビュー**を提供

ココが試験に出る！

- 関係モデルの属性：並び順に意味はなく、順番を入れ替えても同じ関係を表す
- 関係データベース：データを表形式で表現
- スキーマ：データベースの構造や性質、形式などを定義したもの
- ３層スキーマのメリット：データの物理的な格納構造を変えたとしても、アプリケーションに影響を与えずに済む

試験問題にチャレンジ

問題❶

関係モデルの属性に関する説明のうち，適切なものはどれか。

ア 関係内の属性の定義域は重複してはならない。

イ 関係内の属性の並び順に意味はなく，順番を入れ替えても同じ関係である。

ウ 関係内の二つ以上の属性に，同じ名前を付けることができる。

エ 名前をもたない属性を定義することができる。

正解 **イ**

解説 属性は、表の列に相当します。並び順を変えても意味は変わりません。

ア データ型が同じ属性が複数あっても問題ないため誤りです。

ウ 属性の名前は重複してはいけないため誤りです。

エ 属性には必ず名前を付ける必要があるため誤りです。

問題❷

関係データベースのデータ構造の説明として，適切なものはどれか。

ア 親レコードと子レコードをポインタで結合する。

イ タグを用いてデータの構造と意味を表す。

ウ データと手続を一体化（カプセル化）してもつ。

エ データを2次元の表によって表現する。

正解 **エ**

解説 関係データベースは、データを表形式で表します。

ア 階層型データベースの説明です。

イ マークアップ言語の説明です。

ウ オブジェクト指向でのクラスの説明です。

Chapter **8** データベース

問題❸

RDBMSにおけるスキーマの説明として，適切なものはどれか。

ア 実表ではない，利用者の視点による仮想的な表である。

イ データの性質，形式，他のデータとの関連などのデータ定義の集合である。

ウ データの挿入，更新，削除，検索などのデータベース操作の総称である。

エ データベースの一貫性を保持するための各種制約条件の総称である。

正解　イ

解説 スキーマは、データベースの構造や性質、形式などの定義のことです。

ア ビューの説明です。

ウ SQLの説明です。

エ 整合性制約の説明です。

問題❹

DBMSが，3層スキーマアーキテクチャを採用する目的として，適切なものはどれか。

ア 関係演算によって元の表から新たな表を導出し，それが実在しているように見せる。

イ 対話的に使われるSQL文を，アプリケーションプログラムからも使えるようにする。

ウ データの物理的な格納構造を変更しても，アプリケーションプログラムに影響が及ばないようにする。

エ プログラム言語を限定して，アプリケーションプログラムとDBMSを緊密に結合する。

正解　ウ

解説 スキーマを3層に分けて定義することで、データの独立性を確保し、変更の影響を最小限に抑えます。

ア 外部スキーマであるビューを使う目的の説明です。

イ 埋込み型SQLを使う目的の説明です。

エ アプリケーションとDBMSを密接に結合ではなく、分離させることが目的です。

テクノロジ系　　⏰ **15**分　　👉 ★ ★ ★

02 関係データベース

関係データベースの構成について学ぼう

・関係データベースの表・行・列を理解しよう。
・主キーの定義、制約について理解しよう。
・外部キーの定義、制約について理解しよう。

関係データベースの構成

　先述した３種類のデータベースのうち、最も広く使われているのは関係データベースです。関係データベースは、次のような**マス目形式でデータを管理**します。これを**表（テーブル）**といいます。また、**表の１行に入力されている１件分のデータを行（レコード）**、**１列に入力されている同じ項目のデータを列（フィールド）**といいます。

学生

学籍番号	氏名	クラス
001	山田太郎	1C
002	田中一郎	2A	←── 行
003	高橋和子	3E
004	後藤　正	2B
005	斉藤美香	2A

　　　　　　　┗━ 列

主キー

　表から目的のデータを探すためには、1件1件のデータである行が識別できるようになっていなくてはなりません。行の識別は列の項目で行うので、「データの値が空でなく、なおかつ決して重複しない列」が必要になります。

　例えば、前述の"学生"表では「学籍番号」がその列にあたります。「氏名」の列でも個々の行を識別できそうですが、同姓同名の人がいた場合に識別できません。

　重複がない状態のことを一意といい、行を一意に識別するための列を主キーといいます。このように、値が空でなく、なおかつほかの行と重複しないという制約を、主キー制約といいます。

外部キー

　関係データベースの表同士は、キーを介して関連付けられています。例えば、次の表で、"学生資格取得"表の「資格コード」は"資格"表の「資格コード」と同じものです。

学生資格取得

学籍番号	資格コード	取得日
002	J01	2019/06
002	J02	2019/12
003	J01	2018/06
004	J01	2019/06

資格

資格コード	資格名
J01	ITパスポート
J02	基本情報
J03	応用情報

外部キー　　　　関連付けられている　　　　主キー

　表の列のうち、ほかの表の主キーとしても使われている列を外部キーといいます。

　上の例の場合、「資格コード」の列は、"学生資格取得"表の外部キーであり、同時に"資格"表の主キーです。このとき、"資格"表に存在しない資格を学生が取得できてしまうとデータに矛盾が生じてしまうため、"学生資格取得"表のレコードには"資格"表に存在しない資格コードを指定することはできません。

　このように、関係する表同士でレコード間の参照の整合性を維持する制約を参照制約といいます。外部キーを定義する目的は、参照制約をもたせることでデータに矛盾がないようにすることです。

SQL文では、**FOREIGN KEY** と **REFERENCES** を用いて参照制約を設定します。「FOREIGN KEY」は外部キー、「REFERENCES」は参照という意味です。P.306の表の外部キーに対して参照制約を設定するには、次のように記述します。

> FOREIGN KEY（資格コード）REFERENCES 学生資格取得（資格コード）

- 主キー：行を一意に識別できる列、重複せず空でない
- 外部キー：ほかの表の主キーを参照する列

Chapter

8

データベース

307

問題❶

関係データベースの主キー制約の条件として，キー値が重複していないことの他に，主キーを構成する列に必要な条件はどれか。

ア　キー値が空でないこと

イ　構成する列が一つであること

ウ　表の先頭に定義されている列であること

エ　別の表の候補キーとキー値が一致していること

正解　ア

解説 主キー制約の条件は、重複せず空でないことです。

イ　複数の列から構成される主キーもあるので誤りです。

ウ　必ずしも先頭の列である必要はないため誤りです。

エ　主キー制約ではなく参照制約の説明のため誤りです。

問題❷

関係データベースにおいて，外部キーを定義する目的として，適切なものはどれか。

ア　関係する相互のテーブルにおいて，レコード間の参照一貫性が維持される制約をもたせる。

イ　関係する相互のテーブルの格納場所を近くに配置することによって，検索，更新を高速に行う。

ウ　障害によって破壊されたレコードを，テーブル間の相互の関係から可能な限り復旧させる。

エ　レコードの削除，追加の繰返しによる，レコード格納エリアのフラグメンテーションを防止する。

正解　ア

解説 外部キーを定義することで、表同士のデータ参照の整合性を維持する外部キー（参照）制約をもたせることができます。

03 表の操作

関係データベースでの 表の操作について学ぼう

・選択と射影について学ぼう。
・表の結合について学ぼう。
・ソートマージ結合法について学ぼう。

選択と射影

　関係データベースでは、表の操作によって必要なデータを抽出できる仕組みになっています。表の操作には、いくつかの種類があります。それらのうち**表から必要な行だけを抽出する操作**を選択、**必要な列だけを抽出する操作**を射影といいます。

書籍ID	書籍名	著者
B001	好きです川崎、愛の街	大島　僚
B002	サッカー観戦のススメ	小林悠子
B003	多様性の科学	中村　憲
B004	ワールドカップ観戦記	谷口　彰
B005	失敗の本質	小林悠子

選択（条件：著者が「小林悠子」の書籍）

B002	サッカー観戦のススメ	小林悠子
B005	失敗の本質	小林悠子

射影（条件：「書籍名」のみ）

好きです川崎、愛の街
サッカー観戦のススメ
多様性の科学
ワールドカップ観戦記
失敗の本質

複数の表からデータを抽出することもできます。例えば、次のような2つの表があるとします。

学生

学籍番号	氏名	クラス
001	山田太郎	1C
002	田中一郎	2A
003	高橋和子	3E
004	後藤　正	2B
005	斉藤美香	2A

学生資格取得

学籍番号	資格コード	取得日
002	J01	2019/06
002	J02	2019/12
003	J01	2018/06
004	J01	2019/06

「どのクラスの学生が資格を取得しているのか」を抽出したい場合、どちらか一方の表だけでは情報が足りません。このようなときは、**複数の表から条件に合致する列を取り出した上で、組み合わせて新しい表を作る操作**の結合を行います。

学生

学籍番号	氏名	クラス
001	山田太郎	1C
002	田中一郎	2A
003	高橋和子	3E
004	後藤　正	2B
005	斉藤美香	2A

学生資格取得

学籍番号	資格コード	取得日
002	J01	2019/06
002	J02	2019/12
003	J01	2018/06
004	J01	2019/06

学籍番号の値が一致するデータを結合

学籍番号	氏名	クラス	資格コード	取得日
002	田中一郎	2A	J01	2019/06
002	田中一郎	2A	J02	2019/12
003	高橋和子	3E	J01	2018/06
004	後藤　正	2B	J01	2019/06

ソートマージ結合法

　結合する列の値で並べ替えたそれぞれの表の行を、**先頭から順に結合する方法**を、ソートマージ結合法といいます。前述の"学生"表、"学生資格取得"表の結合例では、学籍番号が結合列です。学籍番号を昇順にソートした状態で２つの表を結合すると、**先頭から順々に等しい学籍番号を探せるため、効率よく結合する**ことができます。

ココに
気をつけて! 表に対して行 (レコード) を追加することを、**挿入**といいます。これまでに見てきた選択や射影などの操作とは違い、**挿入では表のデータが変更される**ことに注意しましょう。

ココが試験に出る!

・選択：検索条件に合う行を抽出
・射影：検索条件に合う列を抽出
・結合：複数の表から条件に合致する列を取り出して、新しく１つの表を作る
・ソートマージ結合法：結合する列で並べ替えた表の行を、先頭から順に結合する

試験問題にチャレンジ

問題❶

関係モデルにおいて表Xから表Yを得る関係演算はどれか。

X

商品番号	商品名	価格	数量
A01	カメラ	13,000	20
A02	テレビ	58,000	15
B01	冷蔵庫	65,000	8
B05	洗濯機	48,000	10
B06	乾燥機	35,000	5

Y

商品番号	数量
A01	20
A02	15
B01	8
B05	10
B06	5

ア 結合 (join)

イ 射影 (projection)

ウ 選択 (selection)

エ 併合 (merge)

正解　イ

解説 表Xから列「商品番号」「数量」だけを抜き出したものが表Yです。表から特定の列を取り出す操作は、射影です。

04 データの正規化

データの正規化について学ぼう

- 非正規形から第3正規形までの流れを理解しよう。
- 関係従属について理解しよう。
- 正規化のメリット、デメリットを理解しよう。

正規化とは

　関係データベースでは、表を組み合わせてデータを管理します。そのため、それぞれの表にデータが追加、更新、削除されたときには、関連する表のデータに重複や矛盾が生じないように反映させる必要があります。**正しくデータが管理できるような表を作ることを**正規化**といいます。正規化することで、データベースからデータの重複や矛盾を取り除くことができます。**

　正規化には、第1正規化から第3正規化まであり、次の段階に分けて進められます。

非正規形	第1正規形	第2正規形	第3正規形
繰返し項目がある	繰返し項目を取り除く	主キーによってほかの項目が決まるように分別	主キー以外の項目によっても決定される項目を分別

非正規形

　次の表は学生の資格取得状況を管理している表です。この表では、1人の学生が複数の資格を取得しているため、「資格コード」「資格名」「取得日」に複数のデータが存在しています。このような**繰返し構造をもつ表**を**非正規形**といい、**関係データベースでは管理することができません。**

学籍番号	氏名	クラス	担任	資格コード	資格名	取得日	
002	田中一郎	2A	鬼木　勝	J01	ITパスポート	2019/06	繰返し
				J02	基本情報	2019/12	
003	高橋和子	3E	寺田　修	J01	ITパスポート	2018/06	
004	後藤　正	2B	吉田勇気	J01	ITパスポート	2019/06	

第1正規形

　そこで、「資格コード」「資格名」「取得日」のデータごとに1つずつレコードを作成します。このように**繰返しを取り除いた表**を**第1正規形**といいます。これで、**関係データベースの表として使える形になりました。**

学籍番号	氏名	クラス	担任	資格コード	資格名	取得日
002	田中一郎	2A	鬼木　勝	J01	ITパスポート	2019/06
002	田中一郎	2A	鬼木　勝	J02	基本情報	2019/12
003	高橋和子	3E	寺田　修	J01	ITパスポート	2018/06
004	後藤　正	2B	吉田勇気	J01	ITパスポート	2019/06

第2正規形

　しかし、第1正規形の表は、このままでは使い勝手がよくありません。例えば、資格が新設された場合には、その資格を表に追加しようと思っても、誰か学生がその資格を取得するまでは追加できません。また、「ITパスポート」という資格名が変更になった場合には、すべての資格名をいちいち変更しなければなりません。

　こういった問題を解決するためには、**ある項目が決まればほかの項目も決まるようになっている列同士を、新しく表として分割します。**前出の第1正規形の表では、「学籍番号」が決まると、「氏名」「クラス」「担任」が決まります。同様に、「資格コード」が決まると、「資格名」が決まるので、それぞれ別の表にします。このように、**主キーによって項目が決まるように分割された表**を**第2正規形**といいます。

第2正規形①

学籍番号	氏名	クラス	担任
002	田中一郎	2A	鬼木 勝
003	高橋和子	3E	寺田 修
004	後藤 正	2B	吉田勇気

第2正規形②

資格コード	資格名
J01	ITパスポート
J02	基本情報

"第2正規形②"表では、主キーである「資格コード」が決まれば「資格名」が決まります。このように、**ある項目の値が決まると、ほかの項目の値が一意に決まる関係**を関数従属といいます。

また、**主キーは1つの列だけとは限りません。2つ以上の列の組合せになること**もあります。「取得日」については、「どの学生のどの資格か」によって決まります。つまり、**主キーは「学籍番号」＋「資格コード」の組合せ**となります。よって、さらに次のように分割します。

第2正規形③

学籍番号	資格コード	取得日
002	J01	2019/06
002	J02	2019/12
003	J01	2018/06
004	J01	2019/06

このように3つの表に分割したことで、新しい資格が新設された場合、誰も取得していなくても"第2正規形②"表の資格表に事前に追加しておくことができるようになります。また、資格名が変更になった場合にも、資格表の資格名を1箇所変更するだけで、学生の全データに反映させることができます。

第3正規形

"第2正規形①"表では、主キーである「学籍番号」が決まれば「クラス」が決まり、主キーではない「クラス」が決まれば「担任」が決まります。こういった、**ある項目の値が決まるとほかの項目の値が一意に決まり、その値が決まるとほかの値が一意に決まる関係**を、推移的関数従属といいます。

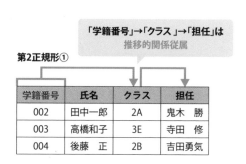

「学籍番号」→「クラス」→「担任」は
推移的関係従属

第2正規形①

学籍番号	氏名	クラス	担任
002	田中一郎	2A	鬼木　勝
003	高橋和子	3E	寺田　修
004	後藤　正	2B	吉田勇気

　この**推移的関数従属がない状態にした表**が、第3正規形です。そこで、この部分を別表に分割します。

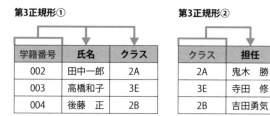

第3正規形①

学籍番号	氏名	クラス
002	田中一郎	2A
003	高橋和子	3E
004	後藤　正	2B

第3正規形②

クラス	担任
2A	鬼木　勝
3E	寺田　修
2B	吉田勇気

　このように、**レコードの項目すべてが、主キーのみで決まるように分割された、推移的関数従属がない状態の表**を第3正規形といいます。第2正規形②③の表は、主キー以外で決定される項目は存在しないため、すでに第3正規形の条件を満たしているといえます。こうして第3正規化までを行って得られた表は、次のようになります。

学生

学籍番号	氏名	クラス
002	田中一郎	2A
003	高橋和子	3E
004	後藤　正	2B

担任

クラス	担任
2A	鬼木　勝
3E	寺田　修
2B	吉田勇気

資格

資格コード	氏名
J01	ITパスポート
J02	基本情報

学生資格取得

学籍番号	資格コード	取得日
002	J01	2019/06
002	J02	2019/12
003	J01	2018/06
004	J01	2019/06

関係データベースは、正規化を進めることで、データの重複や矛盾を排除し更新時のトラブルを回避することができます。 ただし、いくつもの表に切り分けることになるので、**必要なデータを取り出すためには表の結合が必要となり、アクセス効率は低下します。**

- 関数従属：ある項目の値が決まると、ほかの項目の値が一意に決まる関係
- 推移的関数従属：ある項目の値が決まるとほかの項目の値が一意に決まり、その値が決まるとほかの値が一意に決まる関係
- 第3正規形まで正規化をする目的：データの重複や矛盾を排除し更新時の異常を防ぐため

Chapter

8

データベース

試験問題にチャレンジ

　6行だけから成る"配送"表において成立している関数従属はどれか。ここで, X→Yは, XはYを関数的に決定することを表す。

配送

配送日	部署ID	部署名	配送先	部品ID	数量
2016-08-21	300	第二生産部	秋田事業所	1342	300
2016-08-21	300	第二生産部	秋田事業所	1342	300
2016-08-25	400	第一生産部	名古屋工場	2346	300
2016-08-25	400	第一生産部	名古屋工場	2346	1,000
2016-08-30	500	研究開発部	名古屋工場	2346	30
2016-08-30	500	研究開発部	川崎事業所	1342	30

ア　配送先 → 部品ID

イ　配送日 → 部品ID

ウ　部署ID → 部品ID

エ　部署名 → 配送先

正解　ア

|解説| 関数従属とは、ある列の値によってほかの列の値が一意に決まる関係です。"配送"表を見ると、「配送先」の値によって、「部品ID」の値が一意に決まっています。

Chapter 8

05 SQLの基本

SQLの代表的な命令文を学ぼう

- SELECT文の基本的な構文を理解しよう。
- あいまい検索の構文を理解しよう。
- 表を結合する構文を理解しよう。

SQLとは

　SQL（エスキューエル）は**関係データベースを扱うための言語**です。「選択」「射影」「結合」など、表からデータを抽出する場合などで使います。SQLは**英語をベースにした単純な文法の命令文**で記述します。データベースを操作するための命令文の中で、よく使う主なものを見ていきましょう。

SELECT文

　関係データベースの**表から必要なデータを抽出する**には、SELECT（セレクト）文を使います。

基本形

　SELECT文では、「**どの表から**」「**どの列を**」「**どのような条件で**」抽出するかを指定します。複数の列名、表名を指定するときには、それぞれ半角コンマ (,) でつなぎ、複数の条件式はANDまたはORでつなぎます。

```
SELECT  列名     →   どの列を抽出するかを指定
FROM    表名     →   どの表から抽出するかを指定
WHERE   条件式   →   どのような条件で抽出するかを指定
```

それでは、実際にSELECT文を使ってデータを抽出してみましょう。

列を抽出する（FROM）

次の"学生"表から「氏名」列を抽出してみます。

SELECT 氏名 FROM 学生

学生

学籍番号	氏名	クラス
001	山田太郎	1C
002	田中一郎	2A
003	高橋和子	3E
004	後藤　正	2B
005	斉藤美香	2A

実行結果

氏名
山田太郎
田中一郎
高橋和子
後藤　正
斉藤美香

すべての列を抽出する（*）

すべての列を抽出するときは、列名に「*（半角アスタリスク）」を記述します。

SELECT * FROM 学生

学生

学籍番号	氏名	クラス
001	山田太郎	1C
002	田中一郎	2A
003	高橋和子	3E
004	後藤　正	2B
005	斉藤美香	2A

実行結果

学籍番号	氏名	クラス
001	山田太郎	1C
002	田中一郎	2A
003	高橋和子	3E
004	後藤　正	2B
005	斉藤美香	2A

条件で絞り込む（WHERE）

　条件を満たすデータだけを抽出するには WHERE 句を付けます。条件には、比較演算子や論理演算子を使うことができます。

	構文	例	意味
比較演算子	A = B	価格 = 100	価格が 100 円である
	A <> B	価格 <> 100	価格が 100 円でない
	A > B	価格 > 100	価格が 100 円より大きい
	A < B	価格 < 100	価格が 100 円より小さい
	A >= B	価格 >= 100	価格が 100 円以上
	A <= B	価格 <= 100	価格が 100 円以下
	BETWEEN A AND B	価格 BETWEEN 100 AND 200	価格が 100 円と 200 円の間
論理演算子	A AND B	価格 >= 100 AND 価格 <= 200	価格が 100 円以上 200 円以下
	A OR B	価格 = 100 OR 価格 = 200	価格が 100 円または 200 円
	NOT A	NOT 価格 = 100	価格が 100 円ではない

　"学生"表から、「クラス」が 2A のすべての行を抽出してみます。

```
SELECT * FROM 学生 WHERE クラス = '2A'
```

学生

学籍番号	氏名	クラス
001	山田太郎	1C
002	田中一郎	2A
003	高橋和子	3E
004	後藤　正	2B
005	斉藤美香	2A

→

実行結果

学籍番号	氏名	クラス
002	田中一郎	2A
005	斉藤美香	2A

あいまい検索

WHERE句で検索条件を指定するときに、LIKE演算子を使うと、**完全に文字列が一致する行だけでなく、指定した文字列を含む行を抽出する**ことができます。この検索方法を**あいまい検索**といいます。あいまい検索で条件を指定する際には、**ワイルドカード**と呼ばれる特殊な記号を指定します。代表的なものに、「**0文字以上の任意の文字列**」を表す%があります。

"学生"表から、氏名の一部に'田'を含む行をすべて抽出するSQL文

```
SELECT * FROM 学生 WHERE 氏名 LIKE '%田%'
```

学生

学籍番号	氏名	クラス
001	山田太郎	1C
002	田中一郎	2A
003	高橋和子	3E
004	後藤　正	2B
005	斉藤美香	2A

実行結果

学籍番号	氏名	クラス
001	山田太郎	1C
002	田中一郎	2A

ココに気をつけて！ 上記の例で、**田から始まる**氏名を検索する場合は「WHERE 氏名 LIKE '田%'」と記述します。その場合は「田中一郎」の行だけが出力されます。

表を結合する

関係データベースでは、表を結合してデータを抽出することもできます。"学生"表と"担任"表を結合し、「氏名」と「担任」を抽出してみます。表を結合するときには、FROMのあとに結合したい表を、コンマ (,) で区切って並べます。2つの表に同じ列名がある場合には、「表名.列名」というように、どちらの表の列を指すのかわかるように指定します。またWHERE句のあとに、結合のキーとなる列名を指定します。

```
SELECT 氏名, 担任
  FROM 学生, 担任
  WHERE 学生.クラス = 担任.クラス
```

学生

学籍番号	氏名	クラス
001	山田太郎	1C
002	田中一郎	2A
003	高橋和子	3E
004	後藤　正	2B
005	斉藤美香	2A

担任

クラス	担任
1C	大島　僚
2A	鬼木　勝
2B	吉田勇気
3E	寺田　修

実行結果

氏名	担任
山田太郎	大島　僚
田中一郎	鬼木　勝
高橋和子	寺田　修
後藤　正	吉田勇気
斉藤美香	鬼木　勝

ココに気をつけて！

上記のテーブル結合は、厳密にいうと**指定したそれぞれのテーブルの項目の値が一致するデータのみを取得する内部結合**です。WHERE句を使わずに**INNER JOIN句**を使って書くこともできます。

```
SELECT 氏名, 担任
  FROM 学生 INNER JOIN 担任 ON 学生.クラス = 担任.クラス
```

ココが試験に出る！

- SELECT文：「どの表から」「どの列を」「どのような条件で」抽出するかを指定
  （例：SELECT 列名 FROM 表名 WHERE 条件）
- あいまい検索：ワイルドカード（代表的なものは％：0文字以上の任意の文字列）
  を使う
  （例：WHERE 氏名 LIKE '％田％'）
- テーブル結合：WHERE句に共通する列名をイコールで指定
  （例：WHERE 学生.クラス＝担任.クラス）

試験問題にチャレンジ

問題❶

H25春-問29

"BOOKS"表から書名に"UNIX"を含む行を全て探すために次のSQL文を用いる。aに指定する文字列として，適切なものはどれか。ここで，書名は"BOOKS"表の"書名"列に格納されている。

SELECT * FROM BOOKS WHERE 書名 LIKE ' a '

ア %UNIX

イ %UNIX%

ウ UNIX

エ UNIX%

正解 **イ**

解説 書名に"UNIX"が含まれている行を抽出するには、0文字以上の任意の文字列にマッチする「%」を前後に付加します。

問題❷

H31春-問29

"学生"表と"学部"表に対して次のSQL文を実行した結果として，正しいものはどれか。

学生

氏名	所属	住所
応用花子	理	新宿
高度次郎	人文	渋谷
午前桜子	経済	新宿
情報太郎	工	渋谷

学部

学部名	住所
工	新宿
経済	渋谷
人文	渋谷
理	新宿

〔SQL文〕

SELECT 氏名 FROM 学生, 学部
　　　WHERE 所属 = 学部名 AND 学部.住所 = '新宿'

ア 氏名	イ 氏名	ウ 氏名	エ 氏名
応用花子	応用花子 午前桜子	応用花子 情報太郎	応用花子 情報太郎 午前桜子

解説 "学生"表と"学部"表を所属と学部名をキーにして結合すると、次の結果になります。

所属＝学部名で結合

氏名	**所属**	学生.住所	**学部名**	学部.住所
応用花子	理	新宿	理	新宿
高度次郎	人文	渋谷	人文	渋谷
午前桜子	経済	新宿	経済	渋谷
情報太郎	工	渋谷	工	新宿

このとき、学部.住所が「新宿」の行に該当するのは2行です。氏名を取り出すので、結果は「応用花子」「情報太郎」となります。

Chapter

8

データベース

06 SQLの応用

SELECT 科目, AVG(点数)
FROM 成績
GROUP BY 科目 HAVING
AVG(点数)>=70

スラスラ

SQLの応用的な使い方を学ぼう

超効率ポイント

- 合計や平均を求める集計関数を学ぼう。
- 出力結果を並べ替える方法を学ぼう。
- ビュー表の作成について学ぼう。

集計関数で集計する

　SQLでは、データをそのまま取り出すだけでなく、**集計関数**を使って、**データの集計結果を表示**することもできます。これにより、**合計値、平均値、行数**などを求めることができます。

関数	意味
SUM(列名) サム	指定した列の**合計値**を求める
AVG(列名) エーブイジー	指定した列の**平均値**を求める
COUNT(*) カウント	**行数**を求める
MIN(列名) ミン	指定した列の**最小値**を求める
MAX(列名) マックス	指定した列の**最大値**を求める

合計値・平均値を求める（SUM関数・AVG関数）

　"成績"表の「点数」列を**合計する**にはSUM関数を、**平均を計算する**にはAVG関数を使って次のように記述します。列名はそれぞれカッコで囲んで指定します。

```
SELECT SUM(点数) FROM 成績
SELECT AVG(点数) FROM 成績
```

行数をカウントする（COUNT関数）

"成績"表の行数をカウントするには、COUNT関数を指定します。

```
SELECT COUNT(*) FROM 成績
```

成績

学籍番号	科目	点数
002	数学	90
002	国語	78
002	英語	86
005	数学	100
005	国語	60
005	英語	50

→

COUNT(*)
6

最小値・最大値を調べる（MIN関数・MAX関数）

"成績"表から、科目が「数学」である点数の最小値を求めるには、MIN関数を指定します。最大値を求める場合は、MAX関数を指定します。

```
SELECT MIN(点数) FROM 成績 WHERE 科目＝'数学'
```

成績

学籍番号	科目	点数
002	数学	90
002	国語	78
002	英語	86
005	数学	100
005	国語	60
005	英語	50

→

MIN（点数）
90

Chapter

8

データベース

グループ化する（GROUP BY）

　同じ列にある項目ごとに集計したり、平均値を求めたりする場合には、まず**列の内容が同じ行をひとまとまりにします**。これをグループ化といいGROUP BY句を使います。

グループごとに平均値を求める

　"成績"表で、**科目ごとの平均点を求める**には、「科目」列をGROUP BY句でグループ化して、AVG関数を使います。

```
SELECT 科目, AVG(点数) FROM 成績 GROUP BY 科目
```

成績

学籍番号	科目	点数
002	数学	90
002	国語	78
002	英語	86
005	数学	100
005	国語	60
005	英語	50

→

科目	AVG(点数)
数学	95
国語	69
英語	68

グループ化したあとの絞込み（HAVING）

　グループ化した結果に、さらに条件を付けて絞り込むときにはHAVING句を使います。例えば、グループ化して平均点を求めたあとで、平均点が70点以上の科目のみ取り出す場合には、SELECT文の最後に、HAVING句を使って「平均点数が70点以上」という条件を指定します。

```
SELECT 科目, AVG(点数) FROM 成績
GROUP BY 科目 HAVING AVG(点数)>=70
```

成績

学籍番号	科目	点数
002	数学	90
002	国語	78
002	英語	86
005	数学	100
005	国語	60
005	英語	50

→

科目	AVG（点数）
数学	95
国語	69
英語	68

→

AVG（点数）
95

並べ替える（ORDER BY）

SELECT文では、大きい順、小さい順などにデータを並べ替えることができます。これには、ORDER BY句を使います。小さい数から大きい数の順番に並べ替えることを昇順、逆に大きい数から小さい数の順番に並べ替えることを降順といいます。

昇順に並べ替える（ASC）

点数の低い順、すなわち昇順に並べ替えるときには、ORDER BYのあとに列名と「ASC」を指定します。ORDER BY句では、降順か昇順か指定しないと自動で昇順に並べ替えられますので、ASCは省略してもかまいません。

```
SELECT * FROM 成績 ORDER BY 点数 ASC
```

降順に並べ替える（DESC）

逆に、点数の高い順、すなわち降順に並べ替えたいときは、ORDER BYのあとに列名と「DESC」を指定します。DESCは省略できません。

```
SELECT * FROM 成績 ORDER BY 点数 DESC
```

副問合せ

SELECT文は、文の中にさらにSELECT文を組み合わせた二重構造で記述することができます。このときの**内側のSELECT文**を副問合せ、**外側**を主問合せといいます。

例えば、最初に"在庫"表に問合せ（副問合せ）した結果を基に条件を指定し、"商品"表に問合せを行います。この結果、"在庫"表には存在しない商品番号を抽出できます。

```
SELECT 商品番号 FROM 商品
WHERE 商品番号 NOT IN(SELECT 商品番号 FROM 在庫)
                    副問合せ
```

商品

商品番号	商品名	単価
A001	りんご	100
A002	みかん	50
A003	もも	300
A004	メロン	500

在庫

在庫番号	商品番号	個数
Z0001	A001	50
Z0002	A003	10
Z0003	A004	5

結果

商品番号
A002

副問合せの結果

WHERE 商品番号 NOT IN (A001, A003, A004)
※NOT INは、カッコ内のもの以外という意味

ビュー表を作る（CREATE VIEW）

データをさまざまな目的に活用するときに、いちいち目的に合った表を新しく作るのは大変です。そこで、**実際に存在する表を基に、データの表示内容だけを定義した仮想的な表である**ビュー表が使われます。ビュー表を作ると、**元の表の値が更新や削除をされたときには、その変更が反映されて常に最新のデータが表示されます。**

ビュー表の作成には、CREATE VIEW文を使います。基本的な命令文の書き方は次のとおりです。

```
CREATE VIEW ビュー表名(列名…)      →  ビュー表を定義
    AS SELECT 列名  …  FROM 表名   →  参照する表と列名を指定
        WHERE 条件式               →  どのような条件で抽出するかを指定
```

例えば、"成績"表から「科目別平均点」という名前のビュー表を作成したい場合は、次のように定義します。

```
CREATE VIEW 科目別平均点 (科目, 平均点)
  AS SELECT 成績.科目, 成績.AVG (点数) FROM成績
    GROUP BY 科目
```

成績

学籍番号	科目	点数
002	数学	90
002	国語	78
002	英語	86
005	数学	100
005	国語	60
005	英語	50

科目別平均点

科目	平均点
数学	95
国語	69
英語	68

仮想的な表。
表の値が更新されると
反映される

ココが試験に出る!

- 集計関数やグループ化、並べ替えを行うSELECT文の意味がわかるようにしておこう
- 副問合せの入ったSELECT文の意味がわかるようにしておこう
- 表のデータが更新・削除された場合、ビュー表の表示がどう変化するか理解しておこう

Chapter **8** データベース

"中間テスト"表からクラスごと, 教科ごとの平均点を求め, クラス名, 教科名の昇順に表示するSQL文中のaに入れる字句はどれか。

中間テスト (クラス名, 教科名, 学生番号, 名前, 点数)

〔SQL文〕
SELECT クラス名, 教科名, AVG (点数) AS 平均点

　　　FROM 中間テスト

　　　| a |

　ア　GROUP BY クラス名, 教科名 ORDER BY クラス名, AVG(点数)
　イ　GROUP BY クラス名, 教科名 ORDER BY クラス名, 教科名
　ウ　GROUP BY クラス名, 教科名, 学生番号 ORDER BY クラス名, 教科名, 平均点
　エ　GROUP BY クラス名, 平均点 ORDER BY クラス名, 教科名

. . . .

正解　イ

解説　クラスごと、教科ごとに平均点を求めるので、GROUP BY 句の後ろにはグループ化する列である「クラス名, 教科名」が入ります。また、クラス名、教科名の昇順に表示するので、ORDER BY句の後ろには「クラス名, 教科名」が入ります。昇順なので、ASCは省略できます。

問題❷

"得点"表から，学生ごとに全科目の点数の平均を算出し，平均が80点以上の学生の学生番号とその平均点を求める。aに入れる適切な字句はどれか。ここで，実線の下線は主キーを表す。

得点（学生番号，科目，点数）

〔SQL文〕
SELECT 学生番号, AVG(点数)
FROM 得点
GROUP BY ［　　　　a　　　　］

ア 科目 HAVING AVG(点数) >= 80
イ 科目 WHERE 点数 >= 80
ウ 学生番号 HAVING AVG(点数) >= 80
エ 学生番号 WHERE 点数 >= 80

正解　ウ

解説 学生ごとに平均を算出するので、GROUP BYのあとは「学生番号」です。その上で「平均80点以上」の学生のみを抽出するのでHAVINGを使います。

Chapter
8
データベース

"商品"表のデータが次の状態のとき、〔ビュー定義〕で示すビュー"収益商品"の行数が減少する更新処理はどれか。

商品

商品コード	品名	型式	売値	仕入値
S001	T	T2003	150,000	100,000
S003	S	S2003	200,000	170,000
S005	R	R2003	140,000	80,000

〔ビュー定義〕
CREATE VIEW 収益商品
  AS SELECT * FROM 商品
    WHERE 売値 - 仕入値 >= 40000

ア 商品コードがS001の売値を130,000に更新する。
イ 商品コードがS003の仕入値を150,000に更新する。
ウ 商品コードがS005の売値を130,000に更新する。
エ 商品コードがS005の仕入値を90,000に更新する。

正解 **ア**

解説 問題にあるビュー定義から、"収益商品"表は、「売値－仕入値」つまり収益が40,000以上の商品を表示したものなので、現れるのは次の2行です。

商品コード	品名	型式	売値	仕入値
S001	T	T2003	150,000	100,000
S005	R	R2003	140,000	80,000

アは、「商品コード」がS001の商品の収益が30,000になり行数が減少するため、正解です。**イ**は、「商品コード」がS003の商品の収益が50,000になり、行数が3行に増えます。**ウ**と**エ**は、それぞれ「商品コード」がS005の商品の収益が50,000になりますが行数は変わりません。

07 データベース管理システム

 データベース管理システム（DBMS）について学ぼう

- トランザクション管理機能について理解しよう。
- 排他制御機能について理解しよう。
- 障害回復（リカバリ）機能について理解しよう。

データベース管理システム（DBMS）

　データ項目が多くなってデータベースの構造が複雑になったり、同じデータベースを使うユーザの人数が増えたり、個々人が直接データベースを操作したりすると、データの不整合や不具合が発生する可能性があります。そこで必要になってくるのが、**データベースを管理するソフトウェア**であるデータベース管理システム（DBMS：Database Management System）です。**DBMSはデータベースを効率よく利用するための機能をもったミドルウェアです。**ユーザやアプリケーションは、DBMSを介してデータベースにアクセスします。

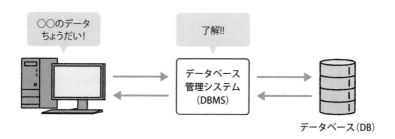

クエリ実行までの処理の流れ

　クエリとは**データベースに対する命令文**のことで、特に、**SQL文で書かれたも**
のを**SQLクエリ**といいます。DBMSが受け付けたSQLクエリを実行するまでの
流れは次のとおりです。

1. 構文解析：受け付けたSQLクエリを解析
2. 最適化：クエリを最も効率よく実行できる方法を決定
3. コード生成：最適化した方法でデータベースにアクセスするコードを生成

トランザクション管理機能

　例えば、銀行口座を管理するデータベースにおいて「銀行振込をしている最中に
障害が発生して、残高は減っているのに振込は失敗したまま」というようなことが
あっては困ります。振込が失敗したなら、残高は振込前の状態に戻さなければ、つ
じつまが合いません。このように、**途中でエラーが発生すると問題が発生する一連**
の処理をトランザクションといいます。**DBMSは、データベースに対する操作や**
処理を、1つ1つの操作単位ではなく、トランザクション単位で管理しています。

ACID特性

　トランザクション処理では、**データの一貫性を保証するために4つの要素**、
Atomicity（原子性）、Consistency（一貫性）、Isolation（独立性）、
Durability（永続性）が必要です。これをACID特性といいます。

特性	説明
Atomicity（原子性）	トランザクションが、データベースに対する更新処理を完全に行うか、まったく処理しなかったかのように**取り消すか、のいずれかを保証する**
Consistency（一貫性）	トランザクション処理の前後で、**データの矛盾がなく、常にデータベースの整合性が保たれている**
Isolation（独立性）	複数のトランザクションを**同時に実行しても、順番に実行しても結果が同じになる**
Durability（永続性）	障害が発生しても、**正常終了したトランザクションの結果は失われず復**旧できる

排他制御機能

DBMSは、データベースを複数のユーザで共有することを前提に作られています。もし**複数の人が同時に同じデータを更新しようとしたときには、それを防ぎ、データの整合性を保持**するための排他制御という機能を備えています。排他制御では、あるデータに2番目以降にアクセスした人は、最初にアクセスした人のトランザクション処理が終了するまで操作がロック（制限）されます。ロックには占有ロックと共有ロックがあります。

占有ロック（専有ロック）

データベースを**更新する際にかけるロック**で、その間、**ほかのユーザは読み取りも更新もできません**。最初にロックをかけた人だけがそのデータの使用権を独り占めする、まさにデータを「占有」した状態です。

共有ロック

データベースを**参照する際にかけるロック**で、**2番目以降のユーザも共有ロックをかければ、データを読み取ることが可能です**。共有ロックがかかっている間は、ほかの人が占有ロックをかけたり、データを更新したりすることはできません。

排他制御において、占有ロック・共有ロック時に、データがどうロックされるかが出題されています。占有ロックではほかの人は読み取りも更新もできなくなる、共有ロックではほかの人は読み取りのみ可能である、ということを念頭に、トランザクションの動きを確認しましょう。

デッドロック

　ロックは便利な方法ですが、**複数のユーザが、互いに相手がロックをかけている**
データを使いたい場合、永遠に待ち状態に陥ってしまい処理が先に進まなくなって
しまうことがあります。これをデッドロックといいます。DBMSによっては、デッ
ドロックを検知して、自動で解除する仕組みを備えているものもあります。

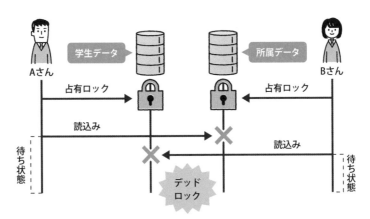

ロックの粒度

　データベース全体や表、行など、**ロックをかける単位**を、ロックの粒度といいま
す。**ロックの粒度が細かいとロック解除までの待ち時間が短く、ロックの競合が起**
こりにくくなります。ただし、**ロックの数が増えるのでメモリ使用容量が増えてし**
まうデメリットがあります。

　例えば、行単位のロックと表単位のロックを比べると、ロックの競合がより起こ
りやすいのはロックをかける範囲が広い「表単位のロック」で、メモリ使用容量が
より多く必要なのはロックをかける範囲が細かい「行単位のロック」です。

ココに気をつけて！　**行単位、表単位といったロックの粒度によって、ロックの競合頻度やメモリ使用**
容量がどう変わるかに注意しましょう。過去問では「データを更新するとき、粒度を
大きくすると、ほかのトランザクションの待ちが多くなり、全体のスループットが
低下します」を適切な選択肢として選ばせる問題が出題されています。

障害回復(リカバリ) 機能

　DBMSは、データベースで何か問題が発生してトランザクションが正常に行われなかった場合は、更新履歴を使ってデータを正常な状態に戻します。この作業を障害回復(リカバリ)といい、データの更新前後の値を書き出してデータベースの更新記録をとった ログファイル(ジャーナルファイル) を使って行います。データベースの障害回復処理には、ロールフォワードとロールバックがあります。

ロールフォワード

　データベースの故障など、物理的な障害が発生したときに行うリカバリ処理が、ロールフォワードです。バックアップ時点の状態に復元したあと、ログファイルの更新後情報を使用して、障害が発生する直前の状態までデータベースを復旧させます。

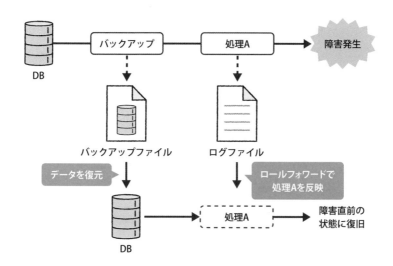

ロールバック

　トランザクション処理が途中で異常終了して、データベースに不整合が発生するなど、論理的な障害が発生したときに行う処理がロールバックです。ログファイルの更新前情報を使用して、トランザクションの開始直前の状態までデータベースを復旧させます。

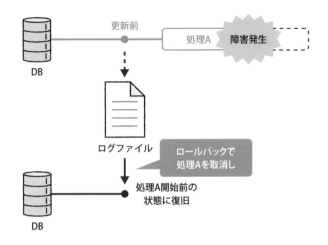

トランザクションの状態遷移

　一連の処理のまとまりであるトランザクションは、データの整合性を保つために「処理が完了する」か「処理が行われる前に戻す」状態のどちらかで終わらなくてはなりません。そのため、トランザクションの開始から終了までの状態遷移は、次の図のように変化していきます。

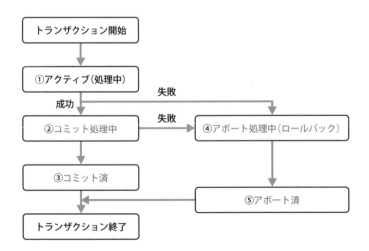

　トランザクションの処理中は①アクティブ状態になり、成功すると②コミット処理が開始され、データベース更新とともに③コミット済になります。もし、①アク

ティブ状態や②コミット処理中に不具合が起こり、処理が失敗すると、トランザクションを強制的に中断しロールバックを行う④アボート処理中に移ります。データベースがトランザクション前の状態に戻ると⑤アボート済となり、トランザクションが終了します。

ココに気をつけて！ 試験では、**トランザクションの状態遷移で取ることのない状態が出題されています**。具体的なケースとして、「④アボート処理中」→「②コミット処理中」に遷移することはありえないので、注意しましょう。

再編成機能

データベースに対して更新が繰り返されると、**データの物理的な格納位置が不規則になる**などの理由でアクセス効率が悪くなります。それを修復し、アクセス効率を向上させるための機能を再編成機能といいます。

インデックス機能

DBMSは、インデックスを使ってデータの検索を高速化する機能をもっています。インデックスとは索引のことで、**どのデータがどこにあるかを示した一覧表**です。私たちは参考書のどこに調べたい内容が載っているかを探すときに、前から1ページずつめくって探すのではなく、巻末にある索引から対象ページを絞り込んで探します。これと同じように、インデックスを使うことで、大量のデータから目的のデータを素早く検索できます。ただし、**データを頻繁に追加・更新すると、インデックスもその都度更新する必要があるため、逆に処理時間が遅くなってしまいます**。

オプティマイザ

SQL文を実行するときに、実行時間を最小化するように処理の方法を決める**DBMSの機能をオプティマイザ**といいます。例えば、データ検索のとき、テーブル全体にアクセスするのとインデックスを使って探すのと、どちらがより処理効率がよいアクセス経路かを予測して選択します。

- ACID特性：データの一貫性を保証するためのトランザクションの性質
- 原子性：トランザクション内の処理は、すべてが実行されるか、すべてが取り消されるかのいずれか
- 排他制御：最初のアクセス処理が終了するまで、2番目以降の処理を制限する機能
- デッドロック：互いに相手のロックしているデータを要求し永遠に待っている状態
- ログファイル：リカバリに使用するデータベースの更新履歴
- ロールフォワード：物理障害時にバックアップとログファイルを使って処理を復帰
- ロールバック：論理障害時にログファイルを使って処理をキャンセル
- インデックス：索引によって検索を高速化する機能
- オプティマイザ：SQL実行時、効率がよいアクセス経路を選択する機能

試験問題にチャレンジ

問題❶

図は，DBMSが受け付けたクエリを実行するまでの処理の流れを表している。①～③に入る処理の組合せとして，適切なものはどれか。

クエリ ➡ ① ➡ ② ➡ ③ ➡ 実行

	①	②	③
ア	コード生成	構文解析	最適化
イ	コード生成	最適化	構文解析
ウ	構文解析	コード生成	最適化
エ	構文解析	最適化	コード生成

正解 エ

解説 DBMSはクエリを受け付けると、クエリ→構文解析→最適化→コード生成→実行の順で処理されます。

問題❷

RDBMSの機能によって実現されるトランザクションの性質はどれか。

ア ACID特性
イ 関数従属性
ウ 候補キーの一意性
エ データ独立性

正解 ア

解説 ACID特性は、Atomicity（原子性）、Consistency（一貫性）、Isolation（独立性）、Durability（永続性）の頭文字をとったもので、トランザクションの性質を表しています。

問題❸

DBMSにおいて，複数のトランザクション処理プログラムが同一データベースを同時に更新する場合，論理的な矛盾を生じさせないために用いる技法はどれか。

ア　再編成

イ　正規化

ウ　整合性制約

エ　排他制御

正解　エ

解説 キーワードは「同時に更新」「論理的な矛盾を生じさせないために」です。この仕組みは「排他制御」です。

問題❹

ロックの粒度に関する説明のうち，適切なものはどれか。

ア　データを更新するときに，粒度を大きくすると，他のトランザクションの待ちが多くなり，全体のスループットが低下する。

イ　同一のデータを更新するトランザクション数が多いときに，粒度を大きくすると，同時実行できるトランザクション数が増える。

ウ　表の全データを参照するときに，粒度を大きくすると，他のトランザクションのデータ参照を妨げないようにできる。

エ　粒度を大きくすると，含まれるデータ数が多くなるので，一つのトランザクションでかけるロックの個数が多くなる。

正解　ア

解説 ロックするデータ範囲の大きさを、ロックの粒度といいます。ロックの粒度を大きくすると、ほかのトランザクションのロック解除待ちが増え、全体のスループットが低下します。

問題❺　　　　　　　　　　　　　　　　　　　H30 秋 - 問 30

　データベースが格納されている記憶媒体に故障が発生した場合，バックアップファイルとログを用いてデータベースを回復する操作はどれか。

ア　アーカイブ

イ　コミット

ウ　チェックポイントダンプ

エ　ロールフォワード

正解　エ

解説　故障発生時に、バックアップファイルとログファイルを用いてデータベースを復旧する作業は、ロールフォワードです。

問題❻　　　　　　　　　　　　　　　　　　　H30 春 - 問 29

　データベースの更新前や更新後の値を書き出して，データベースの更新記録として保存するファイルはどれか。

ア　ダンプファイル

イ　チェックポイントファイル

ウ　バックアップファイル

エ　ログファイル

正解　エ

解説　データベースの更新履歴を保存したファイルは、ログファイルです。

Chapter 8

08 データベースの応用技術

超効率ポイント

データベースを応用した技術について学ぼう

- 分散データベースとは何かを理解しよう。
- 分散データベースの透過性について理解しよう。
- 2相コミットとは何かを理解しよう。

分散データベース

　データベースでは顧客データや取引データなど、大事なデータを大量に管理しています。データを1つの場所だけで管理していると、もし火災や地震などの災害が発生した場合には、すべてのデータが失われて取り返しがつかなくなる可能性があります。そこで現在は、**データを遠隔地にある複数のデータベースに分散させて管理**する分散データベースが利用されています。

透過性

　分散データベースでは、データ自体はあちこちの場所に分散していますが、あたかも1つのデータベースとして取り扱えるようになっています。そのため、ユーザやアプリケーションプログラムは、**データベースが分散されていることを意識することなく利用できます。これを分散データベースの透過性といいます。

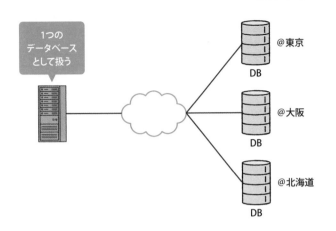

2相コミット

　分散データベースの透過性を実現するには、**複数のデータベースのデータに矛盾が生じないように、トランザクションが終わるたびに同期をとる必要があります。**一連のトランザクション処理を行う**複数の拠点に更新処理が確定可能かどうかを問い合わせて、すべて確定可能なら更新処理を確定する方式を2相コミット**といいます。

　試験問題では、拠点のことをサイトと表現することがあります。

- 2相コミット：一連のトランザクション処理を行う複数拠点に問合わせ、すべて可能であれば更新処理を確定する

試験問題にチャレンジ

問題❶

H29春-問28

分散データベースシステムにおいて，一連のトランザクション処理を行う複数サイトに更新処理が確定可能かどうかを問い合わせ，全てのサイトが確定可能である場合，更新処理を確定する方式はどれか。

ア　2相コミット

イ　排他制御

ウ　ロールバック

エ　ロールフォワード

正解　ア

解説 サイトとは、分散データベースが置かれている拠点のことです。分散データベースでは、データを更新するときに、複数の拠点に問い合わせて更新処理を確定します。この方式を2相コミットといいます。

Chapter

9

基礎理論

テクノロジ系

コンピュータシステム

技術要素

開発技術

マネジメント系

プロジェクト
マネジメント

サービスマネジメント

システム戦略

ストラテジ系

経営戦略

企業と法務

解説動画 ▶

ネットワーク

本章の学習ポイント

- ネットワーク通信は、OSI基本参照モデルの7階層で構成される。
- リピータは物理層、ブリッジはデータリンク層、ルータはネットワーク層で動作する。
- トランスポート層で動作するプロトコルにTCPとUDPがある。
- IPアドレスには、グローバルIPアドレス、プライベートIPアドレス、ループバックアドレスの3つがある。
- データ送信の誤り検出には、パリティチェック、ハミング符号方式、CRCがある。

01 LANとWAN

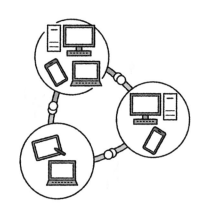

**LANとWANについて
学ぼう**

- LANとWANの違いを理解しよう。
- LANのアクセス制御方式を理解しよう。
- WANのサービスの仕組みを理解しよう。

LANは小規模ネットワーク

　コンピュータとコンピュータを接続したものをネットワークといいます。中でも、家庭内や会社内など、同じ建物の中のような狭い空間に構成される小さな規模のネットワークをLAN (Local Area Network) といいます。LANに接続したコンピュータ間では、ネットワーク経由でデータをやり取りしたり、プリンタや記憶装置を共有したりすることができます。LANは、ケーブルで接続する有線LANと電波を使って接続する無線LANがあります。

有線LAN

　有線LANは、**LANケーブルを使って接続**します。また、LANケーブルには、ツイストペアケーブルや光ケーブルを使います。メリットとして、無線LANに比べて通信が安定することが挙げられます。有線LANの代表的な通信規格にはイーサネット (Ethernet) があり、IEEE802.3として定められています。

　複数の端末が接続するLANでは、**どの端末に優先してデータ送信させるかを決**

める**ルール**が必要です。これを**アクセス制御方式**といいます。

CSMA/CD方式

有線LANのアクセス制御方式に シーエスエムエイシーディー **CSMA/CD方式**があります。これは、**データ を送信中にほかの端末とバッティングして信号の衝突を検出した場合、お互いにし ばらく待ってタイミングをずらして再送する方式**です。端末の台数が増えると、衝 突回数が増えて待つ時間が多くなるため、処理速度が低下します。

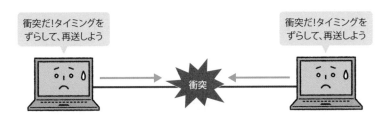

衝突だ!タイミングを
ずらして、再送しよう

衝突

衝突だ!タイミングを
ずらして、再送しよう

無線 LAN

無線LANは、**電波などを使って無線で接続**します。ケーブルを接続しないため、 電波が届く範囲であれば自由に端末を移動できますが、壁や電化製品などの影響で 通信が不安定になるデメリットもあります。

無線LANの通信規格は、 アイトリプルイーハチマルニーテンイチ **IEEE802.11**として定められています。Wi-Fiとは、 この規格を認証している業界団体が定めたブランド名です。無線LANでは、有線 と違って物理的なケーブルの差し込み口がないので、 エスエスアイディー **SSID**と呼ばれる**無線LAN のネットワーク識別子**を使って、どの無線LANに接続するかを選択します。

CSMA/CA方式

無線LANでは、通常 2.4GHz帯や 5GHz帯といった周波数帯域が使用され、 さらに細分化されたチャネルごとに分けて通信しています。**同じチャネルを複数の 端末が同時に使用すると、電波の干渉が発生して通信品質が低下するため、** シーエスエムエイシーエイ **CSMA/CA方式**というアクセス制御方式が採用されています。この方式では、**送 信前にチャネルが空いていることを確認してからデータを送信**します。もしチャネ ルがほかの端末によって使用中の場合は、その通信が終了するのを待ってからデー タを送信します。

Chapter

9

ネットワーク

WANは広域ネットワーク

LANは狭い域内用のネットワークでした。それに対して、WAN（Wide Area Network）は、**地理的に離れた場所にあるLAN同士を接続した広域ネットワーク**です。WANを構築する場合には、私有地を越えて勝手にケーブルを敷設することはできないため、NTTやKDDIといった**電気通信事業者によって提供される電気通信サービスを利用**します。インターネットは、世界規模で実現されているWANであるともいえます。

WANサービスは、接続と通信の形態によって分類できます。代表的なものを説明します。

専用線方式

専用線方式では、**接続したいLAN同士や端末同士を、専用の通信回線で接続**します。回線を独り占めできるので、セキュリティが高く、通信速度は安定します。決まった相手先と大量のデータを交換する場合に利用され、通信料金は、距離や通信速度によって決まります。

本社　　1対1で接続　　支社

パケット交換方式

データをパケットと呼ばれる小さな単位に分割し、共有回線を経由して相手に送る方式がパケット交換方式です。パケット交換方式では、複数の端末が回線を共有することができるため効率的ですが、通信速度は遅くなります。通信費用は、パケット単位での従量制か、固定料金制です。

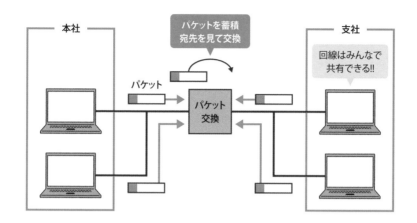

VPN

VPN (Virtual Private Network) は、暗号化や認証技術を用いて**インター
ネットや通信事業者の回線上に仮想の専用回線をつくる技術**です。特に、**インター
ネットを使用**するものを**インターネット VPN**、**通信事業者の閉域網**を使用するも
のを**IP-VPN** といいます。

企業の拠点間を結ぶWANを構築する際にVPNを利用することで、低コストで安
全なネットワーク環境を構築することができます。また、テレワークなどで従業員
が自宅から企業LANへのリモートアクセスを行う際にも、VPNが使われています。

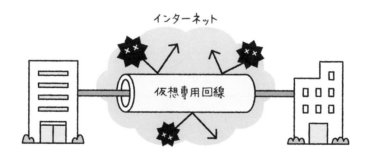

モバイル通信サービス

モバイル通信サービスは、携帯電話会社の設備や回線を使ってインターネットに
接続するサービスです。利用者は、契約時に提供されるSIMカードと呼ばれる小
さなチップを携帯電話やスマートフォンに差し込んで利用します。e-SIM

(embedded SIM) に対応した機種では、**物理的なSIMカードなしで接続情報を端末に設定して利用可能**です。

また、テザリングに対応したスマートフォンを使えば、**スマートフォン経由でほかのデバイスをインターネットに接続する**ことができます。

LTE

LTE（Long Term Evolution）は、**携帯電話網で使用されている通信規格の名称**で、これまでの1G、2G、3Gに続く**4G（第四世代移動通信システム）**として位置付けられています。スマートフォンやタブレットなどのデバイスが高速で安定したインターネット接続を行うための技術として設計され、**数十Mbpsの通信速度を実現**しています。現在では、さらに高速な次世代の5Gも徐々に普及してきています。

- CSMA/CD方式：データ送信中に衝突を検知したら、ランダムな時間待って再送
- VPN：インターネットや通信事業者の回線上に、仮想の専用回線をつくる技術
- テザリング：自端末を経由して、ほかのデバイスをインターネットに接続する機能
- LTE：携帯電話網で使用されている4Gの通信規格

試験問題にチャレンジ

問題❶

イーサネットで使用されるメディアアクセス制御方式であるCSMA/CDに関する記述として，適切なものはどれか。

ア それぞれのステーションがキャリア検知を行うとともに，送信データの衝突が起きた場合は再送する。

イ タイムスロットと呼ばれる単位で分割して，同一周波数において複数の通信を可能にする。

ウ データ送受信の開始時にデータ送受信のネゴシエーションとしてRTS/CTS方式を用い，受信の確認はACKを使用する。

エ 伝送路上にトークンを巡回させ，トークンを受け取った端末だけがデータを送信できる。

正解　ア

解説 ステーションとは端末、キャリア検知とは信号という意味です。CSMA/CD方式では、各端末が回線の信号を検知し、送信データの衝突を検知したら再送する仕組みです。

イ TDMA (Time Division Multiple Access) の説明です。

ウ 無線LANで採用されているCSMA/CAの説明です。

エ トークンパッシング方式の説明です。

問題❷

無線LANで用いられるSSIDの説明として，適切なものはどれか。

ア 48ビットのネットワーク識別子であり，アクセスポイントのMACアドレスと一致する。

イ 48ビットのホスト識別子であり，有線LANのMACアドレスと同様の働きをする。

ウ 最長32オクテットのネットワーク識別子であり，接続するアクセスポイントの選択に用いられる。

エ 最長32オクテットのホスト識別子であり，ネットワーク上で一意である。

正解　ウ

解説 SSIDは、無線LANの接続先を選ぶためのネットワーク識別子です。

ア 48ビット固定ではなく、最長32オクテットなので誤りです。

イ ホスト識別子ではないので誤りです。

エ ホスト識別子ではないので誤りです。

問題❸ H26春-問74

携帯電話端末の機能の一つであるテザリングの説明として，適切なものはどれか。

ア 携帯電話端末に，異なる通信事業者のSIMカードを挿して使用すること

イ 携帯電話端末をモデム又はアクセスポイントのように用いて，PC，ゲーム機などから，インターネットなどを利用したデータ通信をすること

ウ 契約している通信事業者のサービスエリア外でも，他の事業者のサービスによって携帯電話端末を使用すること

エ 通信事業者に申し込むことによって，青少年に有害なサイトなどを携帯電話端末に表示しないようにすること

正解 **イ**

解説 テザリング対応の携帯電話端末経由で、インターネット接続が可能になります。

ア SIMフリーの説明です。以前は、通信事業者が提供する携帯電話端末は、その事業者のSIMカードでしか動作しないように設定されていました。そのため、SIMフリーにするためには、端末に対してSIMロック解除の操作が必要でした。

ウ ローミングの説明です。

エ フィルタリングサービスの説明です。

問題❹ H30秋-問35

携帯電話網で使用される通信規格の名称であり，次の三つの特徴を持つものはどれか。

(1) 全ての通信をパケット交換方式で処理する。

(2) 複数のアンテナを使用するMIMOと呼ばれる通信方式が利用可能である。

(3) 国際標準化プロジェクト3GPP（3rd Generation Partnership Project）で標準化されている

ア LTE（Long Term Evolution）

イ MAC（Media Access Control）

ウ MDM（Mobile Device Management）

エ VoIP（Voice over Internet Protocol）

正解 **ア**

解説 携帯電話網で使用される通信規格は、選択肢の中では LTE のみが当てはまります。

イ LAN のアクセス制御の仕組みです。

ウ 従業員などに支給した複数のモバイル端末を遠隔から一元管理する仕組みです。

エ 音声データを IP ネットワーク上に流すための技術です。

Chapter

9

ネットワーク

02 通信プロトコル

 通信プロトコルに
ついて学ぼう

- 通信プロトコルとは何かを理解しよう。
- OSI基本参照モデルを理解しよう。
- OSI基本参照モデルの各層の役割を理解しよう。

通信プロトコルとは

　離れた場所にあるコンピュータ同士が、ネットワークを使って通信をするには、約束事が必要です。具体的には、**どのような経路や信号を使うか、どのように通信相手を見つけるか、どのような手順で通信するかといった取り決め**です。これを通信プロトコル、または単にプロトコルといいます。

　コンピュータ同士がやり取りを行うためには、お互いに同じプロトコルを使います。プロトコルが異なると、正しいやり取りが行えません。

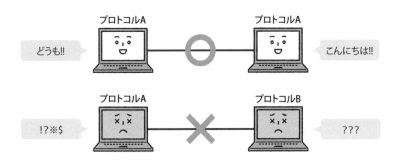

OSI基本参照モデル

簡単に通信が行えるように**コンピュータや通信機器が共通して備えるべき通信機能の仕組みを示したモデル**が、ISO（International Organization for Standardization：国際標準化機構）によって定められました。それがOSI基本参照モデルです。このモデルに従うことで、スムーズな通信が可能になります。

OSI基本参照モデルでは、通信機能のプロトコルを7つの階層に分けて定めています。データ通信を行う際の各層の役割は次のとおりです。

階層	名称	役割
7	アプリケーション層	メールやファイル転送、Webの閲覧など、具体的な通信サービスに対応するプロトコルを規定
6	プレゼンテーション層	文字コードや暗号などデータの表現形式に関するプロトコルを規定
5	セション層	通信の開始・終了などの手順に関するプロトコルを規定
4	トランスポート層	壊れることなくすべてのデータが相手に届いたかといった、通信の信頼性を確保するためのプロトコルを規定
3	ネットワーク層	**通信経路の選択（ルーティング）や中継を行う**プロトコルを規定
2	データリンク層	誤り制御や再送要求など、伝送制御手順に関するプロトコルを規定。隣接機器間で誤りのないデータ通信を行う
1	物理層	コネクタやケーブル、電気信号など、電気・物理的なレベルのプロトコルを規定

ココが試験に出る！

- 通信プロトコル：コンピュータ同士がネットワークで通信するときの約束事
- OSI基本参照モデル：ISOが定めた通信機能の仕組みを示したモデル。7階層に区分

試験問題にチャレンジ

H25春-問33

問題❶

OSI基本参照モデルにおけるネットワーク層の説明として，適切なものはどれか。

ア エンドシステム間のデータ伝送を実現するために，ルーティングや中継などを行う。

イ 各層のうち，最も利用者に近い部分であり，ファイル転送や電子メールなどの機能が実現されている。

ウ 物理的な通信媒体の特性の差を吸収し，上位の層に透過的な伝送路を提供する。

エ 隣接ノード間の伝送制御手順（誤り検出，再送制御など）を提供する。

正解　ア

解説 ネットワーク層では、ルーティングや中継を行います。

問題❷

H24秋-問34

OSI基本参照モデルにおいて，エンドシステム間のデータ伝送の中継と経路制御の機能をもつ層はどれか。

ア セション層

イ データリンク層

ウ トランスポート層

エ ネットワーク層

正解　エ

解説 ネットワーク層では、ネットワーク上の末端に位置しているある端末（エンドシステム）から別の端末までの間における通信経路の選択や中継を行うプロトコルを規定しています。

03 LAN間接続装置

 LANに接続するための ネットワーク機器を学ぼう

超効率ポイント

- どんな種類のネットワーク機器があるか を理解しよう。
- OSI基本参照モデルのどの階層で動作 するかを理解しよう。
- ARPとRARPについて理解しよう。

LANで利用するネットワーク機器

　端末やプリンタをLANに接続したり、LAN同士を接続したりするためには、**ネットワーク機器**が必要です。それぞれのネットワーク機器は、役割によって、**OSI基本参照モデルのどの階層で動作するかが異なります**。

リピータ

　リピータは、**弱くなった信号波形を増幅することで、伝送距離を延長するネットワーク機器**です。OSI基本参照モデル第1層である物理層で動作します。

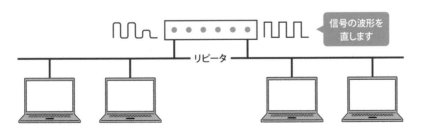

361

ブリッジ

ブリッジは、**宛先のMACアドレスを見て、同一ネットワーク内でデータを中継するネットワーク機器**です。特に、LANケーブルの接続ポートを複数もち、宛先MACアドレスが存在するLANポートだけに転送するものを、スイッチングハブ（レイヤ2スイッチ）といいます。OSI基本参照モデル第2層であるデータリンク層で動作します。

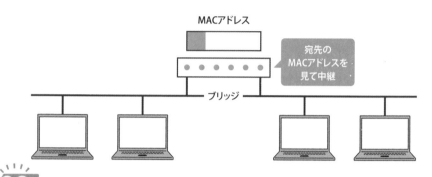

MACアドレス

宛先の
MACアドレスを
見て中継

ブリッジ

MACアドレスとは、機器が工場から出荷されるときに1台1台に割り振られる48ビットの識別番号です。先頭の24ビットはOUIと呼ばれる**ベンダ固有のID**で、後続の24ビットは、ベンダが割り当てた**固有製造番号**です。

ルータ

ルータは、**データの宛先IPアドレスを見て、異なるネットワークにデータを中継するネットワーク機器**です。特に、専用のハードウェアで処理するものはレイヤ3スイッチといい、ルータより処理能力が高いことが特徴です。OSI基本参照モデル第3層であるネットワーク層で動作します。

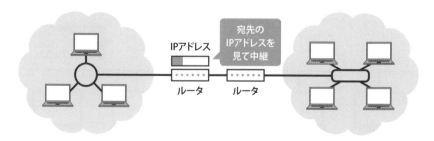

IPアドレス

宛先の
IPアドレスを
見て中継

ルータ　ルータ

ゲートウェイ

ゲートウェイは、**プロトコルが異なるLAN同士を、相互に通信できるように変換するネットワーク機器**です。

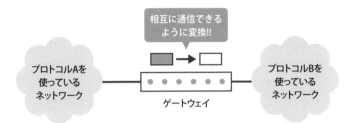

ARPとRARP

宛先までデータを届けるためには、相手の端末のMACアドレスとIPアドレスの両方が必要です。そこで片方のアドレスがわかっている場合に、もう片方を取得するプロトコルが用意されています。

IPアドレスからMACアドレスを取得するものを ARP（アープ）（Address Resolution Protocol）、**MACアドレスからIPアドレスを取得**するものを RARP（ラープ）（Reverse ARP）といいます。パソコンにはarpコマンドが準備されており、IPアドレスとMACアドレスの対応表を参照することができます。

―――💡ココが試験に出る!―――

- リピータ：信号を増幅することによって伝送距離を延長する
- ブリッジ（レイヤ2スイッチ）：宛先MACアドレスを基にしてデータを中継
- MACアドレス：ベンダIDと固有製造番号から構成される48ビットの物理アドレス
- ルータ（レイヤ3スイッチ）：宛先IPアドレスを基にしてデータを中継
- ゲートウェイ：プロトコルが異なるLAN同士を接続
- ARP：IPアドレスからMACアドレスを取得
- RARP：MACアドレスからIPアドレスを取得

試験問題にチャレンジ

問題①

ネットワーク機器に付けられているMACアドレスの構成として，適切な組合せはどれか。

	先頭24ビット	後続24ビット
ア	エリアID	IPアドレス
イ	エリアID	固有製造番号
ウ	OUI（ベンダID）	IPアドレス
エ	OUI（ベンダID）	固有製造番号

正解　エ

解説 MACアドレスは、機器が工場から出荷されるときに1台1台に割り振られる48ビットの識別番号です。先頭の24ビットはOUIと呼ばれるベンダIDで、残りの24ビットは固有製造番号です。

問題②

ルータがパケットの経路決定に用いる情報として，最も適切なものはどれか。
ア　宛先IPアドレス
イ　宛先MACアドレス
ウ　発信元IPアドレス
エ　発信元MACアドレス

正解　ア

解説 ルータが経路決定のために参照するのは、宛先IPアドレスです。

問題❸

LAN間接続装置に関する記述のうち，適切なものはどれか。

ア ゲートウェイは，OSI基本参照モデルにおける第1～3層だけのプロトコルを変換する。

イ ブリッジは，IPアドレスを基にしてフレームを中継する。

ウ リピータは，同種のセグメント間で信号を増幅することによって伝送距離を延長する。

エ ルータは，MACアドレスを基にしてフレームを中継する。

. . . .

正解 **ウ**

解説 リピータは物理層に対応した装置、信号を増幅して伝送距離を延長します。

ア ゲートウェイは、異なるプロトコルを変換します。

イ ブリッジは、MACアドレスを基にしてフレームを中継します。

エ ルータは、IPアドレスを基にしてパケットを中継します。

Chapter

9

ネットワーク

04 インターネット

インターネットの 仕組みを学ぼう

- TCP/IPとOSI基本参照モデルの対応を理解しよう。
- TCPとUDPの違いを理解しよう。
- 電子メールの仕組みを理解しよう。

TCP/IP

OSI基本参照モデルに対応した通信プロトコルのうち、**インターネットで使われているTCP/IPというプロトコル群**が、世界中の多くのコンピュータやソフトウェアで、デファクトスタンダード（事実上の業界標準）として使われています。

TCP/IPは、複数のプロトコルの集まりです。重要なプロトコルである**トランスポート層のTCPとインターネット層のIP**を中心にして構成されているので、TCP/IPと呼ばれています。

TCP/IPに含まれる各プロトコルは、OSI基本参照モデルに次のように対応しています。

階層	OSI基本参照モデルの階層	TCP/IPの階層	TCP/IPの主なプロトコル
7	アプリケーション層	アプリケーション層	エイチティーティーピー エフティーピー テルネット H T T P、F T P、T E L N E T、 エスエムティーピー ポップスリー エヌティーピー エスエヌエムピー SMTP、POP3、NTP、SNMP
6	プレゼンテーション層		
5	セション層		
4	トランスポート層	トランスポート層	ティーシーピー ユーディーピー TCP、UDP
3	ネットワーク層	インターネット層	アイピー IP
2	データリンク層	ネットワークインタフェース層	ピーピーピー PPP、イーサネット
1	物理層		

TCP/IP のプロトコル

インターネットで利用できるサービスである電子メールやWebサイトなどは、TCP/IPのプロトコルによって実現されています。それぞれのサービスを支えているプロトコルについても見ていきましょう。

プロトコル名	サービスの説明
HTTP (Hypertext Transfer Protocol)	Webページを送受信するプロトコル
FTP (File Transfer Protocol)	各種ファイルの転送を行うプロトコル。データ転送用と制御用に異なるポート番号を使用
TELNET (Telecommunication Network)	離れたところにあるコンピュータにログインし、遠隔操作をするプロトコル。現在では、暗号化通信に対応したSSHの利用が一般的になっている
SMTP (Simple Mail Transfer Protocol)	メールサーバ間でメールの転送を行うプロトコル
POP3 (Post Office Protocol Version 3)	メールサーバ上のメールをメーラが受信するためのプロトコル
NTP (Network Time Protocol)	インターネット上で複数のコンピュータの時刻を同期させるプロトコル
SNMP (Simple Network Management Protocol)	ネットワークの管理を行うプロトコル

Chapter

9

ネットワーク

TCPとUDP

通信の信頼性を確保するトランスポート層にはTCPとUDPの2種類のプロトコルがあります。**確実に届けるための厳密な仕組み**を定めたTCPに対して、**チェックを省き素早く届けるための仕組み**を定めたものがUDPです。

アプリケーション層のHTTPやFTPといった多くのプロトコルがTCP対応ですが、時刻を同期させるNTPでは、UDPを使用しています。

電子メールの仕組み

電子メールの送信と受信では、それぞれ別のプロトコルが使われています。**電子メールの送信**には、SMTPが使われています。SMTPによって、宛先のメールサーバまで電子メールが送り届けられます。

一方、**届いた電子メールをメールサーバから取り出すときに使うプロトコル**は、POP3です。配信された電子メールに対し、全部取り出す、未読のものだけ取り出す、サーバに残す、削除するといった操作が可能です。近年では、メールをサーバ上で管理し、複数の端末間で同期するIMAP4という規格も多く利用されています。

SMTP-AUTH

迷惑メールの送信などを防止するために、**電子メール送信時に、送信者を送信側のメールサーバで認証する**SMTP-AUTHという仕組みがあります。

MIME

電子メールには、本文以外に宛先情報などが書かれたヘッダと呼ばれる制御用のデータが付いています。この**ヘッダ部分の拡張を行い、テキストだけでなく、音声や画像なども扱えるようにした規格**をMIMEといいます。さらに**セキュリティ機能を強化し、電子メールの暗号化とデジタル署名を行える**ようにしたS/MIMEという規格もあります。

- TELNET：リモートログインし、遠隔操作を行うプロトコル
- SMTP：メールサーバ間で電子メールの送信・転送を行うプロトコル
- POP3：メールサーバ上の電子メールをメーラが受信するためのプロトコル
- NTP：ネットワーク上の各コンピュータの時刻を同期するプロトコル
- UDP：トランスポート層のプロトコルで、即時性を重視
- SMTP-AUTH：メール送信時、送信者をメールサーバで認証
- MIME：電子メールで、テキストだけでなく音声や画像も送れる規格
- S/MIME：電子メールの暗号化と署名が行える規格

Chapter

9

ネットワーク

試験問題にチャレンジ

問題❶

　トランスポート層のプロトコルであり，信頼性よりもリアルタイム性が重視される場合に用いられるものはどれか。

- **ア** HTTP
- **イ** IP
- **ウ** TCP
- **エ** UDP

正解　エ

解説 トランスポート層で、リアルタイム性が重視される場合に使用されるプロトコルはUDPです。

問題❷

　インターネットにおける電子メールの規約で，ヘッダフィールドの拡張を行い，テキストだけでなく，音声，画像なども扱えるようにしたものはどれか。

- **ア** HTML
- **イ** MHS
- **ウ** MIME
- **エ** SMTP

正解　ウ

解説 MIMEは電子メールの国際規格で、テキストだけでなく音声や画像なども扱えるようにしました。

05 Web

Webの仕組みを学ぼう

- HTMLとCSSを理解しよう。
- Web上で利用されている技術を理解しよう。
- Webアプリケーションを理解しよう。

Webの仕組み

Web（World Wide Web）は、リンクをクリックすることで別のページを表示できるといった、**インターネット上に散らばっているドキュメント同士を相互に参照する仕組み**です。インターネットにつながっているコンピュータがあれば、世界中どこからでも閲覧できます。

Webのプロトコル

Webページの送受信には、HTTPプロトコルが使われています。また、**WebサーバとWebブラウザ間の通信を暗号化**するには、HTTPSプロトコルが使われます。

HTML

Webページは、HTML（Hypertext Markup Language）というマークアップ言語で書かれています。マークアップ言語とは、**テキストの中にタグと呼ばれるマークを記入して、テキストの見た目や論理構造を定義する言語**です。HTMLのタグには用途によってさまざまな種類があり、画像を表示させるタグや、ほかのHTML文書へのリンクを張るタグなどがあります。HTMLで書かれたWebページ

は、Webブラウザが内容を読み込んで表示しています。

CSS

　Webページのデザインやレイアウトを定義するには、CSSという言語を使います。文字の大きさや文字の色、行間などの表現を指定します。HTMLの記述のうちデザイン定義の部分をCSSファイルに分離できるので、Webサイトのデザインテーマを簡単に変更することができます。

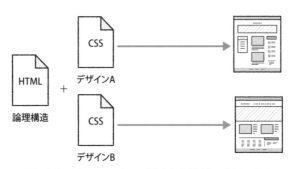

同じ内容でも、CSSによって見せ方を簡単に変更できる

パンくずリスト

　利用者が現在見ているWebページに表示する、**Webサイトのトップページからそのページまでの階層情報**をパンくずリストと呼びます。この名前はグリム童話のヘンゼルとグレーテルに由来しています。Webサイトのどの階層にいるのかがわかるようにするためのものです。

ココに気をつけて！ HTML以外のマークアップ言語として**XML（eXtensible Markup Language）**があります。HTMLとは異なり、利用者が独自にタグを作って、文書の属性情報や論理構造を定義できるため、**異なるシステム同士でのデータ交換**などに使われます。

Web上で利用されている技術

もともとのWebの仕組みは、テキストや画像のみを表示するシンプルなものでしたが、近年ではさまざまな技術が応用されて、Web上でも動画や音声やソフトウェアが使えるようになりました。**Webを便利に使えるようにしている仕組み**を見ていきましょう。

Webアプリケーション

Webページは、あらかじめ1ページ1ページ作っておき、それらをWebサーバ上に置いておく必要があります。閲覧したいユーザはWebサーバにアクセスし、目的のWebページをHTTPを使ってダウンロードします。それに対して、ユーザーとやりとりする中でその要求に応じてWebサーバで処理を行い、プログラムを使って自動で表示内容を生成する仕組みをWebアプリケーションといいます。

CGI

Webアプリケーションを作るのに使われる仕組みの1つがCGI（Common Gateway Interface）です。**ユーザから要求があると、Webサーバ側で外部プログラムを実行してWebページを作成しユーザに送信**します。

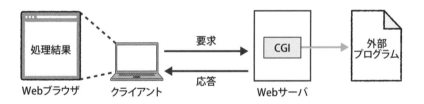

Javaサーブレット

Javaというプログラム言語で書かれたプログラムを使う**Web**アプリケーションを、**Java**サーブレットといいます。CGI同様、**Web**サーバ側で**動作**し、動的な処理を実現します。CGIよりも効率よく動くので、Webサーバに負担をかけずに済みます。

Javaアプレット

アプレットは、**コンパイル済みの、コンピュータが実行するのに適した形式に変換された目的プログラムの状態でサーバに格納されたプログラム**です。クライアントからの要求によってクライアントへ転送されて実行されます。

Javaアプレットは、Javaで書かれたプログラムで、HTMLファイルと一緒にダウンロードされて、**ユーザのWebブラウザ上で動作**します。

JavaScript

JavaScript（ジャバスクリプト）は、**Webブラウザ上で実行するプログラムを記述する言語**です。HTMLファイルに書き込まれたプログラムは、Webブラウザ上で動作します。**Webページにさまざまな動きを付けることが可能**です。

Ajax

Ajax（エイジャックス）は、**WebブラウザとWebサーバが非同期の通信を行い、Webブラウザが Webサーバからページを読み込み直すことなく画面を更新していく技術**です。Googleマップなどで使われています。これまでは、サーバからの結果を表示するには、ページ全体を読み込み直す必要がありました。Ajaxでは、JavaScriptの通信機能を使ってWebブラウザとWebサーバが非同期に通信し、動的に画面を更新します。

ココが試験に出る！

- HTML：Webページを記述するための言語
- CSS：Webページのデザインやレイアウトを定義する言語
- HTTPS：WebサーバとWebブラウザ間の通信を暗号化するプロトコル
- XML：独自にタグを定義できる言語。データ交換などに用いられる
- パンくずリスト：Webページ上のトップページから現在見ているページまでの階層情報
- CGI：Webサーバと外部プログラムを連携させる仕組み
- Javaサーブレット：Javaで書かれたサーバ上で動くWebアプリケーション
- Javaアプレット：Javaで書かれたWebブラウザ上で動くプログラム
- JavaScript：Webブラウザ上で動くプログラムを記述するスクリプト言語
- Ajax：WebブラウザとWebサーバが非同期通信を行い、動的に画面を更新する仕組み

試験問題にチャレンジ

問題❶

HTML文書の文字の大きさ，文字の色，行間などの視覚表現の情報を扱う標準仕様はどれか。

ア CMS
イ CSS
ウ RSS
エ Wiki

正解 **イ**

[解説] Webページのデザインやレイアウトを定義するには、CSS (Cascading Style Sheets) を使います。

ア CMS(Contents Management System)は、Webサイトのコンテンツを簡単に作成・管理・更新できるシステムのことです。

ウ RSS (Rich Site Summary) は、Webサイトの更新情報を効率的に取得・管理するための仕組みです。

エ Wikiは、Webブラウザを使って簡単にWebページを作成・編集できるシステムのことです。

問題❷

Webサーバにおいて，クライアントからの要求に応じてアプリケーションプログラムを実行して，その結果をWebブラウザに返すなどのインタラクティブなページを実現するために，Webサーバと外部プログラムを連携させる仕組みはどれか。

ア CGI
イ HTML
ウ MIME
エ URL

正解 **ア**

[解説] Webサーバで外部プログラムを実行してWebページを作成し、ユーザに送信する仕組みはCGIです。

Web環境での動的処理を実現するプログラムであって，Webサーバ上だけで動作するものはどれか。

  ア JavaScript

  イ Javaアプレット

  ウ Javaサーブレット

  エ VBScript

正解　ウ

解説 Webサーバ上だけで動作するWebアプリケーションはJavaサーブレットです。

06 IPアドレス

 IPアドレスの基礎について学ぼう

超効率ポイント

- IPアドレスとポート番号を使った通信の仕組みを理解しよう。
- グローバルIPアドレスとプライベートIPアドレスの違いを理解しよう。
- NATとNAPTについて理解しよう。

IPアドレスとは

　インターネットでは、TCP/IPというプロトコルを使って通信が行われています。**TCP/IPのネットワークでは、通信相手を特定するために、コンピュータや通信機器1つ1つにそれぞれ世界中で一意の認識番号が割り振られています。**この番号をIPアドレスといいます。言わばTCP/IPネットワークの世界での住所です。

　コンピュータは「0」と「1」の2つの数字しか扱うことができないため、IPアドレスも2進数で表現します。世界中のコンピュータすべてにIPアドレスを割り振っても充分な数になるよう、**32桁の2進数を使って約43億台のコンピュータを識別できるようにしたのが、**現在広く普及しているIPv4というプロトコルです。
アイピーブイフォー

　IPv4アドレスは、通常は私たち人間にわかりやすいよう、**8ビットごとにドットで区切った上で、2進数を10進数に計算し直した1〜3桁ずつ4組の数字で表**します。

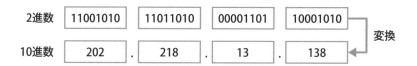

2進数	11001010	11011010	00001101	10001010	変換
10進数	202	218	13	138	

pingコマンド

pingは、ネットワークに接続されたコンピュータに対して確認用のデータを送り、相手からの応答が返ってくることで、相手コンピュータと、そこに至るまでのネットワークが正常に動作していることを確認するコマンドです。相手先の指定には、IPアドレスやホスト名を使います。相手側からの反応がない場合は、相手側かその間のネットワーク経路上に障害が発生していると考えられます。

ポート番号

ポート番号とは、トランスポート層のTCP、UDPにおいて識別される情報です。IPアドレスが個々のコンピュータを識別するのに対し、ポート番号は個々のアプリケーションを識別します。

例えば、1台のコンピュータで複数のアプリケーションを用いて通信を行うときに、分割されたデータのかたまりであるパケットがどのアプリケーションのものであるかを示します。

ウェルノウンポート番号

ポート番号のうち、0~1023はウェルノウンポート番号と呼ばれ、よく使われるアプリケーション用に予約されています。例えば、HTTPは80番です。1024以降は、クライアント側の送信元ポートとしても割り当てられます。

パケット受送信時のポート番号

パケットがやり取りされるときは、送信時と受信時でパケットに指定されたポート番号が入れ替わります。例えば、パソコンからWebサーバあてのパケットで、

送信元ポート番号が50001、宛先ポート番号が80のとき、Webサーバからパソコンへの戻りパケットは、送信元ポート番号が80、宛先ポート番号が50001になります。

リクエスト⇔レスポンスで情報が入れ替わる

ポートスキャナ

ポートスキャナとは、**ネットワークに接続されたコンピュータの通信可能なポート番号を調べるソフトウェア**です。不要なポートが有効でサービスが稼働していると、インターネットからの攻撃対象となる可能性があるため、セキュリティ上の設定を検査する目的で利用します。

DNS

IPアドレスは「202.218.13.138」のような表記ですが、すぐには覚えられません。そこで、「www.impress.co.jp」のように、**文字や数字を使って、人間にとってわかりやすい住所のような表記**を使います。これが**ドメイン名**です。

IPアドレスとドメイン名は、対応させる必要があります。**IPアドレスとドメイン名の対応付けを管理する仕組み**を**DNS**（Domain Name System）といいます。

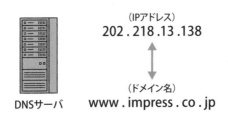

グローバルIPアドレスとプライベートIPアドレス

32ビットの2進数であるIPv4アドレスの数は、最大約43億です。しかし、インターネットに接続するコンピュータの数は、世界中で爆発的に増え続けていて、1台に1つずつIPアドレスを割り当てていくと、IPアドレスが足りません。そこで、**IPアドレスを節約する**ために、IPアドレスをグローバルIPアドレスとプライベートIPアドレスに使い分けることにしました。

グローバルIPアドレス

グローバルIPアドレスは、**直接インターネットに接続するコンピュータだけに割り振られるIPアドレス**です。NIC（Network Information Center）という機関が、世界中で重複しないようにアドレスを発行しています。

プライベートIPアドレス

プライベートIPアドレスは、**インターネットに直接接続しないコンピュータが使うIPアドレス**です。家庭や企業内LANなどの私的なネットワーク内のコンピュータは、ネットワーク内ではプライベートIPアドレスを使って通信を行います。**インターネットに接続するときは、そのままでは接続できないので、グローバルIPアドレスをもった通信機器を通じて接続します。**複数のコンピュータで1つのグローバルIPアドレスを共用することで、IPアドレスの使用数を節約することができます。

プライベートIPアドレスの範囲は、RFC1918という文書で決められています。そのため、社内LANや家庭内LANでは、このIPアドレスの範囲から払い出します。

クラスA	10.0.0.0 ～ 10.255.255.255
クラスB	172.16.0.0 ～ 172.31.255.255
クラスC	192.168.0.0 ～ 192.168.255.255

ループバックアドレス

先頭の1バイトが**127で始まるIPアドレス**は、**ループバックアドレス**といい、**自分自身を指す特別なアドレス**として決められています。そのため、グローバルIPアドレスとして使用することはできません。

NATとNAPT(IPマスカレード)

　プライベートIPアドレスを割り振られたコンピュータがインターネットに接続する際に、**プライベートIPアドレスとグローバルIPアドレスの相互変換を行う技術**が、NAT と NAPT(IPマスカレード) です。IPアドレスの相互変換は、通常、ルータという通信機器によって行われます。

NAT (Network Address Translation)

　NATは、**プライベートIPアドレスとグローバルIPアドレスを1対1で相互変換**します。そのため、ルータがもっているグローバルIPアドレスが少ないと、インターネットに接続できないコンピュータが出てくる可能性があります。

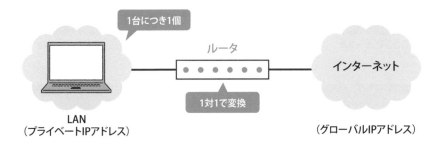

NAPT (IPマスカレード)

　NAPT (Network Address Port Translation) は、**複数のプライベートIPアドレスを1つのグローバルIPアドレスに、多対1で変換**します。そのため、グローバルIPアドレスが1つあれば、複数のコンピュータを同時にインターネットに接続することができます。

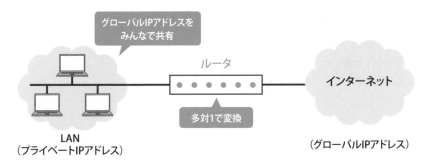

動的にIPアドレスを割り当てるDHCP

　ネットワークに接続するときだけコンピュータにIPアドレスを自動的に割り当て、設定した有効期限が過ぎたら自動的に回収するプロトコルをDHCP（Dynamic Host Configuration Protocol）といいます。DHCPを使えば、コンピュータの数が多くなっても手動で設定する必要がなく自動化できるので、IPアドレスを効率的に管理できます。

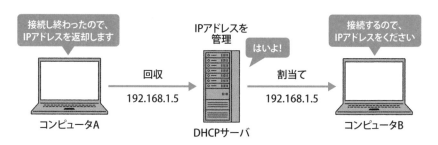

IPv6

　IPv4アドレスの不足を解消するため、次世代のプロトコルであるIPv6が考え出されて使われています。IPv6では、IPアドレスは128ビットで構成され、約340澗（340兆の1兆倍の1兆倍）個のIPアドレスが使えるようになります。アドレス表記法として、アドレスの16進数表記を4文字（16ビット）ずつコロン（:）で区切る方法があります。

- NAT：プライベートIPアドレスとグローバルIPアドレスを1対1で変換
- NAPT（IPマスカレード）：プライベートIPアドレスとグローバルIPアドレスを多対1で変換
- DHCP：IPアドレスを自動的に割り当てるプロトコル
- IPv6：次世代のプロトコルで、IPアドレスは128ビット構成

試験問題にチャレンジ

問題❶

IPv4アドレス表記として，正しくないものはどれか。

ア 10.0.0.0
イ 10.10.10.256
ウ 192.168.0.1
エ 224.0.1.1

正解 **イ**

解説 IPv4アドレスは、8ビットごとにドットで区切った2進数を10進数にしたものです。8ビットで表される範囲は0～255 のため、**イ**の256は正しくありません。

問題❷

TCP/IPネットワークでDNSが果たす役割はどれか。

ア PCやプリンタなどからのIPアドレス付与の要求に対して，サーバに登録してあるIPアドレスの中から使用されていないIPアドレスを割り当てる。
イ サーバにあるプログラムを，サーバのIPアドレスを意識することなく，プログラム名の指定だけで呼び出すようにする。
ウ 社内のプライベートIPアドレスをグローバルIPアドレスに変換し，インターネットへのアクセスを可能にする。
エ ドメイン名やホスト名などとIPアドレスとを対応付ける。

正解 **エ**

解説 DNSは、ドメイン名やコンピュータの名前であるホスト名とIPアドレスとの対応付けをします。

IPv4のグローバルIPアドレスはどれか。

ア 118.151.146.138

イ 127.158.32.134

ウ 172.22.151.43

エ 192.168.38.158

正解 **ア**

解説 **ウ**と**エ**はプライベートIPアドレスです。**イ**は、先頭の1バイトが127なので、ループバックアドレスです。

クラスとサブネット

IPアドレスのクラスと サブネットについて学ぼう

・IPアドレスの構造を理解しよう。
・IPアドレスのクラスについて理解しよう。
・サブネットマスクについて理解しよう。

ネットワーク部とホスト部

　32ビットのIPアドレスは、2つの部分に分けられます。前半をネットワーク部、後半をホスト部といいます。

　IPアドレスのネットワーク部を見れば、そのホストが、どこのネットワークにつながっているかがわかります。

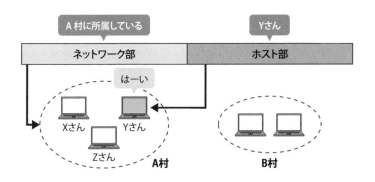

ネットワークの世界では、ネットワークにつなげるコンピュータのことを**ホスト**、**ノード**、**端末**と表現することがあります。いずれも、要はコンピュータのことなので、試験問題で使われていても慌てないようにしましょう。

IPアドレスのクラス

IPアドレスは、**A**から**E**までの**5つのクラス**に分けられています。DとEは特別な用途で使われるため、AからCまでをコンピュータ識別のために用いることになっています。規模別に用途が割り振られていて、**大規模ネットワーク用がクラスA、中規模ネットワーク用がクラスB、小規模ネットワーク用がクラスC**です。

クラスごとの構成の内訳

IPアドレス32ビットのうち、上位ビットから数えて何ビット目までをネットワーク部に割り当てるかは、あらかじめ決められています。

クラスAは、先頭1ビットが2進数の「0」から始まるIPアドレスで、**ネットワーク部8ビット、ホスト部24ビットで構成**されます。**クラスB**は、先頭2ビットが2進数の「10」から始まるIPアドレスで、**ネットワーク部16ビット、ホスト部16ビットで構成**されます。**クラスC**は、先頭3ビットが2進数の「110」から始まるIPアドレスで、**ネットワーク部24ビット、ホスト部8ビットで構成**されます。

クラス	IPアドレス構成と範囲	接続可能なホスト数	ネットワークの規模
A	ネットワーク部　ホスト部 0 8ビット　24ビット	$2^{24} - 2$ $= 16,777,214$台	大規模
B	10 16ビット　16ビット	$2^{16} - 2$ $= 65,534$台	中規模
C	110 24ビット　8ビット	$2^8 - 2$ $= 254$台	小規模

サブネットマスクによる分割

　IPアドレスをクラス単位のネットワークで運用すると、1つのネットワークに膨大な数のホストを接続することになります。しかし、同じネットワーク内で多くのホストが一斉にデータをやり取りすると通信速度が遅くなり、ネットワークの分け方としても現実的ではありません。

　そこで、サブネットマスクという仕組みを使って、ネットワーク部をさらにサブネットワークという細かい単位に分割します。

　IPアドレスにサブネットマスクを併用してネットワーク設定をすることで、本来クラス単位で固定されていたネットワーク部とホスト部のビット数の割合を自由に変更することができます。現在では、サブネットマスクを併用する設定が一般的です。

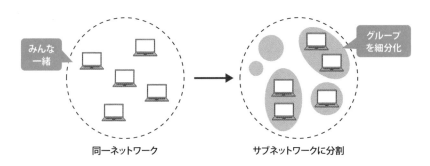

同一ネットワーク　　　　　　　サブネットワークに分割

Chapter

9

ネットワーク

387

サブネットマスクの表記

　サブネットマスクは、**ネットワーク部とホスト部の境界を表す数値**で、**ネットワーク部のビットをすべて1、ホスト部のビットをすべて0で表します**。1と0で境界を表すので、1または0は、境界までは必ず連続して同じ数字が続きます。

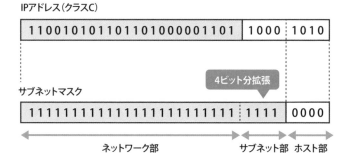

　サブネットマスクは、IPアドレスと同様に、8ビットずつドット（.）で区切って10進数で表記することが一般的です。例えば、サブネットマスクが「11111111 11111111 11111111 11110000」の場合、「255.255.255.240」というふうに表記します。

　また、**10進数での表記以外に、IPアドレスの右側にスラッシュを書き、その後にサブネットマスクの「1」の個数を付け加える方法もあります**。先のサブネットマスクの例では、1が28個なので「/28」と短縮し、IPアドレスの右側にくっつけて、「202.218.13.138/28」というふうに表記します。

ネットワークアドレスとブロードキャストアドレス

　ホスト部のビットがすべて「0」のIPアドレス、およびすべて「1」のIPアドレスは、**特別な働きをするために予約されたアドレス**で、ホスト用のIPアドレス（ホストアドレス）としては使用できません。

ネットワークアドレス

　ホスト部がすべて「0」のアドレスを、ネットワークアドレスといいます。これは、**ネットワーク自体を表すアドレス**として使用されます。

ブロードキャストアドレス

　一方、ホスト部がすべて「1」のアドレスを、ブロードキャストアドレスといいます。これは、**同じネットワーク内すべてのホストに一斉送信するときに使われます**。

ネットワークアドレスやブロードキャストアドレスの求め方

　では、IPアドレスが「202.218.13.138」で、サブネットマスクが「255.255.255.0」のホストが所属するネットワークの、ネットワークアドレスとブロードキャストアドレスを求めてみましょう。

①**10進数で表された数字を2進数に変換し、8桁のビット列にします**（8桁に満たない場合は、上位ビットを0で補い8桁にします）。

Chapter

9

ネットワーク

2進数に変換

IPアドレス 202.218.13.138 → 110 01010　11011010　00001101　10001010
サブネットマスク 255.255.255.0 → 11111111　11111111　11111111　00000000

②**サブネットマスクの「1」と「0」が連続する部分によって、ビット列をネットワーク部とホスト部に分けます**。この例では上位24ビットがネットワーク部になります。

ネットワーク部　　　　　　　　ホスト部
110 01010　11011010　00001101　10001010
11111111　11111111　11111111　00000000

③**ネットワーク部のビット列を、そのまま取り出します**。ホスト部に、すべて「0」を入れるとネットワークアドレス、すべて「1」を入れるとブロードキャストアドレスとなります。最後に、ビット列を8桁ずつ10進数に変換します。

10進数に変換

ネットワーク部　　　　　ホスト部
11001010 11011010 00001101 00000000 → 202.218.13.0　ネットワークアドレス
11001010 11011010 00001101 11111111 → 202.218.13.255　ブロードキャストアドレス

ネットワークに接続可能なホスト数

　どんなネットワークでも、ホスト部が全部0のネットワークアドレスと、全部1のブロードキャストアドレスは予約されて使えません。よって、あるネットワークにおいて使用可能なホストのアドレス数は、「$2^{ホスト部のビット数} - 2$」となります。

> **公式**
>
> **ホストアドレス数 $= 2^{ホスト部のビット数} - 2$**

- IPアドレス：ネットワーク部＋ホスト部で構成される
- ネットワーク規模によって、クラスA～CにIPアドレスを区分
- クラスAは「0」から始まる。ネットワーク部8ビット、ホスト部24ビット
- クラスBは「10」から始まる。ネットワーク部16ビット、ホスト部16ビット
- クラスCは「110」から始まる。ネットワーク部24ビット、ホスト部8ビット
- サブネットマスク：1と0の連続ビット列で構成され、ネットワーク部とホスト部の境界を表す
- ホスト部が全部0→ネットワークアドレス、全部1→ブロードキャストアドレス
- 接続可能なホストのアドレス数：「$2^{ホスト部のビット数} - 2$」で計算

試験問題にチャレンジ

問題❶

IPv4アドレス128.0.0.0を含むアドレスクラスはどれか。

ア クラスA
イ クラスB
ウ クラスC
エ クラスD

正解 イ

解説 IPアドレスの冒頭「128」は、2進数で「10000000」。先頭2ビットが「10」なので、クラスBです。

問題❷

192.168.0.0/23（サブネットマスク255.255.254.0）のIPv4ネットワークにおいて，ホストとして使用できるアドレスの個数の上限はどれか。

ア 23
イ 24
ウ 254
エ 510

正解 エ

解説 接続可能なホストのアドレス数＝$2^{ホスト部のビット数} - 2$で計算できます。「/23」の表記は、ネットワーク部が23ビットということなので、ホスト部は32－23＝9ビット。よって、$2^9 - 2 = 512 - 2 = 510$。

問題❸   H29秋‐問35

次のIPアドレスとサブネットマスクをもつPCがある。このPCのネットワークアドレスとして，適切なものはどれか。

IPアドレス　　　：10.170.70.19
サブネットマスク：255.255.255.240

ア　10.170.70.0
イ　10.170.70.16
ウ　10.170.70.31
エ　10.170.70.255

正解　イ

解説　IPアドレス10.170.70.19を2進数で表すと、
00001010　10101010　01000110　00010011
サブネットマスク255.255.255.240を2進数で表すと
11111111　11111111　11111111　11110000

	ネットワーク部				ホスト部
IPアドレス	00001010	10101010	01000110	0001	0011
サブネットマスク	11111111	11111111	11111111	1111	0000
ネットワークアドレス	00001010	10101010	01000110	0001	0000

ネットワーク部のビット列をそのまま取り出し、ホスト部にすべて「0」を入れるとネットワークアドレスを求めることができます。この2進数を10進数に変換すると10.170.70.16になります。

392

08 ネットワークの伝送速度

 ネットワークの伝送速度について学ぼう

・通信速度の単位を理解しよう。
・データ伝送時間の計算方法を理解しよう。
・回線利用率について理解しよう。

データ伝送速度

通信方法を評価する基準の1つに、通信速度があります。通信速度とは**データの伝送速度**です。具体的には**1秒間に何ビット分のデータを送ることができるか**で表し、単位は**ビット/秒**（bps：bit per second）を用います。

つまり、「通信速度が速い」＝「短い時間でより多くのデータを運ぶことができる」といえます。例えば、1秒間に100万ビットの伝送路の速度は、1Mビット/秒（1Mbps）です。

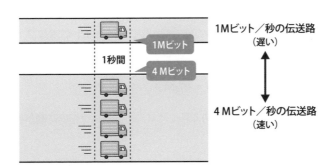

1Mビット

1秒間

4Mビット

1Mビット/秒の伝送路
（遅い）

⇕

4Mビット/秒の伝送路
（速い）

データ伝送時間の計算方法

あるデータを送るのにかかる時間をデータ伝送時間といいます。例えば、10Mビット／秒の回線経由で、5Mバイトの画像ファイルを送る場合、伝送時間は次のように計算できます。

5M×8（ビット）÷10M（ビット／秒）＝4（秒）

4秒という計算結果になりましたが、実際の伝送時間はこのとおりにはなりません。**送られるデータには、宛先やエラーチェックのための制御情報が付けられていて、その分だけデータ量が多くなる**からです。また、相手がデータを受け取った際には応答確認のデータがやり取りされるなど、純粋に送りたいデータの送信だけに100％回線を使うことができるわけではありません。

回線容量に対して、伝送可能なデータ容量の割合を回線利用率（伝送効率）といい、**伝送時間を求める際には、この回線利用率を考慮する必要があります。**

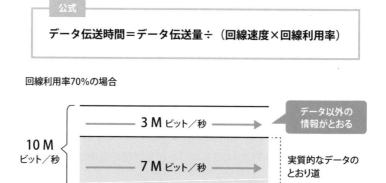

公式

データ伝送時間＝データ伝送量÷（回線速度×回線利用率）

回線利用率70％の場合

さきほどの「10Mビット／秒の回線経由で、5Mバイトの画像ファイルを送る場合」の例で、回線利用率が70％だとすると、

5M×8ビット÷（10M×0.7）＝40M÷7M≒5.7（秒）

回線利用率を考慮しない場合の4秒にくらべて、データ伝送時間が長いことがわかります。

 データ容量はバイトで提示されますが、ネットワークの伝送速度はビットで表します。**伝送速度や時間を計算するときには、バイト→ビット換算が必要になりますので注意しましょう。**逆に、データ伝送量を求めるときは、ビット→バイト換算が必要になります。

───**ココが試験に出る！**───

- データ伝送時間＝データ伝送量÷（回線速度×回線利用率）
- データ量はバイトで表されるため、伝送速度を計算するときは8倍してビットに換算

Chapter

9

ネットワーク

試験問題にチャレンジ

問題❶

H30秋-問31

　1.5Mビット／秒の伝送路を用いて12Mバイトのデータを転送するのに必要な伝送時間は何秒か。ここで，伝送路の伝送効率を50%とする。

　ア　16
　イ　32
　ウ　64
　エ　128

正解　エ

解説

データ転送時間＝転送データ量÷（回線速度×回線利用率）

＝（12×1,000,000×8ビット）÷（1.5×1,000,000×0.5）

＝128秒

09

誤り制御

データの誤り制御について学ぼう

- パリティチェックの種類を理解しよう。
- それぞれのパリティチェックにおける誤り検出範囲を理解しよう。
- チェックディジットの仕組みを理解しよう。

データ誤り

　ネットワークの伝送路を流れるデータは、電磁波などの影響で変形してしまい、途中でデータの値が変わってしまうことがあります。これをビット誤りといいます。こうしたビット誤りの検出や訂正を行うため、パリティチェック、ハミング符号方式、CRC といったチェック方法があります。

奇数パリティ・偶数パリティ

　送信するデータのビット列に、パリティと呼ばれる検査用のビットを付けることで誤りを検出する方法を、パリティチェックといいます。パリティには、奇数パリティと偶数パリティがあります。

名称	方法
奇数パリティ	ビット列の「1」の数が奇数個なら「0」、偶数個なら「1」をパリティビットに加える
偶数パリティ	ビット列の「1」の数が偶数個なら「0」、奇数個なら「1」をパリティビットに加える

　例えば、偶数パリティを適用し、7ビットの「0110000」というビット列を送信する場合を考えてみましょう。「0110000」には「1」の数が2個あるので、パリティビットには「0」を付け加えます。

　データ送信中にビット誤りが発生して値が変わってしまい、「01110000」というデータを受信したとします。**偶数パリティを適用しているにも関わらず、受信したデータの「1」の個数が奇数のため、受信側はビット誤りであることを検知し、再送を要求します。**

　もし同時に2つ以上の誤りが発生した場合には、誤りが検出できる場合とできない場合があります。**パリティチェックで確実に誤りが検出できるのは、誤りが1ビットの場合のみです。**

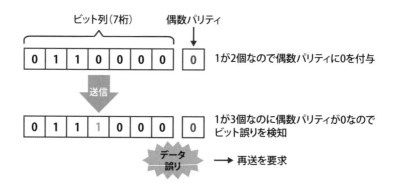

垂直パリティ・水平パリティ

　パリティビットを垂直・水平のどちらの方向に付け加えるかで、垂直パリティと水平パリティの2種類の方式に分かれます。さらに、両方を組み合わせた水平垂直パリティという方式もあります。いずれも、偶数パリティか奇数パリティと組み合わせて用いられます。

名称	方法
垂直パリティ	各ビット列ごとにパリティを付け加える
水平パリティ	各ビット列の同じ位置のビットをまとめたものを1つのブロックと見なし、そのブロックごとにパリティを付け加える
水平垂直パリティ	垂直パリティと水平パリティを組み合わせる

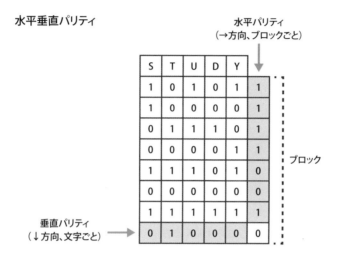

水平垂直パリティ

水平垂直パリティでは、**1ビットのビット誤り**が発生した場合、誤り位置を特定し、訂正できます。

偶数パリティを併用するときの1ビットの誤り検出と訂正

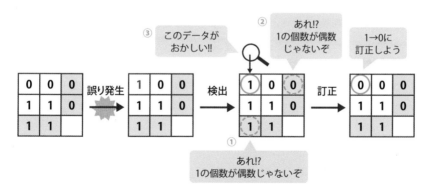

ただし、水平垂直パリティでは、2ビット以上のビット誤りが発生した場合には、誤りが検出できる場合とできない場合があり、検出できても位置が特定できるとは限りません。

ココに気をつけて! パリティの問題では、文字コードが16進数で出題される場合もあるので、16進数から2進数への変換が確実にできるようにしておきましょう。

ハミング符号方式

ハミング符号方式は、データに複数の検査ビットを付加することで、1ビットの誤りを訂正し、2ビットの誤りを検出する方法です。メモリの誤り制御方式として用いられます。

CRC（巡回冗長検査）

CRC (Cyclic Redundancy Check) は、データをある生成多項式で割った余りをチェックコードとして付け加える方法です。1ビットの誤りしか訂正できないパリティ方式にくらべて、連続したビット誤りであるバースト誤りやランダム誤りを検出できるため信頼性が高い方法です。

チェックディジット

10進数の人間の世界でも、パリティチェックに似た仕組みがあります。商品コードやバーコードなど、数字や文字が並んだデータをコードといいますが、コードの入力値が間違っていないかをチェックするために、元のコードに付加される数字や文字をチェックディジットといいます。一定の計算式によって求められた値がチェックディジットと一致するかをチェックし、入力ミスを検出します。

バーコードのチェックディジット

① (偶数桁の総和) ×3＋ (奇数桁の総和) を計算
(9＋2＋4＋6＋8＋0) ×3＋ (4＋1＋3＋5＋7＋9)
＝87＋29＝116

② 10−①の下1桁を計算
10−6＝4

チェック対象の12桁　　　1番右の番号がチェックディジット

ココが試験に出る!

- 垂直パリティ：1文字ごとにパリティを付け加え、1ビットの誤りを検出できる
- ハミング符号方式：同一のデータに、複数の方法でチェックコードを付ける
- CRC：ビット列を生成多項式で割った余りで誤りをチェックする
- チェックディジット：一定の計算式によって元のコードに数字を付加し、入力値の誤りを検出できる

Chapter

9

ネットワーク

試験問題にチャレンジ

問題❶

　通信回線の伝送誤りに対処するパリティチェック方式（垂直パリティ）の記述として，適切なものはどれか。

ア　1ビットの誤りを検出できる。

イ　1ビットの誤りを訂正でき，2ビットの誤りを検出できる。

ウ　奇数パリティならば1ビットの誤りを検出できるが，偶数パリティでは1ビットの誤りも検出できない。

エ　奇数パリティならば奇数個のビット誤りを，偶数パリティならば偶数個のビット誤りを検出できる。

. . . .

正解　ア

解説 垂直パリティでは、1ビットの誤りを検出できます。

問題❷

　送信側では，ビット列をある生成多項式で割った余りをそのビット列に付加して送信し，受信側では，受信したビット列が同じ生成多項式で割り切れるか否かで誤りの発生を判断する誤り検査方式はどれか。

ア　CRC方式

イ　垂直パリティチェック方式

ウ　水平パリティチェック方式

エ　ハミング符号方式

. . . .

正解　ア

解説 ビット列を生成多項式で割った余りで誤りをチェックするのは、CRC方式です。

テクノロジ系

Chapter

10

テクノロジ系　マネジメント系　ストラテジ系

基礎理論

コンピュータシステム

技術要素

開発技術

プロジェクト
マネジメント

サービスマネジメント

システム戦略

経営戦略

企業と法務

解説動画 ▶

セキュリティ

本章の学習ポイント

- 情報セキュリティとは、情報資産の機密性、完全性、可用性を維持
  すること。
- 情報セキュリティにおける脅威として、技術的脅威、人的脅威、物
  理的脅威がある。
- リスク対策の対応方法として、リスク回避、リスク移転、リスク軽
  減、リスク保有がある。
- 暗号化と復号で同じ鍵を使う暗号方式は共通鍵暗号方式。異なる2
  つの鍵を使う暗号方式は公開鍵暗号方式。

 テクノロジ系　⏰ **15**分　\ 👉 ★★★

Chapter 10

01

情報セキュリティ

超効率ポイント

情報資産を守るためには何が必要かを学ぼう

- 情報セキュリティの定義について理解しよう。
- JIS Q 27000で定義されている情報セキュリティの特性を理解しよう。
- 不正のメカニズムについて理解しよう。

情報セキュリティとは

　Webサイトにログインするときの ID やパスワード、ネットショッピングをするときに入力するクレジットカードのデータなどは、**大切な情報資産**です。そのため、**紛失や流出を防ぐために、さまざまな対策をして守らなければなりません**。これを情報セキュリティといいます。情報セキュリティとは、情報資産の機密性、完全性、可用性を維持することです。

要素	概要
機密性	**情報を不正アクセスから守り、第三者への情報漏えいをなくすこと**。ID やパスワードを使ったアクセス権の管理や、データの暗号化などの技術により機密性を向上できる
完全性	**情報が作られたときから、書き換えられたり欠けたりしておらず、完全で正しいこと**。例えば、Webページの改ざんは、完全性を脅かす攻撃。完全性は、デジタル署名などの技術により向上できる
可用性	**利用者が必要なときに情報資産を使えること**。定期バックアップなどで可用性を向上できる

　JIS Q 27000は、情報セキュリティマネジメントシステムの用語を定義したドキュメントです。この中で、情報セキュリティの3要素に、真正性、信頼性、責任追跡性、否認防止の4要素を付け加えています。

要素	概要
真正性	**利用者やシステムの振る舞いが明確であり、なりすましや偽情報でないことを証明できること。**デジタル署名や本人認証といった技術により真正性を向上できる
信頼性	**システムが意図したとおりに確実に動くこと。**システムのバグをなくしたり、故障しにくい部品を使ったりすることにより信頼性を向上できる
責任追跡性	**情報資産に行われたある操作について、ユーザと動作を一意に特定でき、過去に遡って追跡できること。**ログイン履歴や操作履歴などのログ情報を取得することにより責任追跡性を向上できる
否認防止	**ある活動または事象が発生した際、その操作が行われた事実や発生した事象を証明できること。**デジタル署名やログを不備なく記録しておくことが重要

ココに気をつけて! 規格は「JIS Q 2700X：20YY」という構成になっており、：(コロン) 以降の数字は改訂された年を意味しています。試験では2014や2019の版が出題されていますが、改訂の詳細は気にせず、概要を把握しておけば問題ありません。

不正のメカニズム

　不正行為が発生するメカニズムや予防のための考え方を理解しておくことは、情報セキュリティ事故や事件の防止につながります。

不正のトライアングル

　不正のトライアングルとは、「機会」「動機」「正当化」の3つの要素が重なったときに不正行為が生じやすいことを示す理論です。犯罪学の世界で広く認知されています。情報セキュリティにおいても、3つの要素が揃わないようにするという観点で対策を立てる必要があります。

要素	説明
機会	**本人が不正を成功させうる状況**。例えば、上司の承認チェック体制が甘い、自分以外その業務に関与しないなど
動機	**本人が不正を働こうと思うにいたった要因**、プレッシャー。例えば、売上ノルマがきつい、借金を抱えているなど
正当化	**本人が不正をしても仕方がないと正当化する心の働き**。例えば、頑張っているのに認められない、給与が安すぎるなど

割れ窓理論

　割れ窓理論は、**軽微な犯罪や無秩序な状態を放置すると、さらなる無秩序や重大な犯罪を引き起こす**という環境犯罪学の理論です。そのため、小さな問題を早期に対処することが重要です。

防犯環境設計

　不正や犯罪が、そもそも発生しにくい環境をつくることも重要です。**物理的な環境の設計を通じて犯罪を予防する手法**を防犯環境設計といいます。例えば、防犯ガラスの採用、認証システムによる入退出制限、監視カメラの設置などを組み合わせて防犯環境をつくります。

- 真正性：なりすましや偽情報でないことを証明できること
- 不正のトライアングル：3つの要素がそろったときに不正行為がおきやすいという理論
  - 機会：本人が不正を成功させうる状況
  - 動機：本人が不正を働こうと思うにいたった要因、プレッシャー
  - 正当化：本人が不正をしても仕方がないと正当化する心の働き

試験問題にチャレンジ

問題❶

JIS Q 27000:2014（情報セキュリティマネジメントシステム−用語）において，"エンティティは，それが主張するとおりのものであるという特性"と定義されているものはどれか。

ア 真正性
イ 信頼性
ウ 責任追跡性
エ 否認防止

正解 ア

10

セキュリティ

解説 真正性は、情報などの対象が、主張のとおり本物であると証明できる特性のことです。エンティティという用語は、利用者、プロセス、システム、情報などのことを指しています。

イ 信頼性は「意図する行動と結果が一貫しているという特性」と定義されています。
ウ 責任追跡性は「情報資産に行われたある操作についてユーザと動作を一意に特定でき、過去に遡って追跡できる特性」と定義されています。
エ 否認防止は「主張された事象又は処理の発生、及びそれを引き起こしたエンティティを証明する能力」と定義されています。

02 情報資産における脅威

情報資産を脅かすものを把握しよう

- 技術的脅威について理解しよう。
- 人的脅威について理解しよう。
- 物理的脅威について理解しよう。

情報資産の脅威の種類

　情報セキュリティ対策を行うには、まず情報資産が、どのような脅威にさらされているのかをきちんと把握する必要があります。情報資産をとりまく脅威には、技術的脅威、人的脅威、物理的脅威の3種類があります。

技術的脅威

　コンピュータ技術を使った脅威を技術的脅威といいます。技術的脅威は、不正アクセスやコンピュータウイルスをはじめ、さまざまな攻撃の手口があります。

フィッシング

　銀行などを装った偽のWebサイトを作り、URLを載せた電子メールを送り、ユーザにアクセスさせて暗証番号やパスワードをだまし取ることをフィッシングといいます。

パスワードリスト攻撃

あるインターネットサービスの利用者が、別のサービスでも同じIDやパスワードを使い回す可能性が高いことに着目し、**攻撃者が別の脆弱なサービスから入手したIDとパスワードのリストを用いて、本人になりすまして不正アクセスを試みる攻撃**をパスワードリスト攻撃といいます。

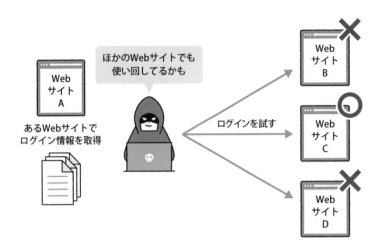

DNSキャッシュポイズニング

PCが参照する**DNSサーバに誤ったドメイン管理情報を覚え込ませて、偽のサーバに誘導する攻撃**をDNS（ディーエヌエス）キャッシュポイズニングといいます。

SEOポイズニング

検索サイトの検索結果の上位に、マルウェアなどを含んだ悪意のあるサイトが紛れ込むように細工する攻撃をSEO（エスイーオー）ポイズニングといいます。事件やイベントなど、頻繁に検索されるキーワードの検索結果で上位になるようWebサイトを細工し、アクセス数を増やすことで、被害を大きくします。

ディレクトリトラバーサル攻撃

Webサーバは多くの人にアクセスされるため、サーバ管理者は設定により公開範囲を限定しています。しかし、Webサーバの設定が甘いと、管理者が公開するつもりではないファイルの場所であっても、ユーザがアクセスできてしまいます。この脆弱性を狙って、**管理者が公開するつもりのないファイルに不正にアクセスする攻撃**をディレクトリトラバーサル攻撃といいます。

SQLインジェクション

Webアプリケーションの入力フォームには、ログイン情報や注文情報といったWebサイトで指定される情報を、利用者が入力します。攻撃者は、**本来入力されるはずのないデータベースの操作言語であるSQL文を入力欄に打ち込み送信する**ことで、データベースを不正に操作してデータを改ざんしたり、不正に情報を引き出そうとしたりします。この攻撃をSQLインジェクションといいます。

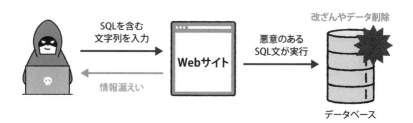

ココに気をつけて！ SQLインジェクションを防ぐためには、**入力されたデータをチェックし、SQL文が入力されても実行されないように、文字を変換することで無効化**します。

DoS攻撃

サーバに大量のデータを送信し、サーバの機能を停止させる攻撃をDoS攻撃といいます。

Webビーコン

WebページやHTML形式の電子メールに非常に小さい画像を埋め込み、ユーザのIPアドレスやアクセス日時、サイトへの訪問頻度といったアクセス動向を収集する仕組みのことを、Webビーコンといいます。

スパイウェア

パソコン内にある利用者の個人情報や、どんなWebサイトを見ているかといった行動を監視し、利用者が知らないところで収集した情報を外部サーバに自動送信するプログラムをスパイウェアといいます。

例えば、**キーボード入力を監視して記録するキーロガー**をパソコンに仕掛けて、入力したログインIDやパスワード、クレジットカード番号などを収集するような手口があります。

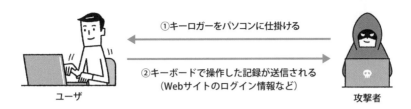

①キーロガーをパソコンに仕掛ける

②キーボードで操作した記録が送信される
（Webサイトのログイン情報など）

ユーザ　　　　　　　　　　　　　　攻撃者

ファイルレスマルウェア

　ディスク上にファイルを残さずシステムのメモリ上でのみ動作する悪意のあるソフトウェアを**ファイルレスマルウェア**といいます。OSに標準で組み込まれている正当なツールを悪用することで攻撃を仕掛けます。

ブルートフォース攻撃

　パスワード解析や暗号解読の手法で、**考えられるすべての文字の組合せパターンを順に試す攻撃**を**ブルートフォース攻撃**といいます。

リバースブルートフォース攻撃

　ブルートフォース攻撃とは逆で、**パスワードを固定した状態で異なるログインIDを総当たりで試す攻撃**を**リバースブルートフォース攻撃**といいます。IDを変えて試すため、アカウントロック機能が効かない場合が多く、攻撃が成功しやすいという特徴があります。

ドライブバイダウンロード攻撃

　悪意のあるWebサイトにアクセスさせ、Webブラウザの脆弱性を悪用して利用者のパソコンをマルウェアに感染させる攻撃を、**ドライブバイダウンロード攻撃**といいます。ユーザーが知らない間にマルウェアのダウンロードが実行されてしまうため、感染に気づきにくい攻撃です。

改ざんされてしまった
悪意のあるWebサイト

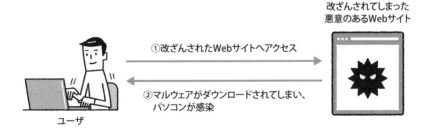

①改ざんされたWebサイトへアクセス

②マルウェアがダウンロードされてしまい、
パソコンが感染

ユーザ

Chapter

10

セキュリティ

411

人的脅威

「人」が原因である**脅威**を人的脅威といいます。コンピュータの置き忘れや操作ミスなど、情報の持ち主のうっかりミスによるものや、内部関係者が意図的に情報を漏えいすることがこれにあたります。

ソーシャルエンジニアリング

システム管理者などを装って、利用者に問い合わせてパスワードを聞き出したり、緊急事態を装って組織内部の機密情報を聞き出したりするなど、**人間の心理の隙をついて情報を盗む行為**をソーシャルエンジニアリングといいます。

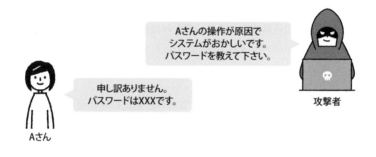

Aさんの操作が原因で
システムがおかしいです。
パスワードを教えて下さい。

申し訳ありません。
パスワードはXXXです。

Aさん

攻撃者

なりすまし

盗んだIDやパスワードなどを使い、ネットワーク上でその人のふりをすることをなりすましといいます。なりすましによって、情報を盗んだり、他人に迷惑な行動をしたりします。

サラミ法

不正行為が表面化しない程度に、多数の資産から少しずつ詐取する方法をサラミ法といいます。サラミソーセージを少しずつスライスして盗むと、盗みが発覚しづらいことに由来しています。

物理的脅威

　大雨や地震、落雷などの災害、またはコンピュータの故障など、**コンピュータが物理的に損害を受けて情報を失う脅威**を物理的脅威といいます。空き巣によるコンピュータの盗難や破壊などもこれにあたります。

災害

台風

地震

津波

コンピュータの故障

Chapter

10

セキュリティ

ココが試験に出る！

- フィッシング：偽サイトにアクセスさせて情報を盗む
- パスワードリスト攻撃：別システムから流出したアカウント情報を使って、使い回している利用者のアカウントを乗っ取る
- DNSキャッシュポイズニング：DNSサーバに誤ったドメイン管理情報を覚え込ませて偽サーバに誘導する
- ディレクトリトラバーサル攻撃：管理者が許可していないパスで、Webサーバ内のファイルに不正アクセスする
- SQLインジェクション：Webアプリケーション上で悪意のあるSQL文を入力してデータベースのデータを改ざん、不正に取得する
- DoS攻撃：大量のデータを送りつけてサーバ機能を停止させる
- Webビーコン：小さい画像を埋め込み、アクセス動向を収集する
- キーロガー：PCに仕掛けて入力したログイン情報を収集し、悪用する
- ブルートフォース攻撃：パスワード解析や暗号解読の手法で、総当たりでパスワードや鍵を割り出す
- ドライブバイダウンロード攻撃：悪意のあるWebサイトにアクセスさせ、Webブラウザの脆弱性を悪用して利用者のPCをマルウェアに感染させる

試験問題にチャレンジ

問題❶

H25春-問38

手順に示すセキュリティ攻撃はどれか。

[手順]

（1）攻撃者が金融機関の偽のWebサイトを用意する。

（2）金融機関の社員を装って，偽のWebサイトへ誘導するURLを本文中に含めた電子メールを送信する。

（3）電子メールの受信者が，その電子メールを信用して本文中のURLをクリックすると，偽のWebサイトに誘導される。

（4）偽のWebサイトと気付かれずに認証情報を入力すると，その情報が攻撃者に渡る。

ア DDos攻撃

イ フィッシング

ウ ボット

エ メールヘッダーインジェクション

・・

正解　イ

解説 信頼できる組織や企業を装って個人情報を不正に入手しようとするセキュリティ攻撃の手法を、フィッシングといいます。

ア DDos攻撃は、多数のコンピュータを不正に操り、標的となるサーバに大量のアクセスを送り付ける攻撃です。

ウ ボットは、自動化されたタスクを実行するプログラムです。悪意のあるボットには、マルウェアを配布するボットや大量のスパムメッセージを送信するボットなどがあり、セキュリティ攻撃に使われます。

エ メールヘッダーインジェクションは、Webサイトの問い合わせフォームなどのメール送信機能に存在する脆弱性を悪用した攻撃手法です。メールのヘッダにある制御情報を不正に書き換えることで、迷惑メールやフィッシング詐欺メールの送信に悪用されてしまう恐れがあります。

問題❷

パスワードリスト攻撃に該当するものはどれか。

ア 一般的な単語や人名からパスワードのリストを作成し，インターネットバンキングへのログインを試行する。

イ 想定し得るパスワードとそのハッシュ値との対のリストを用いて，入手したハッシュ値からパスワードを効率的に解析する。

ウ どこかのWebサイトから流出した利用者IDとパスワードのリストを用いて，他のWebサイトに対してログインを試行する。

エ ピクチャパスワードの入力を録画してリスト化しておき，それを利用することによってタブレット端末へのログインを試行する。

　　　　　　　　　　　　　　　　　　　　　　　　　　　　　正解　**ウ**

解説 パスワードリスト攻撃は、流出ログイン情報のリストを用いてほかのWebサイトに不正ログインを試みる攻撃です。

ア 辞書攻撃の説明です。

イ レインボーテーブル攻撃の説明です。

エ ピクチャパスワードは、指定した画像の上で円、直線、タップを組み合わせたジェスチャー（動作）をパスワードとしてログインする仕組みです。パスワードリスト攻撃ではないので誤りです。

問題❸

SQLインジェクション攻撃を防ぐ方法はどれか。

ア 入力中の文字がデータベースへの問合せや操作において，特別な意味をもつ文字として解釈されないようにする。

イ 入力にHTMLタグが含まれていたら，HTMLタグとして解釈されない他の文字列に置き換える。

ウ 入力に，上位ディレクトリを指定する文字列 (../) を含むときは受け付けない。

エ 入力の全体の長さが制限を超えているときは受け付けない。

　　　　　　　　　　　　　　　　　　　　　　　　　　　　　正解　**ア**

解説 SQLインジェクションは、Webアプリケーション上で悪意のあるSQL文を入力してデータベースのデータを改ざん、不正に取得する攻撃です。攻撃を防ぐには、入力中の文字がSQL文として解釈されないように無効化します。

ドライブバイダウンロード攻撃に該当するものはどれか。

ア　PC から物理的にハードディスクドライブを盗み出し，その中のデータをWebサイトで公開し，ダウンロードさせる。

イ　電子メールの添付ファイルを開かせて，マルウェアに感染したPCのハードディスクドライブ内のファイルを暗号化し，元に戻すための鍵を攻撃者のサーバからダウンロードさせることと引換えに金銭を要求する。

ウ　利用者が悪意のあるWebサイトにアクセスしたときに，Webブラウザの脆弱性を悪用して利用者のPCをマルウェアに感染させる。

エ　利用者に気付かれないように無償配布のソフトウェアに不正プログラムを混在させておき，利用者の操作によってPCにダウンロードさせ，インストールさせることでハードディスクドライブから個人情報を収集して攻撃者のサーバに送信する。

正解　**ウ**

解説 ドライブバイダウンロード攻撃は、悪意のあるWebサイト閲覧によりマルウェアに感染させる攻撃です。

なお、**ア**は物理的脅威における窃盗、**イ**はランサムウェア、**エ**はトロイの木馬の説明です。

Chapter 10

03 リスクアセスメント

情報資産に対するリスクと、その対応方法について学ぼう

- 情報資産に対するリスクレベルについて理解しよう。
- リスク対策の4つの対応方法について理解しよう。
- 情報セキュリティマネジメントシステム（ISMS）確立の手順を理解しよう。

リスクとは

これまで説明してきたようなさまざまな**脅威が発生する可能性**のことをリスクといいます。情報資産に対して、**どんなリスクがあるかを洗い出し、発生する可能性のある損害を明らかにした上で対応策を考えていく**必要があります。この一連のプロセスをリスクアセスメントといいます。

リスク対策

リスク対策の検討にあたっては、リスク発生時の損失額と発生確率を定量的に評価したリスクレベルを基に、リスクに優先度を付けます。そのうえで、優先度の高いものから、どのような対策をとるかを決めていきます。

リスク対策には、次のような対応方法があります。

種別	内容	例
リスク回避	**リスクの原因を排除すること**。損失額が大きく、発生率の高いリスクに対して行う対策	個人情報の破棄、Web公開の停止など
リスク移転（リスク共有）	**リスクを他者に肩代わりしてもらうこと**。損失額が大きく、発生率の低いリスクに対して行う対策	保険への加入など
リスク軽減	**リスクによる損失を許容範囲内に軽減させること**。損失額が小さく、発生率は高いリスクに対して行う対策	情報の暗号化など
リスク保有	**対策を講じないでリスクをそのままにしておくこと**。損失額も発生率も小さいリスクに対して行う対策	

ココに気をつけて! 不測の事態が起こった場合に必要な費用を準備しておくことを**リスクファイナンシング**といいます。万が一に備えて保険へ加入するリスク移転や、対策を講じないでリスクをそのままにしておくリスク保有の対策は、リスクファイナンシングに分類されます。

一方、リスクの原因を排除したり、損失を最小限に抑えたりするリスク軽減の対策は**リスクコントロール**に分類されます。

設計段階からのリスク対策

セキュリティ上のリスクを作らないためにも、システム開発の早い段階から検討しておくことは有効です。システムの企画・設計の段階から、**セキュリティを確保するためのセキュリティ対策を検討**することをセキュリティバイデザインといいます。

また、システム稼働後に発生する可能性がある**個人情報の漏えいや目的外の利用に対するリスクを予防するための機能を検討し、システムに組み込むこと**をプライバシーバイデザインといいます。

情報セキュリティマネジメントシステム（ISMS）

　情報セキュリティを維持するためには、企業などが情報を適切に管理し、機密を守るための仕組みを確立し、継続的な運用・改善をしていくことが必要です。この仕組みを、情報セキュリティマネジメントシステムまたは<ruby>ISMS<rt>アイエスエムエス</rt></ruby>といいます。

　ISMS確立の手順は、おおよそ次のような流れで行います。

①リスクの分析
②リスクの評価
③リスク対応のための管理目的および管理策の選択
④適用宣言書の作成

 組織が構築した情報セキュリティマネジメントシステムが、適切に導入、実施されているかを評価し認定する仕組みが、**ISMS適合性評価制度**です。

 ココが試験に出る！

- ・リスクレベル：リスク発生時の損失額と発生確率によって表されるリスクの大きさ
- ・セキュリティバイデザイン：システムの設計段階からセキュリティ対策を検討する
- ・プライバシーバイデザイン：システムの設計段階から個人情報を保護するために予防的機能を検討
- ・ISMS確立の手順：リスクの分析→評価→管理策の選択→適用宣言書の作成
- ・ISMS適合性評価制度：組織のISMSが適切に導入・実施されているかを評価

Chapter

10

セキュリティ

試験問題にチャレンジ

問題❶

JIS Q 27000:2014(情報セキュリティマネジメントシステム－用語)における"リスクレベル"の定義はどれか。

- **ア** 脅威によって付け込まれる可能性のある，資産又は管理策の弱点
- **イ** 結果とその起こりやすさの組合せとして表現される，リスクの大きさ
- **ウ** 対応すべきリスクに付与する優先順位
- **エ** リスクの重大性を評価するために目安とする条件

正解　イ

解説 リスクレベルは、「結果とその起こりやすさの組合せとして表現される、リスクの大きさ」と定義されています。

なお、**ア**は脆弱性、**エ**はリスク基準の定義で、**ウ**は該当する項目がありません。

問題❷

JIS Q 27001:2006におけるISMSの確立に必要な事項①～③の順序関係のうち、適切なものはどれか。

①適用宣言書の作成

②リスク対応のための管理目的及び管理策の選択

③リスクの分析と評価

- **ア**　①→②→③
- **イ**　①→③→②
- **ウ**　②→③→①
- **エ**　③→②→①

正解　エ

解説 まず③リスクの分析と評価を行い、②リスク対応策を選択し、①適用宣言書を作成します。

問題❸ H27秋-問40

ISMS適合性評価制度の説明はどれか。

ア ISO/IEC 15408に基づき，IT関連製品のセキュリティ機能の適切性・確実性を評価する。

イ JIS Q 15001に基づき，個人情報について適切な保護措置を講じる体制を整備している事業者などを認定する。

ウ JIS Q 27001に基づき，組織が構築した情報セキュリティマネジメントシステムの適合性を評価する。

エ 電子政府推奨暗号リストに基づき，暗号モジュールが適切に保護されていることを認証する。

正解 **ウ**

解説 ISMS適合性評価制度は、ISMS認証基準の国内規格であるJIS Q 27001に基づいて、組織が構築した情報セキュリティマネジメントシステムが、適切に導入、実施されているかを評価します。

ア ITセキュリティ評価及び認証制度の説明です。

イ プライバシーマーク制度の説明です。

エ 暗号モジュール試験及び認証制度の説明です。

問題❹ H30春-問42

セキュリティバイデザインの説明はどれか。

ア 開発済みのシステムに対して，第三者の情報セキュリティ専門家が，脆弱性診断を行い，システムの品質及びセキュリティを高めることである。

イ 開発済みのシステムに対して，リスクアセスメントを行い，リスクアセスメント結果に基づいてシステムを改修することである。

ウ システムの運用において，第三者による監査結果を基にシステムを改修することである。

エ システムの企画・設計段階からセキュリティを確保する方策のことである。

正解 **エ**

解説 セキュリティバイデザインは、システムの企画・設計段階（＝デザイン）からセキュリティを確保する方策のことです。

Chapter

10

セキュリティ

04 マルウェア

コンピュータに害を与える
プログラムをおさえよう

- マルウェアの定義を理解しよう。
- マルウェアにはどんな種類があるかを知ろう。
- マルウェアの検知方法を理解しよう。

マルウェアとは

　マルウェアは、**悪意のあるソフトウェアの総称**で、コンピュータやネットワークに害を及ぼすことを目的に作られたものです。コンピュータウイルスも、マルウェアの一種です。

マルウェアの種類

　マルウェアには、次のようなものがあります。

種類	特徴
コンピュータウイルス	自己感染・潜伏・発病機能のうち1つ以上の機能をもち、意図的に何らかの被害を及ぼすように作成されたプログラム
マクロウイルス	ワープロソフトや表計算ソフトなどのマクロ機能を使って感染するウイルス。**ファイルを開くだけで感染**する
トロイの木馬	何も問題のない普通のソフトを装ってコンピュータに侵入し、データの破壊や改ざん、ファイルの外部流出などを行う。**自己増殖することはない**

ワーム型ウイルス	単独で動作し、ネットワーク経由でほかのコンピュータに入り込んで**自己増殖していく**
ランサムウェア	コンピュータのデータを**暗号化して使用不能にし、復旧のためのパスワードと引き換えに金銭を要求**
ボット	悪意のある命令を実行するために、**特定の命令に従って自動的に処理を実行するプログラム**

C&Cサーバ

　ウイルスなどに感染させて乗っ取ったコンピュータで構成されたネットワークをボットネットといいます。サイバー犯罪者が攻撃するときには、C&Cサーバと呼ばれるサーバを使って、**ボットネットの支配下にあるコンピュータに命令を送って操り、ほかのコンピュータを攻撃**します。

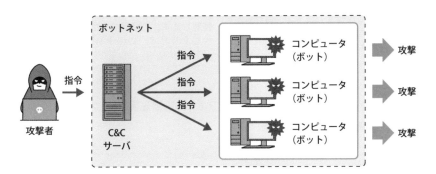

マルウェア対策ソフト

　コンピュータには、必ずマルウェア対策ソフトをインストールしておきます。マルウェア対策ソフトは、**既知マルウェアの情報（シグネチャーコード）をマルウェア定義ファイルとしてもっていて、これと比較してマルウェアの検知・駆除を行います。これを、パターンマッチング法といいます。**マルウェアは毎日新しい種類のものが作られているので、最新のものにも対応できるよう、マルウェア定義ファイルは定期的に更新する必要があります。

ココに気をつけて！ 新種マルウェアの動作を解明するのに有効な手法として、**逆アセンブル**があります。**機械語で書かれたプログラムをアセンブリ言語に変換することで、新種マルウェアの動作を解明**します。

Chapter

10

セキュリティ

未知マルウェアへの対応

　未知のマルウェアを検出するには、従来のパターンマッチング法では対応できません。そのため、次のような手法を組み合わせることで対応します。

ヒューリスティック法

　ヒューリスティック法は、**既知のパターンに依存せずに、プログラムの挙動やコードを分析して潜在的な脅威を特定する手法**です。次の2つのアプローチがあります。

静的ヒューリスティック	動的ヒューリスティック
プログラムの属性やコード構造を分析し、潜在的な脅威を特定します。プログラムを実行しないため、短時間で解析が可能ですが、誤検知も多いです。	**プログラムをメモリ上の仮想環境下で実行し、挙動を観察することで潜在的な脅威を特定**します。高精度ですが、誤検知の可能性もあります。この手法は ビヘイビア法 (振る舞い検知) とも呼ばれます。

AIを使った手法

　機械学習アルゴリズムを利用してマルウェアの特徴を学習し、AIに新たな脅威を自動的に識別・検出させる手法です。

ココが試験に出る！

- トロイの木馬：自己増殖しない
- ワーム：ネットワーク経由で自己増殖する
- C&Cサーバ：ボットネット支配下にあるコンピュータを操り、ほかのコンピュータを攻撃する
- パターンマッチング法：既知マルウェア情報 (シグネチャーコード) を使用して、対象ファイルと比較しマルウェアを検出
- 逆アセンブル：機械語をアセンブリ言語に変換し、プログラムの動作を解析。新種ウイルスの調査に有効
- ビヘイビア法 (振る舞い検知)：検査対象を仮想環境下で実行し、挙動を監視

試験問題にチャレンジ

問題❶

マルウェアについて，トロイの木馬とワームを比較したとき，ワームの特徴はどれか。

ア 勝手にファイルを暗号化して正常に読めなくする。

イ 単独のプログラムとして不正な動作を行う。

ウ 特定の条件になるまで活動をせずに待機する。

エ ネットワークやリムーバブルメディアを媒介として自ら感染を広げる。

正解　**エ**

解説 トロイの木馬は自己増殖しませんが、ワームはネットワーク経由で自己増殖します。

問題❷

クライアントPCで行うマルウェア対策のうち，適切なものはどれか。

ア PCにおけるウイルスの定期的な手動検査では，ウイルス対策ソフトの定義ファイルを最新化した日時以降に作成したファイルだけを対象にしてスキャンする。

イ ウイルスがPCの脆弱性を突いて感染しないように，OS及びアプリケーションの修正パッチを適切に適用する。

ウ 電子メールに添付されたウイルスに感染しないように，使用しないTCPポート宛ての通信を禁止する。

エ ワームが侵入しないように，クライアントPCに動的グローバルIPアドレスを付与する。

正解　**イ**

解説

ア 定義ファイルの更新後は、すべてのファイルをスキャンする必要があるため誤りです。

ウ 使用しないTCPポート宛ての通信を禁止しても、メールの内容をチェックできずウイルス感染を防止できないため誤りです。

エ クライアントPCに動的グローバルIPアドレスを付与しても、ワームの侵入は防止できないため誤りです。

Chapter **10** セキュリティ

ボットネットにおけるC&Cサーバの役割として，適切なものはどれか。

ア Webサイトのコンテンツをキャッシュし，本来のサーバに代わってコンテンツを利用者に配信することによって，ネットワークやサーバの負荷を軽減する。

イ 外部からインターネットを経由して社内ネットワークにアクセスする際に，CHAPなどのプロトコルを用いることによって，利用者認証時のパスワードの盗聴を防止する。

ウ 外部からインターネットを経由して社内ネットワークにアクセスする際に，チャレンジレスポンス方式を採用したワンタイムパスワードを用いることによって，利用者認証時のパスワードの盗聴を防止する。

エ 侵入して乗っ取ったコンピュータに対して，他のコンピュータへの攻撃などの不正な操作をするよう，外部から命令を出したり応答を受け取ったりする。

正解　エ

解説 攻撃者は、C&Cサーバ経由でボットネットの支配下にあるコンピュータを操作し、ほかのコンピュータを攻撃します。

ウイルス検出におけるビヘイビア法に分類されるものはどれか。

ア あらかじめ検査対象に付加された，ウイルスに感染していないことを保証する情報と，検査対象から算出した情報とを比較する。

イ 検査対象と安全な場所に保管してあるその原本とを比較する。

ウ 検査対象のハッシュ値と既知のウイルスファイルのハッシュ値とを比較する。

エ 検査対象をメモリ上の仮想環境下で実行して，その挙動を監視する。

正解　エ

解説 ビヘイビアとは挙動という意味です。ビヘイビア法は、検査対象の挙動を監視してウイルスを検出する方法です。

なお、**ア**はインテグリティチェック法、**イ**はコンペア法、**ウ**はハッシュ値を利用した方法の説明です。

05 暗号化と認証

暗号化の仕組みについて学ぼう

- 共通鍵暗号方式と公開鍵暗号方式の仕組みを理解しよう。
- 認証局（CA）とデジタル証明書の役割を理解しよう。
- 暗号化を活用した技術にはどんなものがあるかを知ろう。

データの暗号化

　暗号化とは、その名のとおり、**データを第三者には解読できない「暗号文」に変換すること**です。暗号化することによって、たとえ通信中にデータが他人に盗まれてしまっても、データの内容を知られることはありません。

　暗号化したデータを元に戻すことを復号といいます。暗号化と復号には、それぞれ鍵を使ってデータを変換します。鍵とは、データを変換するための特別なデータです。この鍵の違いによって、さまざまな暗号方式があります。

共通鍵暗号方式

　暗号化と復号に同じ鍵を使う暗号方式を共通鍵暗号方式といいます。データの送信者と受信者が同じ共通鍵をもっている必要があります。鍵はあらかじめ送信者から受信者へ配布しておきますが、鍵を盗まれてしまうと誰でも復号できてしまうので、鍵の受渡しには注意が必要です。

　共通鍵暗号方式は、**暗号化と復号の処理が速い**のが特徴です。しかし、**データを**

送る相手の数だけ鍵を作成する必要があるので、**不特定多数の人にデータを送るときには不向き**です。代表的な共通鍵暗号方式には、DES や AES などがあります。

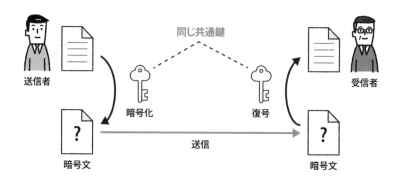

公開鍵暗号方式

暗号化するときと復号するときに、異なる2つの鍵を使う暗号方式を公開鍵暗号方式といいます。受信者は、あらかじめ暗号化に使う公開鍵（暗号化鍵）をインターネットなどで公開しておき、送信者はその鍵を使ってデータを暗号化します。復号は、受信者がもっている秘密鍵（復号鍵）で行います。公開鍵は公開してもかまいませんが、秘密鍵は受信者以外には知られないようにしなくてはなりません。

鍵を公開しているので、**不特定多数の相手からデータを受け取るのに向いています**が、**暗号化と復号の処理に時間がかかる**という短所があります。代表的な公開鍵暗号方式には、**巨大な数の素因数分解の困難さを利用した**RSA、**RSAと比べて小さいデータサイズの鍵を使って同じレベルの安全性を実現**する楕円曲線暗号などがあります。

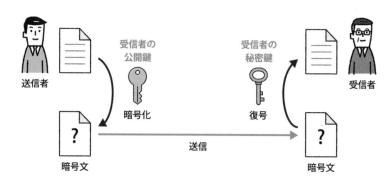

が試験に出る！

- 共通鍵暗号方式：同じ鍵（共通鍵）で暗号化・復号を行う
- 公開鍵暗号方式：受信者の公開鍵で暗号化し、秘密鍵で復号する
- RSA：巨大な数の素因数分解の困難さを利用した公開鍵暗号方式
- 楕円曲線暗号：RSAと比べて短い鍵長で同じレベルの安全性を実現する公開鍵暗号方式

デジタル署名

公開鍵暗号方式を応用した技術を用いて、デジタルデータに、自分が作成したデータであることを証明するために署名を付けることができます。これを**デジタル署名**といいます。

デジタル署名は、**ハッシュ関数を使って、メッセージからメッセージダイジェストと呼ばれる要約データを作成し、それをさらに自分の秘密鍵を使って暗号化**したものです。

受信者は、メッセージとデジタル署名を受け取ります。メッセージについてはハッシュ関数を使ってメッセージダイジェストを作成し、デジタル署名については送信者の公開鍵で復号することでメッセージダイジェストを作成します。**作成した2つのメッセージダイジェストを比較して一致すれば、メッセージの内容が送信中に改ざんされておらず、送信者本人が作成したものであることが証明されます。**

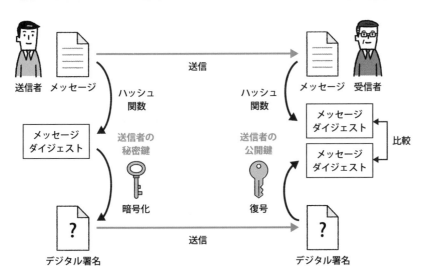

ココに気をつけて! 現在の代表的なハッシュ関数にSHA-2（Secure Hash Algorithm 2）があり、SHA-2の中でも256ビットのハッシュ値をつくる関数をSHA-256といいます。

認証局（CA）

公開鍵が本当に本人のものであるか、その正当性を証明するための第三者機関を認証局（CA：Certification Authority）といいます。認証局は、本人からの申請に基づいてデジタル証明書を発行し、公開鍵が本人のものであることを証明します。

どっちが本人の公開鍵？

CA

デジタル証明書

こっちが本人の公開鍵だ!

ココに気をつけて! デジタル証明書は、社員が利用するスマートフォンへも導入されています。これにより、社員のスマートフォンが、外出先から社内システムへアクセスするとき、アクセスを許可したデバイスであるかどうかをデジタル証明書を使って確認することができます。

SSL/TLS

SSL/TLSは、インターネット上でセキュリティを確保するために、Webサーバとクライアント間の通信を暗号化するプロトコルです。公開鍵暗号方式や共通鍵暗号方式などのセキュリティ技術を使って、データの盗聴や改ざんを防ぎます。Webブラウザに標準搭載され、インターネット上で安全にデータをやり取りするための業界標準となっています。

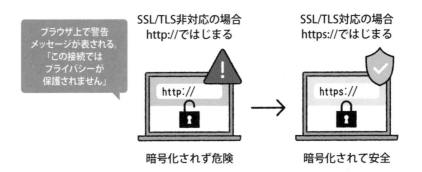

IPsec

IPsec（アイピーセック）は、IPを拡張して**インターネットで暗号通信を行うためのネットワーク層で動作するプロトコル**です。**IPパケット単位**で暗号化するため、上位層であるトランスポート層やアプリケーション層が暗号化に対応していなくても、安全に通信できます。

IPsecはプロトコル群の総称で、認証、暗号化などのプロトコルを含みます。試験で出題されているプロトコルは、次の2つです。

名称	説明
AH（エーエイチ）（Authentication Header）	パケットが改ざんされていないか、**認証を行う**
ESP（イーエスピー）（Encapsulating Security Payload）	ペイロードと呼ばれる通信内容部分を暗号化し、**認証や暗号化情報を付与**する

S/MIME

S/MIME（エスマイム）は、**電子メールの公開鍵暗号方式による暗号化とデジタル署名について定めた標準規格**です。第三者機関の認証局が電子証明書を発行し、電子署名を付したメールをやり取りします。この仕組みにより、**確かに送信者からのメールであるということと改ざんされていないことを保証**します。

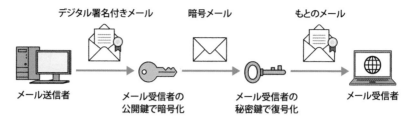

デジタル署名付きメール　　　暗号メール　　　もとのメール

メール送信者　　　メール受信者の　　　メール受信者の　　　メール受信者
　　　　　　　　　公開鍵で暗号化　　　秘密鍵で復号化

━━━ ココが試験に出る！ ━━━

- デジタル署名：データ送信者の証明と改ざんされていないかどうかを確認する技術
- SHA-256：現在使われている代表的なハッシュ関数で256ビットのハッシュ値を生成
- CA：公開鍵の正当性を証明する第三者機関
- SSL/TLS：インターネット上でデータを安全にやり取りする業界標準プロトコル
- IPsec：IPパケットを暗号化するネットワーク層のプロトコル
- S/MIME：電子メールの暗号化とデジタル署名に使う規格

試験問題にチャレンジ

問題❶

非常に大きな数の素因数分解が困難なことを利用した公開鍵暗号方式はどれか。

ア AES
イ DH
ウ DSA
エ RSA

正解　エ

解説 RSA暗号を解読するには、非常に大きな数を素因数分解する必要があります。

問題❷

文書の内容を秘匿して送受信する場合の公開鍵暗号方式における鍵と暗号化アルゴリズムの取扱いのうち，適切なものはどれか。

ア 暗号化鍵と復号鍵は公開するが，暗号化アルゴリズムは秘密にしなければならない。
イ 暗号化鍵は公開するが，復号鍵と暗号化アルゴリズムは秘密にしなければならない。
ウ 暗号化鍵と暗号化アルゴリズムは公開するが，復号鍵は秘密にしなければならない。
エ 復号鍵と暗号化アルゴリズムは公開するが，暗号化鍵は秘密にしなければならない。

正解　ウ

解説 暗号化アルゴリズムとは、暗号化するときの計算の仕方です。公開鍵暗号方式では、暗号化鍵と暗号化アルゴリズムは公開されていますが、復号鍵は秘密にしておく必要があります。

Chapter

10

セキュリティ

問題❸

アプリケーションソフトウェアにデジタル署名を施す目的はどれか。

ア アプリケーションソフトウェアの改ざんを利用者が検知できるようにする。

イ アプリケーションソフトウェアの使用を特定の利用者に制限する。

ウ アプリケーションソフトウェアの著作権が作成者にあることを証明する。

エ アプリケーションソフトウェアの利用者による修正や改変を不可能にする。

正解　ア

解説 デジタル署名によって、利用者は受け取ったデータが改ざんされていないことを確認できます。

問題❹

公開鍵暗号を利用した電子商取引において，認証局（CA）の役割はどれか。

ア 取引当事者間で共有する秘密鍵を管理する。

イ 取引当事者の公開鍵に対するデジタル証明書を発行する。

ウ 取引当事者のデジタル署名を管理する。

エ 取引当事者のパスワードを管理する。

正解　イ

解説 認証局（CA）は、通信相手からの申請に基づいてデジタル証明書を発行し、公開鍵が本人のものであることを証明します。

問題❺

OSI基本参照モデルのネットワーク層で動作し，"認証ヘッダ（AH）"と"暗号ペイロード（ESP）"の二つのプロトコルを含むものはどれか。

ア IPsec

イ S/MIME

ウ SSH

エ XML暗号

正解　ア

解説 OSI基本参照モデルのネットワーク層で動作する暗号化のプロトコルはIPsecです。

Chapter 10

06 ネットワーク セキュリティ

⏰ **20**分 \ 👉 ★★★

不正アクセスを防止 するため技術を学ぼう

- 代表的なユーザ認証について理解しよう。
- 無線LAN通信のセキュリティ対策を理解しよう。
- ファイアウォールについて理解しよう。

ネットワークセキュリティ技術

　コンピュータをネットワークに接続すると、ネットワークを介してほかのコンピュータにアクセスできるので便利ですが、逆にほかのコンピュータから不正にアクセスされてしまう危険性もあります。そのため、**ネットワークを介した不正なアクセスを防止するためのさまざまな技術**があります。

ユーザ認証

　データにアクセスするときにIDとパスワードや、人間の指紋といった**本人であることが確認できる情報の入力を求め、ユーザ本人によるアクセスであることを確かめます。これをユーザ認証といいます。**

　代表的なユーザ認証であるIDとパスワードの組合せでは、IDとパスワードを盗まれると本人以外でもアクセスできてしまうため、パスワードは複数の文字種を混ぜた複雑なものにするなどの配慮が必要です。また、パスワードに加えて生体認証を要求するなど、**種類の異なる2つの情報を組み合わせる2要素認証によって、安**

全性を高める方法もあります。

また、ほかにも安全にユーザ認証を行うために次のような技術が使われています。

パスワードのハッシュ化

パスワードを保管する際は、パスワードそのものではなくハッシュ関数で変換したハッシュ値を登録します。 これをハッシュ化といいます。認証時も同様に入力パスワードをハッシュ化し、ハッシュ値で比較する方法がとられます。万が一ハッシュ値が流出しても、パスワードそのものを得ることができないため、よく用いられている方法です。

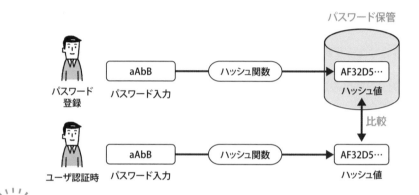

ハッシュ値は、Webサーバなどのコンテンツ改ざんの検知にも利用されます。 Webサーバのコンテンツの各ファイルのハッシュ値を保管しておき、定期的に各ファイルからハッシュ値を生成し比較することで、コンテンツが改ざんされていないかチェックします。

CAPTCHA

プログラムを使ってIDやパスワードを自動入力することでログインする不正アクセスを排除するために、**ゆがめたり一部を隠したりした画像から文字を判読して入力させる技術**を、CAPTCHA（キャプチャ）といいます。ゆがめた文字などはコンピュータには判別できないため、人間による入力であることがわかります。

436

バイオメトリクス認証

　文字や数字を入力するパスワードではなく、**人間の指紋や目の虹彩などの身体的特徴によって認証を行う**のが、バイオメトリクス認証（生体認証）です。バイオメトリクス認証には、身体的特徴を抽出して認証する方式のほかに、**署名するときの速度や筆圧から行動的特徴を抽出して認証する方式**もあります。

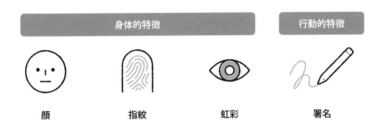

| 身体的特徴 | 行動的特徴 |

顔　　　　　　指紋　　　　　　虹彩　　　　　　署名

　IDやパスワードに比べて、なりすましの危険性が少なく、高い信頼性と利便性を備えていますが、一方で生体認証を判定する装置を設定するときには、**本人を誤って拒否する確率と他人を誤って許可する確率の双方を考慮に入れる必要があります。**

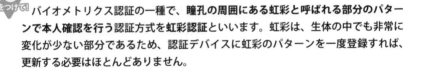バイオメトリクス認証の一種で、**瞳孔の周囲にある虹彩と呼ばれる部分のパターンで本人確認を行う認証方式を虹彩認証**といいます。虹彩は、生体の中でも非常に変化が少ない部分であるため、認証デバイスに虹彩のパターンを一度登録すれば、更新する必要はほとんどありません。

- CAPTCHA：ゆがめた画像などから文字を判読し入力させることで、コンピュータではなく人間がアクセスしていることを確認する
- バイオメトリクス認証：人間の指紋や虹彩など身体的特徴による認証方法と、筆記速度や筆圧など行動的特徴による認証方式がある

無線LAN通信のセキュリティ対策

　無線LANは電波が届く範囲であれば通信できるため、有線LAN以上にセキュリティ対策が必須です。主な対策として、**決められた利用者だけが通信できるように許可する認証**と、**通信データの暗号化**があります。これらを組み合わせることで、より安全な通信を実現しています。無線LANのセキュリティ規格として、過去の脆弱性を改善したWPA3（Wi-Fi Protected Access 3）が2018年に登場し、現在の主流になっています。

ファイアウォール

　LANなどの内部ネットワークとインターネットなどの外部ネットワークの間に**配置し、LANへ不正なアクセスができないようにするシステム**をファイアウォールといいます。ファイアウォールを設置すると、**内部ネットワークと外部ネットワークの間に、どちらからも隔離された区域**ができます。これをDMZ（非武装地帯）といいます。

　例えば、WebサーバとDBサーバで構成された利用者向けのサービスをインターネットに公開する場合、次のようにサーバを設置することが一般的です。**インターネットへ情報を公開するWebサーバはDMZに置き、重要なデータをもつDBサーバは不正アクセスを防ぐため内部ネットワークに配置**します。

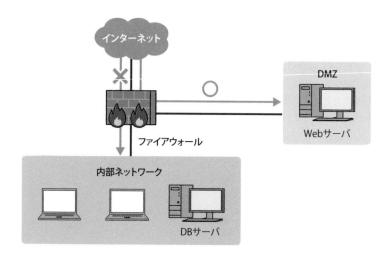

WAF

　Webアプリケーションのやり取りを管理することによって不正侵入を防御することのできるファイアウォールをWAF（ワフ）といいます。WebアプリケーションとWebサーバ間の通信内容をチェックし、SQLインジェクションなどの攻撃や不正と見なされたアクセス要求を遮断します。

　また、WAFの設置場所には注意が必要です。SSLアクセラレータから先はHTTPS通信が行われるため、経路上のパケットは暗号化されてしまいます。そのため、**SSLアクセラレータより内側でHTTP通信のパケットが流れている経路に設置する必要があります。**

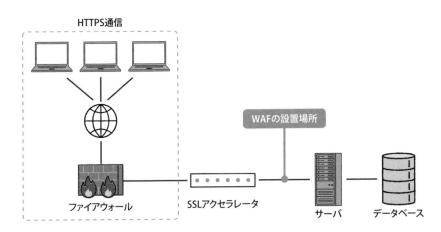

HTTPS通信

WAFの設置場所

ファイアウォール　SSLアクセラレータ　サーバ　データベース

パケットフィルタリング

　パケットに付加された宛先IPアドレスや送信元IPアドレス、ポート番号などの情報を判別して、ネットワークへの通過を許可したり、遮断したりする技術をパケットフィルタリングといいます。これによって不正侵入を試みるパケットを排除します。ルータやファイアウォールに実装されています。

MACアドレスフィルタリング

　IPアドレスからMACアドレスを動的に取得するプロトコルをARP（アープ）といいます。この仕組みを利用して、**PCのMACアドレスを確認し、事前に登録されているMACアドレスをもつ機器だけ通信を許可**することができます。これをMACアドレスフィルタリングといい、無線LANのクライアント認証などで使われています。

プロキシ

内部ネットワークにあるコンピュータのアクセスを中継し、代理でインターネットへ接続を行うコンピュータを、プロキシといいます。プロキシは通信パケットのヘッダ情報を書き換えるため、接続先には内部ネットワークの情報を隠して安全に通信することができます。

次の図は、クライアントAがポート番号8080のプロキシBを経由してポート番号80のWebサーバCにアクセスしているとき、**TCPパケットのポート番号がどう変化するか**を表しています。

プロキシBは、クライアントから8080番で要求パケットを受け付けたあと、宛先は80番、送信元は自分の空いているポート番号に書き換えてから、外部のWebサーバCにアクセスします。応答パケットはToとFromを入れ替えて通信します。

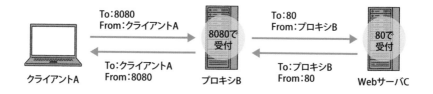

ペネトレーションテスト

コンピュータやネットワークのセキュリティ上の弱点を発見するために、システムを実際に攻撃して侵入を試みるテストをペネトレーションテストといいます。定期的にテストをすることで、新たなセキュリティホールや設定ミスを発見し、システムの安全性を確保します。

侵入検知システム

侵入検知システムは、IDSともいい、**コンピュータやネットワークに対する不正行為を検出し、通知するためのシステム**です。ネットワーク上の通信を解析し、侵入手口のパターンと一致した場合や、異常を検出した場合には管理者へ通知します。

バックドア

　通常の経路以外から不正に侵入するために、**侵入者がサーバに仕掛けた裏の侵入経路を**バックドアといいます。侵入や攻撃を受けたサーバにはバックドアが仕掛けられた可能性が高いため、ディスクのフォーマットやOSの再インストールが必要です。なお、**バックドアを作り、サーバ内での侵入痕跡を隠ぺいする機能をもつ不正なプログラム**に、rootkitがあります。

SIEM

　SIEM（Security Information and Event Management）は、ファイアウォールやIDS、プロキシなどから**ログを集めて総合的に分析**することで、外部からの攻撃やマルウェア感染といった**異常を自動検知し、管理者が迅速に対応できるよう支援するシステム**です。各機器のログを横断的に分析し、通信の流れを詳細に把握できるメリットがあります。

ココが試験に出る！

- WPA3：脆弱性を改善した無線LANのセキュリティ規格
- ファイアウォール：内部ネットワークを外部攻撃から守るもの
- DMZ：外部と内部のネットワークの間にある地帯
- WAF：Webアプリケーションの脆弱性を悪用した外部攻撃から守るもの
- パケットフィルタリング：IPアドレスやポート番号を識別し通過させるパケットを制限する
- プロキシ：代理でインターネットへ接続し内部ネットワークを隠す
- ペネトレーションテスト：システムを実際に攻撃して侵入を試みるテスト
- IDS：サーバやネットワークを監視し、不正行為を検出・通知
- バックドア：侵入者が通常の経路以外から不正侵入するために仕掛けた裏経路
- rootkit：バックドアを作り、サーバ内の侵入痕跡を隠ぺいする不正プログラム
- SIEM：さまざまなログを総合的に分析して異常を検知し、管理者を支援

Chapter

10

セキュリティ

試験問題にチャレンジ

CAPTCHAの目的はどれか。

ア Webサイトなどにおいて，コンピュータではなく人間がアクセスしていることを確認する。

イ 公開鍵暗号と共通鍵暗号を組み合わせて，メッセージを効率よく暗号化する。

ウ 通信回線を流れるパケットをキャプチャして，パケットの内容の表示や解析，集計を行う。

エ 電子政府推奨暗号の安全性を評価し，暗号技術の適切な実装法，運用法を調査，検討する。

正解 **ア**

解説 CAPTCHAは、ゆがめた文字などを表示し、利用者に入力してもらう仕組みです。コンピュータでは自動判別が難しいため、人間がアクセスしていることを確認できます。

バイオメトリクス認証には，身体的特徴を抽出して認証する方式と行動的特徴を抽出して認証する方式がある。行動的特徴を用いているものはどれか。

ア 血管の分岐点の分岐角度や分岐点間の長さから特徴を抽出して認証する。

イ 署名するときの速度や筆圧から特徴を抽出して認証する。

ウ 瞳孔から外側に向かって発生するカオス状のしわの特徴を抽出して認証する。

エ 隆線によって形作られる紋様からマニューシャと呼ばれる特徴点を抽出して認証する。

正解 **イ**

解説 バイオメトリクス認証の行動的特徴では、個人の行動パターンや癖を分析して本人確認を行います。**ア**、**ウ**、**エ**は身体的特徴です。

問題❸

WPA3はどれか。

ア HTTP通信の暗号化規格
イ TCP/IP通信の暗号化規格
ウ Webサーバで使用するデジタル証明書の規格
エ 無線LANのセキュリティ規格

正解 **エ**

解説 WPA3は無線LANのセキュリティ規格です。

問題❹

WAF（Web Application Firewall）を利用する目的はどれか。

ア Webサーバ及びWebアプリケーションに起因する脆弱性への攻撃を遮断する。
イ Webサーバ内でワームの侵入を検知し，ワームの自動駆除を行う。
ウ Webサーバのコンテンツ開発の結合テスト時にWebアプリケーションの脆弱性や不整合を検知する。
エ Webサーバのセキュリティホールを発見し，OSのセキュリティパッチを適用する。

正解 **ア**

解説 WAFは、Webアプリケーションのやり取りを管理することによって、SQLインジェクションなどの攻撃や不正と見なされたアクセス要求を遮断します。

問題❺

クライアントAがポート番号8080のHTTPプロキシサーバBを経由してポート番号80のWebサーバCにアクセスしているとき，宛先ポート番号が常に8080になるTCPパケットはどれか。

ア AからBへのHTTP要求及びCからBへのHTTP応答
イ AからBへのHTTP要求だけ
ウ BからAへのHTTP応答だけ
エ BからCへのHTTP要求及びCからBへのHTTP応答

正解 **イ**

Chapter

10

セキュリティ

解説 宛先ポート番号が常に8080番となるのは、クライアントAからプロキシサーバB に対してサービスを要求するときだけです。それ以外の通信における宛先ポート番号は、 BからCは80番、CからBはBの任意のポート番号、BからAはAの任意のポート番号 です。

問題⑥
H30秋 - 問42

IDSの機能はどれか。

- **ア** PCにインストールされているソフトウェア製品が最新のバージョンであるかどう かを確認する。
- **イ** 検査対象の製品にテストデータを送り，製品の応答や挙動から脆（ぜい）弱性を検 出する。
- **ウ** サーバやネットワークを監視し，侵入や侵害を検知した場合に管理者へ通知する。
- **エ** 情報システムの運用管理状況などの情報セキュリティ対策状況と企業情報を入力 し，組織の情報セキュリティへの取組み状況を自己診断する。

正解　ウ

解説 IDS（Intrusion Detection System）はサーバやネットワークを監視し、不正 行為を検出・通知します。

- **ア** ソフトウェアアップデート管理ツールの説明です。
- **イ** ファジングテストの説明です。通常の使用では見つかりにくい未知の脆弱性やバグ を発見するのに効果的です。
- **エ** 情報セキュリティ対策ベンチマークというツールの説明です。

マネジメント系

Chapter

11

テクノロジ系
基礎理論
コンピュータシステム
技術要素
開発技術

マネジメント系
プロジェクト
マネジメント
サービスマネジメント

ストラテジ系
システム戦略
経営戦略
企業と法務

解説動画 ▶

マネジメント

本章の学習ポイント

- システム開発全体をトップダウン方式で作業を細分化して管理する方法をWBSという。
- アローダイヤグラムで、一番時間がかかる経路のことをクリティカルパスと呼ぶ。
- ITサービスマネジメントの事例をまとめたガイドラインのことをITILという。
- システム監査は、計画・実施・報告の順に実施する。

01 プロジェクト
マネジメント

プロジェクトを成功に
導く方法について学ぼう

- プロジェクトの定義、特性を理解しよう。
- コストの見積もり手法であるファンクションポイント法を理解しよう。
- スケジュール管理手法であるWBSを理解しよう。

プロジェクトマネージャの役割

　プロジェクトとは、**モノやサービスを作り出すための計画**のことで、システム開発もプロジェクトの１つです。プロジェクトの特性として、**期間が決まっている**有期性と、**今までに実施したことがない要素が含まれる**独自性の２つが挙げられます。

　プロジェクトを管理することをプロジェクトマネジメント、**管理する人**をプロジェクトマネージャといいます。また、**プロジェクト活動によって、直接的または間接的に利害が生じる可能性のある人たち**をステークホルダーといいます。プロジェクトマネージャの仕事には、システム開発におけるコストの見積もりやスケジュール管理などがあります。

スコープマネジメント

　プロジェクトを成功させるためには、**プロジェクトの目的や範囲を明確にした上で何をするのか、何をしないのかを決め、必要な作業をもれなく洗い出す**ことが重要です。この管理プロセスをスコープマネジメントといいます。

コストの見積もり

システムの開発工数や費用を見積もる手法には、**ファンクションポイント法**とい う考え方があります。**画面数といった入出力などのシステム機能に着目し、すべて の機能に処理内容の難易度に応じて「ファンクションポイント」という点数を付け、 機能の個数×点数を計算してシステム全体の開発規模を見積もります。**

ユーザファンクションタイプ	個数	点数
外部入力	1	4
外部出力	2	5
内部論理ファイル	1	10
外部インタフェースファイル	0	7
外部照会	0	4

→ 1 × 4 ＝ 4 ◀ ❶各機能の個数×点数を計算
→ 2 × 5 ＝ 10
→ 1 × 10 ＝ 10
→ 0 × 7 ＝ 0
→ 0 × 4 ＝ 0

※複雑さの補正係数：0.75

合計　24 ◀ ❷各点数を合計する

→ 24 × 0.75 ＝ 18 ◀ ❸補正係数をかける

ファンクションポイント：18

スケジュール管理

システム開発全体のスケジュールを常に管理するのは大変なので、**トップダウン 方式で作業を細分化し、次のように階層構造にして管理する手法**が広く使われてい ます。これを **WBS**（Work Breakdown Structure）といいます。

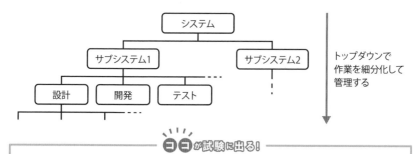

トップダウンで 作業を細分化して 管理する

───🌟 ココ が試験に出る！ 🌟───

- プロジェクトの特性：目標の達成、有期性、独自性、資源の制約がある
- プロジェクトのステークホルダー：直接的、間接的にプロジェクト活動によって 利害が生じる可能性がある人たちすべて
- スコープマネジメント：プロジェクトの目的や範囲を明確化すること
- ファンクションポイント法：外部入力、外部出力、内部論理ファイル、外部イン タフェースファイル、外部照会の5つのユーザファンクションタイプを点数化し、 開発規模を見積もる方法
- WBS：プロジェクトの作業をトップダウンで細分化し、構造化する作業計画手法

試験問題にチャレンジ

　ソフトウェア開発の見積方法の一つであるファンクションポイント法の説明として，適切なものはどれか。

ア 開発規模が分かっていることを前提として，工数と工期を見積もる方法である。ビジネス分野に限らず，全分野に適用可能である。

イ 過去に経験した類似のソフトウェアについてのデータを基にして，ソフトウェアの相違点を調べ，同じ部分については過去のデータを使い，異なった部分は経験に基づいて，規模と工数を見積もる方法である。

ウ ソフトウェアの機能を入出力データ数やファイル数などによって定量的に計測し，複雑さによる調整を行って，ソフトウェア規模を見積もる方法である。

エ 単位作業項目に適用する作業量の基準値を決めておき，作業項目を単位作業項目まで分解し，基準値を適用して算出した作業量の積算で全体の作業量を見積もる方法である。

....

正解　ウ

解説 ファンクションポイント法では、入出力データ数やファイル数などのシステム機能の個数や複雑さに着目してシステム規模を見積もります。**ア**はCOCOMO、**イ**は類推見積法、**エ**は標準タスク法の説明です。

Chapter 11

02 アローダイアグラム

**アローダイアグラムに
ついて理解しよう**

- アローダイアグラムの見方を理解しよう。
- クリティカルパス、最早結合点時刻、最遅結合点時刻を理解しよう。
- 進捗管理に用いられるトレンドチャートを理解しよう。

アローダイアグラム

　プロジェクトを管理するとき、作業項目が多かったり、各作業の順序関係が入り組んでいたりすると、スケジュール管理が大変です。その場合は、アローダイアグラム（PERT：Program Evaluation and Review Technique）を使って図にするとわかりやすくなります。アローダイアグラムは、1つ1つの作業を「→」で表し、矢印の上に作業名、下に所要日数を記載します。作業と作業の結合点は「〇」で表します。

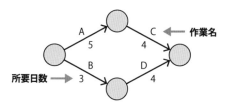

作業の順番：A→C
所要日数　：5＋4＝9日

作業の順番：B→D
所要日数　：3＋4＝7日

　各作業は、並行して進められるものもあれば、「作業Dは、作業Aが完了していないと始められない」といった制限があることもあります。例えば料理をするとき、材料を切ったり調味料を用意したりすることは並行して進められますが、材料を炒めるのは、切ったあとにしかできないのと同じです。

　作業Aから作業Fまであるとき、各作業の順序関係には次の制限があるとします。

作業名	その前に完了していなければならない作業
作業C	作業A
作業D	作業A、作業B
作業E	作業C
作業F	作業D、作業E

この場合、アローダイアグラムで表現すると、次の図のようになります。

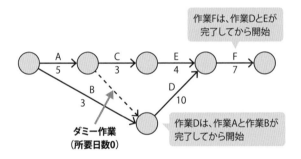

　実際の作業は存在せず、作業の前後関係だけを表す作業をダミー作業といい、アローダイアグラムでは「‑‑➔」を使います。

　並行して進める作業がある場合、**作業開始から作業終了までに複数の作業経路ができあがるわけですが、その中でも一番時間がかかる経路のことをクリティカルパ**スといいます。上の図のクリティカルパスを求めると、「A→ダミー作業→D→F」の経路になります。

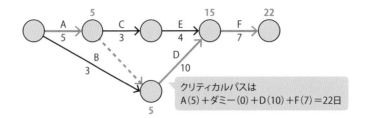

クリティカルパスは
A(5)＋ダミー(0)＋D(10)＋F(7)＝22日

　クリティカルパス上の作業は全部で22日かかっていることがわかります。この日数が、プロジェクト全体の所要日数となります。

クラッシング

　クリティカルパス上で遅れが生じるとプロジェクト全体が遅れてしまうので、特に注意して管理しなければなりません。プロジェクトのスケジュールを短縮するために、**クリティカルパス上の作業に割り当てる資源を増やして、作業の所要期間を短縮する方法**をクラッシングといいます。

最早結合点時刻と最遅結合点時刻

　作業経路上の対象となる作業において、**最も作業を早く開始できる日時のこと**を最早結合点時刻といいます。言い換えると、**「いつから次の作業に取りかかれるか」という最短所要日数**です。

④の最早結合点時刻は
A(5)＋C(3)＝8日

⑤の最早結合点時刻は
A(5)＋ダミー(0)＋D(10)＝15日

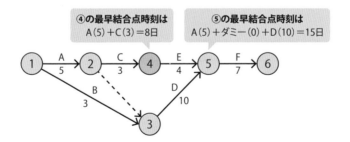

一方、対象となる作業において、**プロジェクト全体に影響を与えない範囲で、最も作業を遅らせて開始した場合の日時**を最遅結合点時刻といいます。「いつまでに作業すれば全体の進捗に影響がでないか」を逆算して求めます。

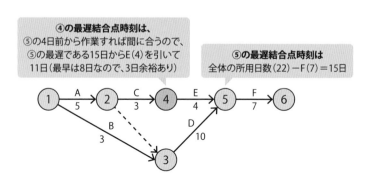

④の最遅結合点時刻は、
⑤の4日前から作業すれば間に合うので、
⑤の最遅である15日からE（4）を引いて
11日（最早は8日なので、3日余裕あり）

⑤の最遅結合点時刻は
全体の所用日数（22）－F（7）＝15日

トレンドチャート

プロジェクト全体の進捗管理に用いられるグラフに、トレンドチャートがあります。トレンドチャートは、**作業の進捗状況と予算の消費状況を関連付けて、折れ線グラフで表します。**

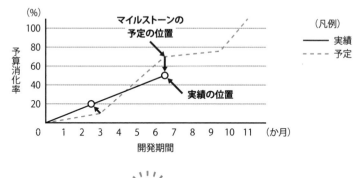

ココが試験に出る！

- クリティカルパス：作業開始から終了までの経路で一番時間がかかる経路。全体の遅れに直結する作業を把握
- 最早結合点時刻、最遅結合点時刻を求める問題が出題される
- クラッシング：クリティカルパス上の作業に割り当てる資源を増やして期間を短縮
- トレンドチャート：進捗と予算を関連付けた折れ線グラフ

試験問題にチャレンジ

問題①

　九つの作業からなるプロジェクトがある。作業Eの所要日数を9日から6日に短縮すると，このプロジェクトの最短作業日数を何日短縮できるか。

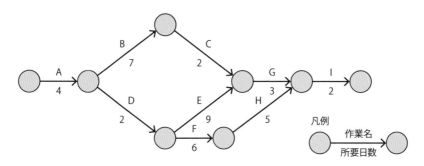

- **ア**　0（短縮できない）
- **イ**　1
- **ウ**　2
- **エ**　3

正解　イ

解説 作業Eの所要日数が9日のときは、クリティカルパスはA→D→E→G→Iとなり、最短作業日数は20日。作業Eが6日に短縮すると、クリティカルパスはA→D→F→H→Iとなり、最短作業日数は19日になります。よって、図のとおりプロジェクトの最短作業日数を20日から19日に1日短縮することができます。

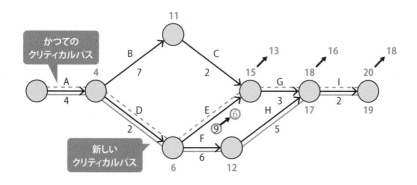

プロジェクトのスケジュールを短縮するために，アクティビティに割り当てる資源を増やして，アクティビティの所要期間を短縮する技法はどれか。

　ア　クラッシング
　イ　クリティカルチェーン法
　ウ　ファストトラッキング
　エ　モンテカルロ法

正解　ア

解説 クリティカルパス上の作業に割り当てる資源を増やして期間を短縮する技法は、クラッシングです。**イ**のクリティカルチェーン法は、クリティカルパス法にリソース制限を加味した技法です。**ウ**のファストトラッキングは、直列作業を分割し同時並行で行って期間を短縮する方法です。**エ**のモンテカルロ法は、乱数を使って反復的に計算し近似値を求める手法です。

システム開発の進捗管理などに用いられるトレンドチャートの説明はどれか。

　ア　作業に関与する人と責任をマトリックス状に示したもの
　イ　作業日程の計画と実績を対比できるように帯状に示したもの
　ウ　作業の進捗状況と，予算の消費状況を関連付けて折れ線で示したもの
　エ　作業の順序や相互関係をネットワーク状に示したもの

正解　ウ

解説 トレンドチャートは、作業の進捗状況と予算の消費状況を関連付けた折れ線グラフです。**ア**は責任分担表、**イ**はガントチャート、**エ**はアローダイアグラムの説明です。

Chapter 11

03 サービスマネジメント

 サービスを持続提供する ための取組みを学ぼう

- 安定的なサービス提供のために、何をどう管理するかを理解しよう。
- SLAについて理解しよう。
- サービスデスクの種類について理解しよう。

サービスマネジメント

　企業が提供するのは商品だけではありません。レストランでの接客やマッサージといった、形のないサービスも提供します。**サービスの利用者に満足してもらうために、自社のサービスを適切に提供できるようにするための取組みを**サービスマネジメントといいます。また、**企業が組織的にサービスを管理するための仕組みを**サービスマネジメントシステムといいます。

ITサービスマネジメント

　システム開発においても、納品した後も開発したシステムが快適に使い続けられるように、サービスレベルを管理し、改善していく必要があります。**ITを用いたサービスを改善していく取組みのことを、特にIT**サービスマネジメントといいます。

ITIL と JIS Q 20000

ITIL（Information Technology Infrastructure Library）とは、**IT サービスマネジメントの成功事例をまとめた世界的に有名なガイドライン**で、多くの企業が ITIL を参考に IT サービスマネジメントに取り組んでいます。ITIL の事例を各企業が実践できるように、IT サービスマネジメントの国際規格として **ISO/IEC 20000** が定められました。それを日本語に翻訳したものが **JIS Q 20000** です。具体的には、サービスマネジメントシステムの要件、設計・実装・運用・改善に関するプロセス、運用に必要なリソース、ドキュメントなどの記述があります。

項目	内容
サービス提供プロセス	
サービスレベル管理	IT サービス提供者と利用者間で合意したサービスレベルを管理する
キャパシティ管理	将来的な視点に基づいて必要となる IT サービスの需要を見積もり、それに見合う IT 資源を供給できるよう管理する。その中でも、**資源の利用状況を時系列で分析して、将来どうなるかを予測**することを傾向分析という
可用性管理	日常的に発生する障害頻度を見積もり、IT サービスが中断しないように管理する
解決プロセス	
インシデント管理（障害管理）	システム障害の発生から対策、解決までを管理する。**まず最初に、発生したインシデント（障害）の情報を記録する。**原因の追究ではなく、業務の迅速な再開を優先した対策を行う
問題管理	インシデントを引き起こした原因（問題）を追究し、再発を防止するための根本的な解決を行う

既知の誤り（既知のエラー）

発生した障害について、**すでに根本的な原因が特定されている問題**や、**根本解決ではないものの、修正パッチの適用といった応急処置をすることで回避できる問題**のことを既知の誤り（既知のエラー）といいます。障害発生時には、迅速な解決のために、まず既知の誤りに該当するかを確かめることが重要です。

SLA

サービスレベル管理プロセスにおいて、のちのトラブルを防ぐために、**IT サービス提供者と利用者で、あらかじめサービスの内容や品質を決めて文書化したもの**を SLA（Service Level Agreement）またはサービスレベル合意書といいます。

456

SLAと似た用語に、SLOとSLIがあります。混同しないように理解しておきましょう。

SLO（Service Level Objective）は、**サービスレベル目標とも呼ばれ、事業者が自社のサービス品質に関する目標を設定したもの**です。SLAと違って利用者と合意するものではなく、あくまで事業者側の目標です。

SLI（Service Level Indicator）は、**サービスレベル指標ともいい、サービスレベルを達成するための測定可能な指標**です。リクエスト応答時間やエラー率などが設定されます。

サービスデスク

利用者からの問合せに対応する窓口をサービスデスクといいます。システムの使用方法やトラブル時の対処法、苦情対応など、さまざまな役割を担っています。サービスデスクは、どこに設置するかによって次の種類に分かれます。

種類	役割
中央サービスデスク	1ヶ所の拠点で、すべての問合せを処理。運営コストを抑えることができ、情報を集約・管理しやすい
ローカルサービスデスク	**利用者の近くに設置。物理的に近いため、現地での対応がしやすい。**言語や文化が異なる利用者への対応、専用要員によるVIP対応も可能
バーチャルサービスデスク	**複数の地域に分散したスタッフが、通信技術により連携して提供。**利用者からは単一のサービスデスクのように見える。世界中に拠点を分散して、24時間体制が可能
フォローザサン	時差のある地域に拠点を分散させ、24時間体制でサービスを提供。太陽を追いかけるという意味からこの名称がついた

- SLA：ITサービスの品質や内容を合意して文書化
- インシデント（障害）が発生したときは、まず情報を記録する
- 既知の誤り：根本原因が特定、または回避策が存在する問題
- ローカルサービスデスク：利用者の近くに設置、現地対応が可能
- バーチャルサービスデスク：複数の地域に分散したスタッフを通信技術で連携

試験問題にチャレンジ

問題❶

ITサービスマネジメントのインシデント及びサービス要求管理プロセスにおいて，インシデントに対して最初に実施する活動はどれか。

ア 記録

イ 段階的取扱い

ウ 分類

エ 優先度の割当て

正解　ア

解説 インシデント（障害）が発生したときは、まず情報を記録します。インシデント及びサービス要求管理の手順は、記録→優先度の割当て→分類→段階的取扱いの順番で実施します。

問題❷

キャパシティ管理における将来のコンポーネント，並びにサービスの容量・能力及びパフォーマンスを予想する活動のうち，傾向分析はどれか。

ア 特定の資源の利用状況を時系列に把握して，将来における利用の変化を予測する。

イ 待ち行列理論などの数学的技法を利用して，サービスの応答時間及びスループットを予測する。

ウ 模擬的にトランザクションを発生させて，サービスの応答時間及びスループットを予測する。

エ モデル化の第一段階として，現在達成されているパフォーマンスを正確に反映したモデルを作成する。

正解　ア

解説 キャパシティ管理では、将来的な視点に基づいて必要となるITサービスの需要を見積もります。傾向分析は、時系列のデータを分析して、将来どうなるかを予測します。**イ**は数値解析モデル、**ウ**はシミュレーションモデル、**エ**はベースラインモデルの説明です。

問題❸

ITサービスマネジメントにおける"既知の誤り（既知のエラー）"の説明はどれか。

ア 根本原因が特定されている又は回避策が存在している問題

イ サービスデスクに問合せがあった新たなインシデント

ウ サービスマネジメント計画での矛盾や漏れ

エ 静的検査で検出したプログラムの誤り

正解 **ア**

解説 "既知の誤り（既知のエラー）"とは、エラー原因が特定されている、もしくは回避策がある問題です。

問題❹

サービスデスク組織の構造とその特徴のうち，ローカルサービスデスクのものはどれか。

ア サービスデスクを1拠点又は少数の場所に集中することによって，サービス要員を効率的に配置したり，大量のコールに対応したりすることができる。

イ サービスデスクを利用者の近くに配置することによって，言語や文化が異なる利用者への対応，専門要員によるVIP対応などができる。

ウ サービス要員が複数の地域や部門に分散していても，通信技術の利用によって単一のサービスデスクであるかのようにサービスが提供できる。

エ 分散拠点のサービス要員を含めた全員を中央で統括して管理することによって，統制のとれたサービスが提供できる。

正解 **イ**

解説 ローカルサービスデスクは、利用者の近くに配置することで、利用者に応じた柔軟な対応ができる特徴があります。**ア**は中央サービスデスク、**ウ**はバーチャルサービスデスク、**エ**はフォローザサンの説明です。

04 システム監査

 **システム監査の役割や
監査の内容をおさえよう**

- 監査で作成される監査調書、システム監査報告書について学ぼう。
- システム監査人の独立性について学ぼう。
- 監査手続の手法を学ぼう。

システム監査とは

　システムの導入後、きちんと運用できるように対策がなされているかを評価・検証することを、システム監査といいます。

　自社で客観的に評価するのは難しいので、**企業とは独立した立場の人である**システム監査人に評価を依頼します。

システム監査の流れ

　システム監査は、大きく分けて、計画・実施・報告の順で実施します。

　計画段階では、監査の目的・テーマ・範囲などを明確にした上で、**監査項目一覧を作成**します。その後、円滑に監査を行うために監査計画書を作成し、被監査部門に説明します。

　次の実施段階では、まず予備調査を行います。被監査部門に所属している社員に対してインタビューやヒアリングを行い、監査対象の実態を把握し、本調査で確認する項目を絞ります。**本調査では、その裏付けとなる文書や記録を入手したり現場確認を行い、監査の実施内容を**監査調書として記録します。その後、監査人が指摘

する必要があると判断した事項を監査報告書の草案として記載します。

　そして**報告段階**では、**被監査部門と意見交換し、監査報告書の記述内容に事実誤認がないかを確認**します。必要に応じて修正を加え、監査報告書を完成させます。その後、監査依頼者に対して監査結果を報告します。

　被監査部門の責任者は、報告を受けて改善命令を出します。**システム監査人は、改善後の状況を調査したり助言するなど、監査後のフォローアップを行います。**

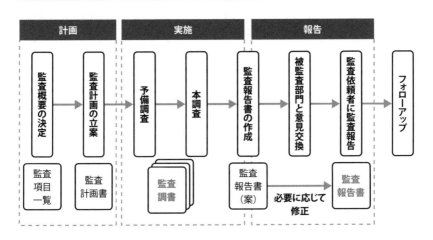

システム監査基準

　経済産業省では、**システム監査人が行うべき手順や内容をまとめた**システム監査基準を公表しています。

システム監査人の独立性

　システム監査人は、システム監査を客観的に実施するために、独立性が必要です。システム監査基準では、システム監査人の独立性について、次の2つの観点から記述されています。

種類	内容
外観上の独立性	システム監査人は、システム監査を客観的に実施するために、**監査対象から独立していなければなりません**。例えば、社内のシステム監査人の所属部署を内部監査部門にすることで独立性を保ちます。監査の目的によっては、被監査主体と身分上、密接な利害関係を有することがあってはなりません
精神上の独立性	システム監査人は、システム監査の実施にあたり、**偏向を排し、常に公正かつ客観的に監査判断を行わなければなりません**

監査手続の手法

システム監査人が監査を実施する方法には、次のようなものがあります。

手法	内容
ウォークスルー法	**データの生成から入力・処理・出力・活用までの工程や、組み込まれている制御の動き**を、書面上または実際のシステム上で追跡
インタビュー法	監査対象の実態を確かめるために、**直接関係者に口頭で問い合わせて回答を入手**
ドキュメントレビュー法	監査対象の状況に関する監査証拠を入手するために、**関連する資料や文書を入手し内容を点検**
コンピュータ支援監査技法（テストデータ法）	監査対象の情報システムの内部処理の正確性をチェック（**あらかじめ準備したテスト用データを監査対象プログラムで処理し、期待した結果が出力されるかを確認**）

システム監査報告書の提出

システム監査人は、実施した監査の目的に応じた適切な形式のシステム監査報告書を作成し、**遅滞なく監査の依頼者に提出**しなければなりません。

ココが試験に出る！

- 監査調書：監査業務の実施記録で、監査意見の根拠となるもの
- システム監査人は、インタビュー実施時、事実確認のための情報収集を行う
- システム監査報告書：事実を確認した上で、監査人が必要と判断したものを記載する
- システム監査人の独立性を保つために、監査対象の部門からは監査人を指名しない
- ウォークスルー法：データの生成から活用までの工程や動きを書面上または実際のシステム上で追跡する

試験問題にチャレンジ

問題❶

システム監査報告書に記載する指摘事項に関する説明のうち，適切なものはどれか。

ア 監査証拠による裏付けの有無にかかわらず，監査人が指摘事項とする必要があると判断した事項を記載する。

イ 監査人が指摘事項とする必要があると判断した事項のうち，監査対象部門の責任者が承認した事項を記載する。

ウ 調査結果に事実誤認がないことを監査対象部門に確認した上で，監査人が指摘事項とする必要があると判断した事項を記載する。

エ 不備の内容や重要性は考慮せず，全てを漏れなく指摘事項として記載する。

正解　**ウ**

解説 システム監査報告書は、監査対象部門と意見交換会などにより事実確認を行う必要があります。

ア 監査証拠による裏付けが必要です。

イ 監査対象部門に承認を受ける必要はありません。

エ 監査調書に記載された不備は、内容と重要性を考慮して指摘事項として記載するかどうかを判断します。全てを記載するわけではありません。

問題❷

システム監査実施体制のうち，システム監査人の独立性の観点から避けるべきものはどれか。

ア 監査チームメンバに任命された総務部のAさんが，他のメンバと一緒に，総務部の入退室管理の状況を監査する。

イ 監査部のBさんが，個人情報を取り扱う業務を委託している外部企業の個人情報管理状況を監査する。

ウ 情報システム部の開発管理者から5年前に監査部に異動したCさんが，マーケティング部におけるインターネットの利用状況を監査する。

エ 法務部のDさんが，監査部からの依頼によって，外部委託契約の妥当性の監査において，監査人に協力する。

解説 監査人と監査される部門が同じなので、独立性が保たれておらず避けるべきです。**イ**、**ウ**、**エ**は監査人と監査される部門が違うため、独立性が保たれています。

問題❸

システム監査基準におけるウォークスルー法の説明として，最も適切なものはどれか。

ア あらかじめシステム監査人が準備したテスト用データを監査対象プログラムで処理し，期待した結果が出力されるかどうかを確かめる。

イ 監査対象の実態を確かめるために，システム監査人が，直接，関係者に口頭で問い合わせ，回答を入手する。

ウ 監査対象の状況に関する監査証拠を入手するために，システム監査人が，関連する資料及び文書類を入手し，内容を点検する。

エ データの生成から入力，処理，出力，活用までのプロセス，及び組み込まれているコントロールを，システム監査人が，書面上で，又は実際に追跡する。

解説 ウォークスルー法は、データの生成から活用までの工程や動きを書面上または実際のシステム上で追跡する方法です。

なお、**ア**はコンピュータ支援監査技法（テストデータ法）、**イ**はインタビュー法、**ウ**はドキュメントレビュー法の説明です。

テクノロジ系
基礎理論

コンピュータシステム

技術要素

開発技術

マネジメント系
プロジェクト
マネジメント

サービスマネジメント

ストラテジ系
システム戦略

経営戦略

企業と法務

解説動画 ▶

企業活動

本章の学習ポイント

- 株式会社の所有者は、経営者ではなく株主である。

- 企業価値を高めるために、コーポレートガバナンスや内部統制を重視する。

- 企業組織にはさまざまな形態があり、事業の進め方が異なる。

企業活動

**企業活動ではどのような
ことを行うのかを学ぼう**

- 経営者が利害関係者に対してどんな責任
  を負っているかを学ぼう。
- 企業経営の透明性を確保するためのコー
  ポレートガバナンスを学ぼう。
- 業務プロセスを見直して改革・改善する
  手法を学ぼう。

IT社会と企業

　企業にとって、業務を効率化するためのシステムを導入したり、自社製品やサービスにITを取り入れたりするなど、**ITの活用が企業利益を大きく左右する時代**です。そのため、ITを企業活動において有効に活用する必要があり、エンジニアにとっても経営や業務に関する知識が必要不可欠となっています。

デジタルディバイド

　情報リテラシの有無やITの利用環境の違いによって生じる、**社会的または経済的格差**をデジタルディバイドといいます。企業においては、従業員に対してITスキルの習得機会を増やしたりITサービスを利用しやすい環境整備に取り組むことが、格差の解消には必要です。

企業の経営活動

企業経営には、たくさんの資金が必要です。日本の企業の多くは株式会社であり、株主と呼ばれる人たちが出資しています。そのため、実質的な企業の所有者は、経営者ではなく株主です。

企業の経営方針を決めることを意思決定といいますが、意思決定も株主が集まって行う株主総会によってなされます。株主総会では、企業の合併や解散、取締役や監査役の選任・解任などが決定されます。

また、経営者からは、企業がどんな経営をして業績がどうなっているかを、株主をはじめとする利害関係者に対して報告しなければなりません。この**経営活動についての説明責任**のことをアカウンタビリティといいます。また、**企業に対する利害関係者**のことをステークホルダといいます。具体的には、顧客、企業の従業員、株主、得意先などを指します。

コーポレートガバナンス

企業経営の透明性を確保するために、ステークホルダが企業活動を監督・監視する仕組みをコーポレートガバナンスといいます。企業の不祥事を防ぎ、さまざまなステークホルダと健全で良い関係を維持することが目的です。上場企業に対しては、金融庁と東京証券取引所が共同で策定したコーポレートガバナンス・コードというガイドラインがあり、遵守することが求められています。

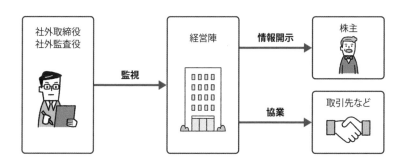

内部統制

企業などの内部組織で、**違法行為や不正、ミスが発生することがないように、各業務で所定の基準や手続きを定め、チェックする体制や仕組みを取り入れること**を内部統制といいます。例えば、社員の不正を防止するために作業の実施者と承認者を分けることは、内部統制にあたります。

コーポレートガバナンスと内部統制は、どこに対して監視の目を向けているかという点で異なります。経営陣を含む企業活動全体に目を向けているコーポレートガバナンスと違い、内部統制では企業内部の従業員が対象です。

BCP

　災害など予期せぬ事態が発生した場合でも、重要な業務が継続できるように事前に規定しておく方針や行動手順を BCP（Business Continuity Plan）といいます。BCPの検討対象となる予期せぬ事態には、停電や情報システムの機器故障・マルウェア感染などへの対策も含まれます。

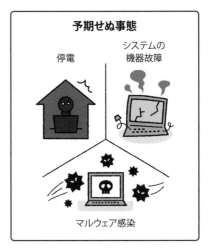

資産の被害を最小限にとどめ、重要な業務が継続できるように準備

業務プロセスの改善

業務の流れのことを業務プロセスといいます。企業活動において、業務プロセスに問題が発見された場合は、改善を行います。改善手法には、BPR (Business Process Re-engineering) と BPM (Business Process Management) があります。

	BPR	BPM
定義	業務プロセスを抜本的に見直し、企業の体質や構造を改革	業務プロセスを継続的に改善し、業務の効率化や品質向上を図る
視点	トップダウン方式	ボトムアップ方式
範囲	全社	現場ごと
回数	1回限り	PDCA (計画・実行・評価・改善のサイクルのこと) を回して継続的に改善

ベンチマーキング

どの程度まで改善する必要があるかを自社で決めるのは難しいものです。**ほかの優良企業の経営や業務のやり方と比較して、自社の業務プロセスを定性的・定量的に把握し改善していく手法**をベンチマーキングといいます。

 ココが試験に出る!

- デジタルディバイド：IT知識・スキルや利用環境の違いにより生じる格差
- アカウンタビリティ：説明責任
- コーポレートガバナンス：企業活動について外部から監視する仕組み
- 内部統制の最終責任者：企業の経営者
- BCP：事業継続の観点から検討。自然災害だけでなく情報システムの故障も対象
- BPR：業務を抜本的に見直し、再設計する
- BPM：業務を継続的に改善する
- ベンチマーキング：他社の優れたやり方と比較して自社のレベルを評価する手法

Chapter

12

企業活動

問題❶   H26 春 - 問 64

デジタルディバイドの解消のために取り組むべきことはどれか。

ア IT投資額の見積りを行い，投資目的に基づいて効果目標を設定して，効果目標ごとに目標達成の可能性を事前に評価すること

イ ITを活用した家電や設備などの省エネルギー化やテレワークなどによる業務の効率向上によって，エネルギー消費を削減すること

ウ 情報リテラシの習得機会を増やしたり，情報通信機器や情報サービスが一層利用しやすい環境を整備したりすること

エ 製品や食料品などの生産段階から最終消費段階又は廃棄段階までの全工程について，ICタグを活用して流通情報を追跡可能にすること

．．．

正解　ウ

解説 デジタルディバイドは、情報格差と訳され、情報リテラシの有無やITの利用環境の違いによって生じる社会的または経済的格差のことです。解消にあたっては、IT講習や無料パソコンコーナー設置など、誰もが学び使用できる機会の提供が重要です。

ア ITガバナンスの説明です。

イ グリーンITの説明です。

エ トレーサビリティの説明です。

問題❷   H28 春 - 問 75

企業経営の透明性を確保するために，企業は誰のために経営を行っているか，トップマネジメントの構造はどうなっているか，組織内部に自浄能力をもっているかなどの視点で，企業活動を監督・監視する仕組みはどれか。

ア コアコンピタンス

イ コーポレートアイデンティティ

ウ コーポレートガバナンス

エ ステークホルダアナリシス

．．．

正解　ウ

解説 企業の経営活動について外部から監視する仕組みは、コーポレートガバナンスです。

ア コアコンピタンスは、他社と差別化できる独自のノウハウです。

イ コーポレートアイデンティティは、企業の特徴をわかりやすい形で顧客に提示し、企業価値を高めていく戦略です。

エ ステークホルダアナリシスは、プロジェクト初期の段階で利害関係者について分析する行為です。

問題❸ H31春-問55

サービスマネジメントのプロセス改善におけるベンチマーキングはどれか。

ア ITサービスのパフォーマンスを財務，顧客，内部プロセス，学習と成長の観点から測定し，戦略的な活動をサポートする。

イ 業界内外の優れた業務方法（ベストプラクティス）と比較して，サービス品質及びパフォーマンスのレベルを評価する。

ウ サービスのレベルで可用性，信頼性，パフォーマンスを測定し，顧客に報告する。

エ 強み，弱み，機会，脅威の観点からITサービスマネジメントの現状を分析する。

正解 イ

解説 ベンチマーキングは、他社の優れた経営や業務のやり方と比較して、自社のレベルを評価する手法です。

ア バランススコアカードの説明です。

ウ サービスレベルマネジメントの説明です。

エ SWOT分析の説明です。

02 組織の形

 企業の組織の形と責任者の役割をおさえよう

- 組織の形とその特徴を理解しよう。
- 企業責任者の役割を理解しよう。

組織の種類

　企業では、「お金を管理する人」「社員を管理する人」「商品を作る人」など、役割をもって仕事をしています。このように**役割を分けて仕事をする集団**を組織といいます。**組織には、さまざまな形があります。**

事業部制組織

　事業部制組織では、**商品や市場、地域ごとに組織を分け、それぞれが独立して仕事を行い、利益責任を負います。**１つの組織の規模が小さくなるため、内部の意思疎通が図りやすくなるという特徴があります。

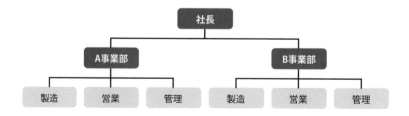

職能別組織

職能別組織は、**同じ専門知識をもったスタッフごとにチームを編成**します。同じチームに専門家が集まるため、専門技能を最大限に活かせます。

マトリックス組織

マトリックス組織は、**事業部制組織、職能別組織などの異なる組織構造をミックスした組織**です。それぞれの組織構造のメリットを得ることができる反面、スタッフは複数の上司から指示を受ける可能性があり指示系統が複雑になりやすいです。

	A事業部	B事業部
製造		
営業		
管理		

プロジェクト組織

プロジェクト組織は、システム開発など**特定の目的のために各部門から必要な専門家を集めて編成し、一定期間活動する組織**です。

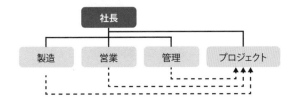

社内カンパニー制

社内カンパニー制とは、意思決定を迅速化したり、効率的に経営資源を配分する狙いで**事業分野ごとに編成した独立採算制の組織**の形態です。あたかも1つの企業のように運営しますが、**別会社ではない点**に注意しましょう。

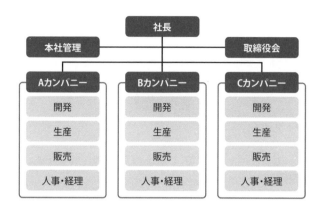

企業の責任者

　企業には必ず責任者がいます。責任を負う内容によって、次のような呼称を使います。

呼称	役割
CEO（シーイーオー） （Chief Executive Officer）	最高経営責任者。**企業経営に対して最大の責任をもつ**
COO（シーオーオー） （Chief Operating Officer）	最高執行責任者。**CEOが決定したことを実践する、業務上の最高責任者**
CFO（シーエフオー） （Chief Financial Officer）	最高財務責任者。**企業の財務面に対して責任をもつ**
CTO（シーティーオー） （Chief Technical Officer）	最高技術責任者。**企業の技術戦略や研究開発に対して責任をもつ**
CIO（シーアイオー） （Chief Information Officer）	最高情報責任者。**企業の情報化戦略を立案し、実行することに対して責任をもつ**
CDO（シーディーオー） （Chief Digital Officer）	最高デジタル責任者。**データに基づく組織の変革やビジネスモデルの変革に対して責任をもつ**

ココが試験に出る！

- 事業部制組織：製品や市場、地域ごとに組織を分けて独立
- 職能別組織：同じ専門知識をもったスタッフごとに編成
- マトリックス組織：構成員が、事業部門と職能部門の両方に所属
- プロジェクト組織：一定期間、特定の目的のために活動
- 社内カンパニー制：事業分野ごとに独立採算制の組織に分けて運営
- CIO：企業の情報化戦略を立案し、経営戦略との整合性の確認や評価を行う

試験問題にチャレンジ

問題❶

マトリックス組織を説明したものはどれか。

ア 業務遂行に必要な機能と利益責任を，製品別，顧客別又は地域別にもつことによって，自己完結的な経営活動が展開できる組織である。

イ 構成員が，自己の専門とする職能部門と特定の事業を遂行する部門の両方に所属する組織である。

ウ 購買・生産・販売・財務など，仕事の専門性によって機能分化された部門をもつ組織である。

エ 特定の課題の下に各部門から専門家を集めて編成し，期間と目標を定めて活動する一時的かつ柔軟な組織である。

....

正解　イ

解説 マトリックス組織は、構成員が職能部門と事業部門といった異なる部門の両方に所属する組織形態です。

なお、**ア**は事業部制組織、**ウ**は職能別組織、**エ**はプロジェクト組織の説明です。

問題❷

社内カンパニー制を説明したものはどれか。

ア 1部門を切り離して別会社として独立させ，機動力のある多角化戦略を展開する。

イ 合併，買収によって，自社にない経営資源を相手企業から得て，スピーディな戦略展開を図る。

ウ 時間を掛けて研究・開発を行い，その成果を経営戦略の基礎とする。

エ 事業分野ごとの仮想企業を作り，経営資源配分の効率化，意思決定の迅速化，創造性の発揮を促進する。

. . . .

正解　エ

解説 社内カンパニー制組織は、別会社にはせず事業分野ごとに独立採算制の組織に分けて運営します。「事業分野ごとの仮想企業を作り」というキーワードから、**エ**が正解です。

ア 別会社として独立するわけではないので誤りです。

イ M&Aの説明です。

ウ 技術経営の説明です。

問題❸

H30秋-問74

CIOの説明はどれか。

ア 経営戦略の立案及び業務執行を統括する最高責任者

イ 資金調達，財務報告などの財務面での戦略策定及び執行を統括する最高責任者

ウ 自社の技術戦略や研究開発計画の立案及び執行を統括する最高責任者

エ 情報管理，情報システムに関する戦略立案及び執行を統括する最高責任者

. . . .

正解　エ

解説 CIO（Chief Information Officer）は最高情報責任者であり、全社的観点から情報化戦略を立案し、ビジネス価値を最大化させるITサービス活用を促進する役割を担います。

なお、**ア**はCEO、**イ**はCFO、**ウ**はCTOの説明です。

Chapter

13

テクノロジ系

基礎理論

コンピュータシステム

技術要素

開発技術

マネジメント系

プロジェクト
マネジメント

サービスマネジメント

システム戦略

ストラテジ系

経営戦略

企業と法務

解説動画 ▶

経営戦略

本章の学習ポイント

- 企業が目的を達成するための方針・計画を経営戦略という。

- 自社の経営状態をさまざまな手法で分析する。

- 企業活動における多種多様なIT利活用手段の違いを理解する。

- 経営分析を行う際、さまざまな手法・グラフ・ツールを活用する。

01 経営戦略

市場で勝ち残るための経営戦略について学ぼう

- さまざまな経営戦略の種類・特徴を学ぼう。
- 他社がもつ経営資源を有効に利用する方法を学ぼう。
- 経営戦略を考える上で、自社が置かれている状況を把握するための手法を学ぼう。

経営戦略とは

　企業が目的を達成するために、人・モノ・金・情報といった経営資源をどのように配分し、行動していくかを決める中長期的な方針や計画を経営戦略といいます。企業経営の考え方をまとめた経営理念に沿って、何をするべきなのか、他社との競争に勝てる商品やサービス、ブランドをどう確立していくかを考えます。経営戦略の良し悪しによって、企業が成長する場合もあれば、存続の危機に立たされてしまう場合もあります。

　経営戦略には、次のようなものがあります。

ニッチ戦略

　ニッチとは隙間という意味で、ニッチ戦略は、**ほかの企業が参入していない隙間となっている市場を開拓する戦略**です。特定のニーズや顧客に焦点をあてて事業を行うことで、特定の市場で競争力をもつことができます。

　また、**ニッチ戦略をとっている企業**をマーケットニッチャといいます。例えば、限られたエリアでのみ店舗を展開して、繁盛しているレストランチェーンなどが当てはまります。

コアコンピタンス

　他社にまねのできない**独自のノウハウや技術のこと**をコアコンピタンスといいます。自社のコアコンピタンスを強化し発展させることができれば、他社と差別化を図ることができます。特に**技術のみを指す場合**は、コア技術といいます。

アンゾフの成長マトリクス

　アンゾフによって提唱された成長マトリクスは、事業の成長を考える際に使われます。**「製品」「市場」の2軸をそれぞれ「既存」「新規」に分けて、企業がどのような成長戦略をとるべきかを示します。**

　例えば、既存製品を既存市場でさらに販売し続けていくのであれば「市場浸透」を、既存製品を新規市場に向けて売るのであれば「市場開拓」という成長戦略をとります。

製品		
	既存	新規
市場 新規	市場開拓	多角化
市場 既存	市場浸透	新商品開発

ブルーオーシャン

　どの市場に向けて事業を展開するかを考えるときに、**競争が存在していない未知の市場**を見つけることができれば大きなチャンスになります。この市場のことを、平和な青い海に例えてブルーオーシャンといいます。逆に、競争が激しい市場はレッドオーシャンといいます。

経営資源の調達

　自社ですべての資源を調達するのではなく、他社がもつ経営資源を有効に利用することも、他社よりも優位な立場を築く戦略になります。事業の一部やすべてを、他社の資源を使って行うことにより、自社資源をメイン事業に集中投下できるからです。次に、他社がもつ経営資源を有効に利用する方法を紹介します。

BPO

BPO (Business Process Outsourcing) は、**自社の業務の一部を専門業者に委託する経営戦略の手法**です。BPOはアウトソーシングの一種ですが、**業務プロセス全般を委託**する点が一般的なアウトソーシングとは異なります。

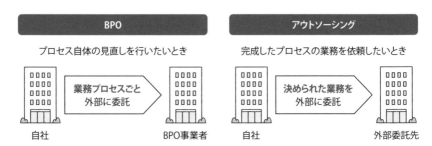

ITサービスにおけるBPOの事例としては、自社のコールセンタの業務プロセス全般を、業務システムの運用と合わせて、外部の専門業者に委託するケースがあります。

ITサービスを外部に委託する際は、サービス品質を示す指標を使い、あらかじめ目標品質レベルを委託先と取り決めておくことが、万が一のときのリスク対策になります。

EMS

ほかの企業から受注した電子機器などの受託生産を行うサービスをEMS（Electronics Manufacturing Service）といいます。設計・製造・修理・保守など、製造に関わる一連業務のアウトソーシングサービスを提供します。

アライアンス

複数の企業が連携することをアライアンスといいます。主力事業が異なる企業同士がアライアンスを組むと、お互いの弱点を補完し合うことができ、事業展開を有利に進められます。

グリーン購入（調達）

　製品を製造するための原材料や部品を、環境負荷の低減に努める事業者から優先して購入することをグリーン購入（調達）といいます。企業が社会的責任を果たすために、環境対策の観点で実施します。

CSR調達

　自然環境、人権などへの配慮を調達基準として示し、調達先に遵守を求めることをCSR調達といいます。

現状分析

　経営戦略を考えるには、自社が置かれている状況を把握することが重要です。そのための手法を紹介します。

SWOT分析

　SWOT分析とは、企業に対して影響を与えている環境を強み（Strengths）、弱み（Weaknesses）、機会（Opportunities）、脅威（Threats）の4つの要素に分けて分析する分析手法です。経済情勢やライバル企業の新規参入などの企業自身ではどうすることもできない外部環境と、雇用環境、人材、技術力などの企業内部で改善できる内部環境に分け、さらにプラス要因とマイナス要因に分けて分析します。

	内部環境	外部環境
プラス要因	S（強み） 例：競合他社に比べて高い生産効率	O（機会） 例：事業ドメインの高い成長率
マイナス要因	W（弱み） 例：低いマーケットシェア	T（脅威） 例：市場への強力な企業の参入

PPM

　PPM（Product Portfolio Management）とは、企業が扱う製品や事業が、市場でどのような位置にあるかを把握し、経営資源を効率的に配分するための分析手法です。「市場は成長しているのか」を表す市場成長率を縦軸に、「自社製品が市場を占めている割合」を表す市場占有率を横軸にとった表を使います。

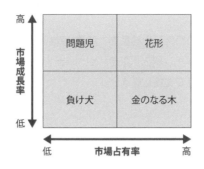

分類	内容
花形	市場が成長しているため、**さらなる投資を行う**
金のなる木	少ない投資で利益を得られるため、**投資を必要最小限に抑えて、得た利益をほかの事業の資金にする**
問題児	**早いうちに集中的な投資**を行って「花形」にするか、「負け犬」にならないうちに**撤退する**
負け犬	**即撤退か売却**が必要

ITポートフォリオ

情報システム導入の投資リスクや投資価値が似たシステムを区分けし、それらを組み合わせて**最適な資源配分を行う手法**をITポートフォリオといいます。

プロダクトライフサイクル

製品が市場で販売され、普及し、やがて売れなくなって姿を消すまでのサイクルをプロダクトライフサイクルといいます。売上の推移を導入期、成長期、成熟期、衰退期の4つの期間に分けて表します。自社の製品がどの期間を迎えているかを把握することにより、今後の対策を決めます。

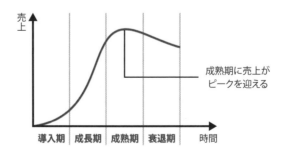

成熟期に売上が
ピークを迎える

期間	売上と戦略
導入期	商品の認知度が低いため、売上が少ない。**宣伝して認知度を高める**
成長期	商品の認知度が上がり、商品が売れ始める。**商品ラインもチャネルも拡大しなければならない。**この時期は売上も伸びるが、投資も必要
成熟期	売上がピークを迎え、徐々に下がり始める。**競合他社との競争が激化するため、コスト削減などの対策を行う**
衰退期	急速に売上が下がっていく。**商品を新しくするか、撤退を行う**

バリューチェーン分析

　自社の商品やサービスを顧客へ提供するまでの流れを購買、製造、出荷、販売などの工程に切り分けて、**各工程でどのような価値が生み出されているかを分析する手法**をバリューチェーン分析といいます。

衣料品製造販売のバリューチェーンの例

購買物流	製造	出荷物流	販売とマーケティング	サービス
生地を発注し、検品し、在庫管理する	縫製作業を行う	衣料品を配送する	広告宣伝を行う 販売を行う	アフターサービスを行う

バランススコアカード

　バランススコアカードは、**財務の視点・顧客の視点・業務プロセスの視点・学習と成長の4つの視点から業績目標と業績評価の指標値を定め、経営戦略を管理する手法**です。**業績評価のための指標**をKPIといい、4つの視点に対して具体的なものさしを設定します。

　例えば、顧客の視点では、主要な顧客との継続的な関係構築を目標と定め、指標値としてクレーム件数を管理することで、業績を評価します。学習と成長の視点では、顧客の経営課題を情報戦略のコンサルティングサービスによって支援することを目標と定め、指標値としてITプロフェッショナルの育成人数を管理することで、業績を評価します。

戦略マップ

　バランススコアカードの4つの視点から、課題、施策、目標の因果関係を図式化したものを戦略マップといいます。これにより、全体として整合性のある戦略を検討します。

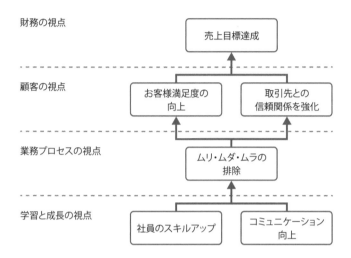

ナレッジマネジメント

　社員が仕事で得た知識やノウハウを、文書化したりデータベースを使ったりして組織全体で共有し、有効に活用する経営手法をナレッジマネジメントといいます。ナレッジマネジメントの目的は、企業の競争力を高めることです。

ココが試験に出る！

- ニッチ戦略：ほかの企業が参入していない隙間となっている市場に特化した戦略
- コアコンピタンス：他社にまねのできない独自のノウハウや技術
- ブルーオーシャン：競争が存在していない未知の市場
- BPO：自社の業務の一部を外部の専門業者に依頼すること
- ナレッジマネジメント：社員の知識やノウハウを組織全体で共有し有効活用

試験問題にチャレンジ

問題❶

企業経営におけるニッチ戦略はどれか。

ア キャッシュフローの重視

イ 市場の特定化

ウ 垂直統合

エ リードタイムの短縮

正解 イ

解説 ニッチ戦略は、ほかの企業が参入していない隙間となっている市場に特化した戦略です。

問題❷

コアコンピタンスを説明したものはどれか。

ア 経営活動における基本精神や行動指針

イ 事業戦略の遂行によって達成すべき到達目標

ウ 自社を取り巻く環境に関するビジネス上の機会と脅威

エ 他社との競争優位の源泉となる経営資源及び企業能力

正解 エ

解説 コアコンピタンスとは、他社にまねのできない独自のノウハウや技術のことです。

ア 経営理念の説明です。

イ KGIの説明です。

ウ 外部環境要因の説明です。

BPOを説明したものはどれか。

ア 自社ではサーバを所有せずに，通信事業者などが保有するサーバの処理能力や記憶容量の一部を借りてシステムを運用することである。

イ 自社ではソフトウェアを所有せずに，外部の専門業者が提供するソフトウェアの機能をネットワーク経由で活用することである。

ウ 自社の管理部門やコールセンタなど特定部門の業務プロセス全般を，業務システムの運用などと一体として外部の専門業者に委託することである。

エ 自社よりも人件費が安い派遣会社の社員を活用することによって，ソフトウェア開発の費用を低減させることである。

....

正解　ウ

解説 BPOとは、自社の特定部門の業務プロセス全般を外部の専門業者に依頼することです。

ア ホスティングサービスの説明です。

イ SaaS（Software as a Service）の説明です。

エ 派遣活用によるコスト削減の説明です。

ナレッジマネジメントを説明したものはどれか。

ア 企業内に散在している知識を共有化し，全体の問題解決力を高める経営を行う。

イ 迅速な意思決定のために，組織の階層をできるだけ少なくした平型の組織構造によって経営を行う。

ウ 優れた業績を上げている企業との比較分析から，自社の経営革新を行う。

エ 他社にはまねのできない，企業独自のノウハウや技術などの強みを核とした経営を行う。

....

正解　ア

解説 ナレッジマネジメントは、社員の知識やノウハウを組織全体で共有し有効活用することです。

02 効率的なIT投資

 ## ITサービスの種類を
おさえよう

- 効率的なIT投資ができているかを確認するための指標を学ぼう。
- ITサービスの種類と特徴を学ぼう。
- クラウドコンピューティングの種類と特徴を学ぼう。

ITサービスの種類

　企業活動にITを活用するといろいろと便利ですが、サーバや通信機器などの機材やソフトウェアをすべて自社で用意するには、多額のお金が必要です。また、それらを継続して管理する人員も必要です。そこで、それらの機材やソフトウェアを**事業者から提供してもらうことにより、効率的なIT投資を実現するサービス**があります。

ココに気をつけて! 効率的なIT投資ができているかを確認するための指標に、**ROI**（Return On Investment）があります。ROIは**投資利益率**ともいい、投下した資本に対してどれだけの利益が得られたかを示す指標です。ROIは、**売上増やコスト削減などによって創出された利益額÷投資額×100**で計算します。ROIが大きいと収益性が高いといえます。

ハウジングサービス

　サーバや通信機器などを設置する場所を提供するサービスをハウジングサービスといいます。利用者は、自分で用意したサーバや通信機器を、提供された施設に設置します。社内にサーバを設置するよりも、ネットワークや家賃・電力など施設の維持管理にかかるコストを削減できます。

ホスティングサービス

　サーバや通信機器を貸し出すサービスをホスティングサービスといいます。ハウジングサービスと異なり、サーバや通信機器は、サービスを提供する側が用意します。そのため利用者には、サーバの管理は必要ありません。ホスティングサービスは、レンタルサーバサービスということもあります。

ASP

　インターネットを通じて、利用者にアプリケーションソフトウェアを提供する事業者、またはそのサービスのことをASP（Application Service Provider）といいます。アプリケーションソフトウェアはASPのサーバ内にあるので、利用者は自分でソフトを管理する必要がありません。

SaaS

　インターネットを通じて、利用者にソフトウェアの機能を提供するサービスをSaaS（Software as a Service）といいます。ASPが利用者ごとに個別にサーバやデータベースを用意するのに対して、SaaSでは複数の利用者でそれらを共有するマルチテナント方式であるという違いがあります。そのため、ASPよりさらに費用を安く抑えられます。開発に必要なセキュリティ要件の定義やシステムログの保存容量の設計が不要になるといったセキュリティ管理上のメリットもあります。

PaaS

　アプリケーションが稼働するためのハードウェアやOS、開発環境などのミドルウェアを、インターネットを通じて利用者に提供するサービスを、PaaS（Platform as a Service）といいます。

IaaS

　情報システムを動かすために必要なサーバ、ストレージ、ネットワークなどの**IT インフラを、インターネットを通じて利用者に提供するサービスを**IaaS（Infrastructure as a Service）といいます。利用者は、OS、ミドルウェア、アプリケーションを用意します。ハードウェアの増設などを気にする必要がなくなります。

　各クラウドサービスで、どこまでの機能や環境が提供されているかを問う問題が出題されています。**環境面の違い、導入メリットを理解しておきましょう。**

クラウドコンピューティング

　インターネットを通じて、サーバやミドルウェア、ソフトウェアなどを利用する仕組みをクラウドコンピューティングといい、この仕組みで提供されるサービスをクラウドサービスといいます。使用できるサービスに制約がありますが、物理的な場所を気にせず導入・運用でき、コストが抑えられるメリットがあります。これまでに紹介した SaaS や PaaS、IaaS はクラウドサービスです。

　クラウドサービスには、利用形態によって次の 3 種類に分けられます。

種類	概要
パブリッククラウド	**不特定多数が共同で利用するクラウドサービス**。コストは抑えられるが、セキュリティやカスタマイズ性に制約がある
プライベートクラウド	**特定の組織や企業が専用に使用するクラウドサービス**。セキュリティが高く柔軟にカスタマイズ可能。コストは高くなる
ハイブリッドクラウド	**パブリッククラウドとプライベートクラウドを組み合わせたクラウドサービス**。機密性の高いデータはプライベートクラウドで管理し、それ以外のデータやアプリケーションはパブリッククラウドで運用することで、コストとセキュリティのバランスをとる

　サーバなどを自社内に設置して運用することをオンプレミスといいます。自前で設備を準備するためコストがかかりますが、自由にカスタマイズして運用することができます。

BYOD

　従業員が個人で所有するパソコンやスマートフォンを業務のために使用すること
をBYOD（Bring Your Own Device）といいます。企業側は、情報機器購入コ
ストを節約できる反面、セキュリティ設定の不備に起因するウイルス感染などの情
報セキュリティリスクが大きくなります。

SOA

　既存のアプリケーションソフトウェアを部品化し、サービス単位で組み合わせて
新しいシステムを作る設計手法をSOA（Service Oriented Architecture：サー
ビス指向アーキテクチャ）といいます。サービスを組み替えることでビジネスの変
化に対応しやすくなり、利用者の要望に合ったシステムを短期間で開発することが
できます。

ココが試験に出る！

- ・ ROI：投資利益率ともいい、利益額÷投資額×100で計算
- ・ ホスティングサービス：事業者が用意したサーバの利用権を貸し出す
- ・ ハイブリッドクラウド：自社専用クラウドと汎用クラウドを連携させた環境を提供
- ・ BYOD：個人所有の情報機器を業務に使用
- ・ SOA：既存のソフトを部品化し、組み合わせてシステムを作る設計手法

試験問題にチャレンジ

問題❶

ROIを説明したものはどれか。

ア 一定期間におけるキャッシュフロー（インフロー，アウトフロー含む）に対して，現在価値でのキャッシュフローの合計値を求めるものである。

イ 一定期間におけるキャッシュフロー（インフロー，アウトフロー含む）に対して，合計値がゼロとなるような，割引率を求めるものである。

ウ 投資額に見合うリターンが得られるかどうかを，利益額を分子に，投資額を分母にして算出するものである。

エ 投資による実現効果によって，投資額をどれだけの期間で回収可能かを定量的に算定するものである。

正解 **ウ**

解説 ROIは、投資した資本に対して、どれだけの利益が得られたかを示す指標で、利益額÷投資額×100で計算します。

なお、**ア**はNPV法、**イ**はIRR法、**エ**は回収期間法の説明です。

問題❷

ホスティングサービスの特徴はどれか。

ア 運用管理面では，サーバの稼働監視，インシデント対応などを全て利用者が担う。

イ サービス事業者が用意したサーバの利用権を利用者に貸し出す。

ウ サービス事業者の高性能なサーバを利用者が専有するような使い方には対応しない。

エ サービス事業者の施設に利用者が独自のサーバを持ち込み，サーバの選定や組合せは自由に行う。

正解 **イ**

解説 ホスティングサービスは、事業者側で用意したサーバの利用権を貸し出すサービスです。

ア ホスティングサービスでは、利用者がサーバの保守管理をする必要はありません。

ウ 高性能なサーバを専有できるサービスを提供している事業者もあります。

エ ハウジングサービスの説明です。

ハイブリッドクラウドの説明はどれか。

ア クラウドサービスが提供している機能の一部を，自社用にカスタマイズして利用することること

イ クラウドサービスのサービス内容を，消費者向けと法人向けの両方を対象とするように構成して提供すること

ウ クラウドサービスのサービス内容を，有償サービスと無償サービスとに区分して提供すること

エ 自社専用に使用するクラウドサービスと，汎用のクラウドサービスとの間でデータ及びアプリケーションソフトウェアの連携や相互運用が可能となる環境を提供すること

正解 エ

解説 ハイブリッドクラウドは、自社専用に使用するクラウドサービスと、汎用のクラウドサービスとを組み合わせて運用できる環境を提供します。

BYOD（Bring Your Own Device）の説明はどれか。

ア 会社から貸与された情報機器を常に携行して業務にあたること

イ 会社所有のノートPCなどの情報機器を社外で私的に利用すること

ウ 個人所有の情報機器を私的に使用するために利用環境を設定すること

エ 従業員が個人で所有する情報機器を業務のために使用すること

正解 エ

解説 BYODは、従業員が個人で所有するパソコンやスマートフォンを業務のために使用することです。

03 データ分析ツール

経営分析で行うデータ分析手法について学ぼう

- データ分析で使われるさまざまなグラフの種類を学ぼう。
- 分析ツールの特徴、利用目的、読み取り方を学ぼう。
- ABC分析手法の適用事例を学ぼう。

さまざまなグラフやツール

　経営分析では、さまざまなデータ分析を行います。データ分析には、グラフを使うと便利です。**グラフ化することによって、ただ並べられた数値を見ただけでは気づかなかった、データの規則性や関連性に気づくことがあります。** ここでは、分析に役立つ次のグラフやツールを紹介します。

- 散布図
- ヒストグラム
- 正規分布を表すグラフ
- 管理図
- パレート図とABC分析
- 特性要因図
- レーダチャート
- 決定表
- 親和図法
- 連関図法

散布図

　２つの項目を縦軸と横軸にとり、点のばらつき方からその関係性を調べるグラフを散布図といいます。ばらつき方により、正の相関、負の相関、無相関の３つに分類して表現します。

散布図の例：店の売上と時間・気温・月の関係

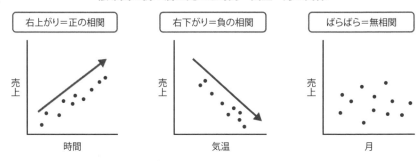

ヒストグラム

　データをいくつかの階級ごとに分けることによって、データの分布を調べる棒グラフをヒストグラムといいます。

ヒストグラムの例：ある店の顧客年齢度数

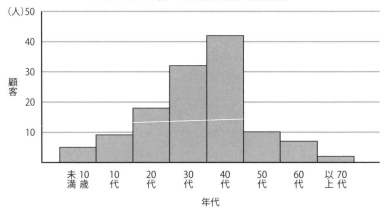

正規分布を表すグラフ

正規分布とは、**データの分布をグラフで表したときに、平均値を中心に左右対称の山のような曲線になる確率分布の一種**のことです。正規分布では、平均値±標準偏差の範囲に約68%のデータが含まれる特徴をもち、平均から外れた値のデータ数の予測にも活用されています。

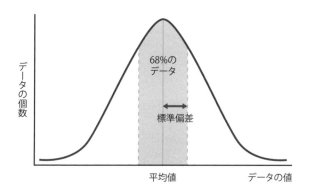

管理図

異常なデータを発見するために使う下のような折れ線グラフを管理図といいます。管理限界値を設定し、それよりはみ出したデータは異常値と見なします。

管理図の例：ある製品の製造時間と重さ

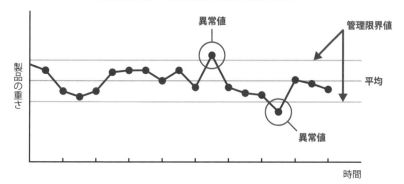

パレート図とABC分析

　データを値が大きい項目順に並べた棒グラフと、それぞれの値が全体に占める割合を累計していった折れ線グラフを組み合わせたグラフを、パレート図といいます。重要な項目が何であるかを把握することができ、ABC分析によく使われます。

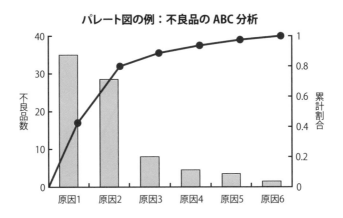

パレート図の例：不良品のABC分析

　ABC分析では、値が全体に占める割合によって、項目を割合が高いものから順にA・B・Cの3つのランクに分け、重要度を分析する手法です。例えば商品ごとの売上データをABC分析で分析すれば、売れ筋商品を把握できますし、不良品の原因ごとにその発生件数を分析すれば、優先的に改善すべき点を把握できます。

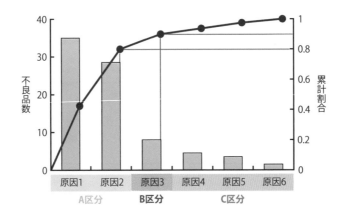

特性要因図

　特性（結果）と、それに影響を及ぼす**要因（原因）**との関係を整理して体系化した図を**特性要因図**といいます。大骨から中骨、小骨と原因を深掘りして因果関係を記述していきます。形が魚の骨に似ていることから、フィッシュボーン図ともいいます。

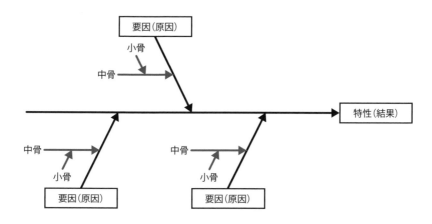

レーダチャート

　データのバランスを調べるため、項目ごとに大きさや量を表した下のようなグラフをレーダチャートといいます。

レーダチャートの例：飲食店の満足度

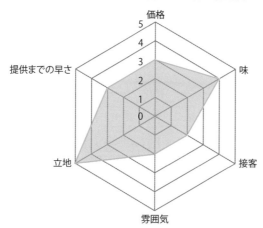

決定表

　決定表は、**条件とそれに対する処理を表形式で表現したもの**で、デシジョンテーブルとも呼ばれます。「条件」の欄には条件を書き込み、条件が成立するときにはYesの「Y」を、条件が不成立のときにはNoの「N」を記入します。一方、「動作」の欄にはそれらの条件にしたがって実行される処理を書き込み、実行される処理にはeXecuteの「X」が記入されます。executeは「実行する」という意味です。**条件がたくさんあったり、複雑だったりするときの記述手段として有効です。**また、プログラムに条件漏れがないかなどチェックする際にもよく使われます。

提案内容に応じて賞金を決定する決定表

改善額10万円未満	Y	Y	N	N
期間短縮1週間未満	Y	N	Y	N
賞金： 500円	X	—	—	—
賞金：1,000円	—	X	X	—
賞金：3,000円	—	—	—	X

親和図法

　親和図法は、**収集した情報をグループ化し、解決すべき問題点を明確にする方法**です。要素が多数あって、問題点があいまいな場合に有効です。手順は、特定のテーマに関して収集した情報をカードや付箋紙に記入し（下図では「元データ」）、関連するカードごとに並べ、見出しを作成します。同じ作業を繰り返し、枠線などを書き込んで図で表し、文書にまとめます。

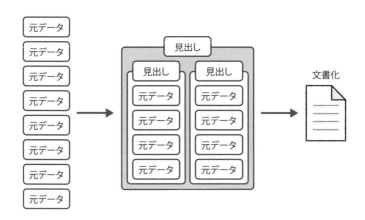

連関図法

　連関図法は、**複雑な要因が絡み合う事象を図式化し、因果関係を明確にする方法**
です。問題が発生する要因が多く、問題を解決する糸口が見つけられない場合に有
効です。まず問題を設定し、その問題を引き起こしている原因を枠で囲んで周りに
書きます。同様に、その原因に対して、なぜそれが発生するのかを書く作業を繰り
返して、すべてが原因→結果で結ばれるようにまとめていきます。

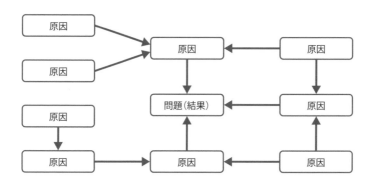

Chapter

13

経営戦略

ココに気をつけて! さまざまな分析ツールを使って会議を行う際には、会議における役割分担が重要
になります。参加者に発言を促したり、意見を整理して結論に導いたりなど、会議
や打ち合わせが円滑に進むように、**中立的な立場で会議のかじ取りをする進行役を
ファシリテータ**といいます。

ココが試験に出る!

- 散布図：右上がり＝正の相関、右下がり＝負の相関、ばらばら＝無相関
- ヒストグラム：階級ごとにデータ分布を調べる棒グラフ
- 正規分布：平均値を中心に左右対称の山のような曲線。平均値±標準偏差の範囲
  に約68%が分布
- パレート図：データを分類して大きい順に並べた棒グラフと、累計比率を折れ線
  グラフで表した複合グラフ
- ABC分析：値が全体に占める割合によって項目を割合が高いものから並べ、重要
  度を分析
- 特性要因図：特性（結果）と要因（原因）との関係を整理し体系化した図
- 親和図法：収集した情報を相互の関連によってグループ化
- 連関図法：複雑な要因が絡み合う事象の因果関係を明確化

試験問題にチャレンジ

問題❶

R1秋 - 問5

平均が60，標準偏差が10の正規分布を表すグラフはどれか。

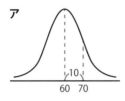

ア

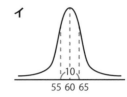

イ

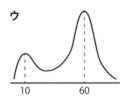

ウ

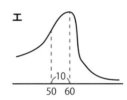

エ

正解　ア

解説 平均値60を中心に左右対称の山のような曲線で、平均値±標準偏差（50～70）でデータの約68%が含まれる特徴をもっているグラフが、正規分布を表すグラフです。

問題❷

H28春 - 問77

　ある工場では，これまでに発生した不良品について，発生要因ごとの件数を記録している。この記録に基づいて，不良品発生の上位を占める要因と件数の累積割合を表したパレート図はどれか。

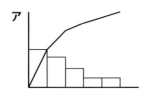
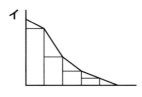

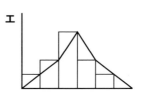

正解 ア

解説 分析データを大きい項目順に並べた棒グラフと、累積構成比を表す折れ線グラフを組み合わせたグラフがパレートです。

問題❸

H31春 - 問77

図は特性要因図の一部を表したものである。a，bの関係はどれか。

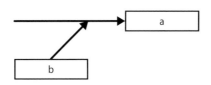

- **ア** bはaの原因である。
- **イ** bはaの手段である。
- **ウ** bはaの属性である。
- **エ** bはaの目的である。

正解 ア

解説 特性要因図は、特性（結果）と、それに影響を及ぼす要因（原因）との関係を整理して体系化した図です。因果関係を階層的に配置していくことで、関連性を見える化します。

ABC分析手法の説明はどれか。

ア 地域を格子状の複数の区画に分け，様々なデータ（人口，購買力など）に基づいて，より細かに地域分析をする。

イ 何回も同じパネリスト（回答者）に反復調査する。そのデータで地域の傾向や購入層の変化を把握する。

ウ 販売金額，粗利益金額などが高い商品から順番に並べ，その累計比率によって商品を幾つかの階層に分け，高い階層に属する商品の販売量の拡大を図る。

エ 複数の調査データを要因ごとに区分し，集計することによって，販売力の分析や同一商品の購入状況などを分析する。

正解 ウ

解説 ABC分析は、値が全体に占める割合によって項目を割合が高いものから並べ、重要度を分析する手法です。**ウ**の「高い商品から順番に並べ、その累計比率によって」という表現から、ABC分析手法の説明であることがわかります。

親和図法を説明したものはどれか。

ア 事態の進展とともに様々な事象が想定される問題について対応策を検討し，望ましい結果に至るプロセスを定める方法である。

イ 収集した情報を相互の関連によってグループ化し，解決すべき問題点を明確にする方法である。

ウ 複雑な要因が絡み合う事象について，その事象間の因果関係を明らかにする方法である。

エ 目的・目標を達成するための手段・方策を順次展開し，最適な手段・方策を追求していく方法である。

正解 イ

解説 親和図法では、収集した情報を相互の関連によってグループ化します。
なお、**ア**はPDPC法（プロセス決定計画図）、**ウ**は連関図法、**エ**は系統図法の説明です。

基礎理論

テクノロジ系　コンピュータシステム

技術要素

開発技術

マネジメント系　プロジェクトマネジメント

サービスマネジメント

ストラテジ系　システム戦略

経営戦略

企業と法務

解説動画 ▶

ビジネスインダストリ

本章の学習ポイント

- 経営管理システムとして代表的なものに、ERP、SCM、SFA、CRMがある。
- 生産管理システムとして代表的なものに、MRP、かんばん方式がある。
- 機械学習、ディープラーニング、AIなどの最新技術によって企業の競争力が高まっている。

01 ビジネスシステム

 企業の情報システム戦略の手法をおさえよう

- エンタープライズアーキテクチャの4要素を学ぼう。
- 代表的な経営管理システムである CRM、SCM、SFA、ERPなどについて学ぼう。
- 代表的な流通システムのPOSについて学ぼう。

情報システム戦略

パソコンやインターネットの普及により、私たちの生活だけでなく、企業活動においても情報のシステム化が進みました。業務を効率化するためのシステムを導入したり、自社製品やサービスに情報システムを取り入れることが、企業の利益に強い影響を与える時代です。**企業の経営戦略を実現していく上で、どのような情報システムが必要かを検討し、システム化の方針を描いたものを**情報システム戦略といいます。情報システムをどのように経営に活かすか、具体的にはどのような手法や情報システムがあるのかを見ていきましょう。

エンタープライズアーキテクチャ

エンタープライズアーキテクチャ（Enterprise Architecture：ＥＡ）は、**組織全体の業務とシステムを統一的な手法でモデル化し、業務とシステムの最適化を図ることを目的とした設計・管理手法**で、次の4つの要素に分割されています。

アーキテクチャ	説明
ビジネスアーキテクチャ	ビジネス戦略に必要な**業務プロセスや情報の流れ**を体系的に示したもの
データアーキテクチャ	業務に必要な**データの内容、データ間の関連や構造**などを体系的に示したもの
アプリケーションアーキテクチャ	業務プロセスを支援する**システムの機能や構成**などを体系的に示したもの
テクノロジアーキテクチャ	情報システムの構築・運用に必要な**技術的構成要素**を体系的に示したもの

ココが試験に出る!

エンタープライズアーキテクチャの4要素について、それぞれ内容を理解しておきましょう。4種類のうち残り1つを答えさせる問題や、空欄を埋める問題が出題されています。

経営管理システム

　企業の経営を管理するための代表的な情報システムには、次のようなものがあります。

ERP (Enterprise Resource Planning)

　ERPとは、**企業全体の経営資源を統合的に管理するためのシステム**です。受注管理や生産管理、販売管理などの業務ごとのシステムで管理するのではなく、1つのシステムで一元管理することによって、経営資源を有効に活用できます。

SCM (Supply Chain Management)

　SCMとは、**商品を作るための資材の調達から製造、流通、販売までの一連のプロセスを管理するシステム**です。プロセスごとではなく全体で管理し、関わる部門や企業の間で情報を共有することによって、余分な在庫を減らしたりコストを削減したりできます。

SFA (Sales Force Automation : 営業支援システム)

　SFAとは、**営業活動の状況を記録し、その情報を共有したり分析したりするためのシステム**です。顧客訪問日、営業結果などの履歴を管理するコンタクト管理機能などをもち、見込み客や既存客に対して効果的な営業活動を行うことができます。

CRM（Customer Relationship Management）

CRMとは、**顧客に関する情報を集めて分析し、顧客との良好な関係を築き、顧客満足度を高めることで、長期的な関係を構築するためのシステム**です。自社の顧客として囲い込みを行い、収益の拡大を図るために利用します。

RSS（Retail Support System：小売店支援システム）

RSSとは、**卸売業者・メーカが、小売店の経営活動を支援するシステム**です。小売店の売上と利益を伸ばすことによって、自社との取引拡大につなげます。

> - ERP：経営資源を統合的に管理するシステム
> - SCM：調達から販売までの一連のプロセスを全体で管理し、時間の短縮やコストの削減を図るシステム
> - SFA：営業活動の情報を共有・分析するシステム。営業活動の履歴を管理するコンタクト機能をもつ
> - CRM：顧客情報を分析し、収益の拡大を図るためのシステム

流通管理システム

企業から顧客へ商品が行き渡るまでの過程を流通といいます。流通を管理するシステムには、次のものがあります。

システム	説明
トレーサビリティシステム	**商品の生産から流通までの履歴情報を追跡できるシステム**。例えば消費者は食品の産地や育成方法を、生産者は食品に何か問題が発生したときの原因を調べることができる
POS (Point Of Sales)	**システム店舗のレジで、バーコードなどによって商品の販売情報を記録するシステム**。販売情報を即時に知ることができ、在庫管理などに反映できる

ココに気をつけて！ POSデータには、何がいつ売れたかなどの販売情報が含まれています。**顧客IDが紐付くポイントカードと組み合わせることで、購買情報を個人と紐付けることができ、誰に何が何回売れたかを確認することができます。**企業が会員登録が必要なポイントカードやアプリを私たちに勧めるのは、これらのデータをマーケティング活動に活かすためです。

試験問題にチャレンジ

問題❶

エンタープライズアーキテクチャを構成するアプリケーションアーキテクチャについて説明したものはどれか。

- **ア** 業務に必要なデータの内容，データ間の関連や構造などを体系的に示したもの
- **イ** 業務プロセスを支援するシステムの機能や構成などを体系的に示したもの
- **ウ** 情報システムの構築・運用に必要な技術的構成要素を体系的に示したもの
- **エ** ビジネス戦略に必要な業務プロセスや情報の流れを体系的に示したもの

正解 **イ**

解説 アプリケーションアーキテクチャは、業務を支援するシステムの機能や構成などを体系的に示したものです。

なお、**ア**はデータアーキテクチャ、**ウ**はテクノロジアーキテクチャ、**エ**はビジネスアーキテクチャの説明です。

問題❷

ERPを説明したものはどれか。

- **ア** 営業活動にITを活用して営業の効率と品質を高め，売上・利益の大幅な増加や，顧客満足度の向上を目指す手法・概念である。
- **イ** 卸売業・メーカが小売店の経営活動を支援することによって，自社との取引量の拡大につなげる手法・概念である。
- **ウ** 企業全体の経営資源を有効かつ総合的に計画して管理し，経営の効率向上を図るための手法・概念である。
- **エ** 消費者向けや企業間の商取引を，インターネットなどの電子的なネットワークを活用して行う手法・概念である。

正解 **ウ**

解説 ERP (Enterprise Resource Planning) は、企業全体の経営資源を統合して計画的に管理する手法・概念なので、**ウ**が正解です。

なお、**ア**はSFA、**イ**はリテールサポート、**エ**は電子商取引の説明です。

SCMの目的はどれか。

ア 顧客情報や購買履歴，クレームなどを一元管理し，きめ細かな顧客対応を行うことによって，良好な顧客関係の構築を目的とする。

イ 顧客情報や商談スケジュール，進捗状況などの商談状況を一元管理することによって，営業活動の効率向上を目的とする。

ウ 生産や販売，在庫，会計など基幹業務のあらゆる情報を統合管理することによって，経営効率の向上を目的とする。

エ 調達から販売までの複数の企業や組織にまたがる情報を統合的に管理することによって，コスト低減や納期短縮などを目的とする。

正解 **エ**

解説 SCM（Supply Chain Management）は、調達から販売までの一連のプロセスを全体で管理し、時間の短縮やコストの削減を図るシステムで、コスト低減や納期短縮を目的としています。

なお、**ア**はCRM、**イ**はSFA、**ウ**はERPの説明です。

コンビニエンスストアにおいて，ポイントカードなどの個人情報と結び付けられた顧客ID付きPOSデータを収集・分析することによって確認できるものはどれか。

ア 商品の最終的な使用者

イ 商品の店舗までの流通経路

ウ 商品を購入する動機

エ 同一商品の購入頻度

正解 **エ**

解説 POSデータには、レジで商品のバーコードと顧客IDにひも付いたポイントカードを読み込むことで、その顧客が、いつ・何の商品を・どの店舗で・いくつ・いくらで購入したかが記録されています。そのため、その顧客が同一商品を購入する頻度を分析することが可能です。

Chapter 14

02 エンジニアリング システム

生産管理システムについて学ぼう

- 生産工程の自動化システムについて学ぼう。
- 生産管理手法の1つであるMRPについて学ぼう。
- かんばん方式について学ぼう。

生産工程の自動化システム

商品の設計や製造など、**生産工程を自動化**するための生産管理システムやそれと共に用いられるシステムとして、次のようなものがあります。

システム	説明
CAD（キャド） （Computer Aided Design）	**コンピュータを使って、製品の形状や構造などのデータから、製品の設計図面を作るシステム**
FA（エフエー） （Factory Automation）	コンピュータの制御によって、工場の機械を自動的に動かすシステム

ココに気をつけて！ CADに似た言葉に、**CAM**（キャム）（Computer Aided Manufacturing）がありますので、選択肢で間違わないように注意しましょう。**CAMは、コンピュータを使用して製品設計図面を工程設計情報に変換し、機械加工などの自動化を支援する**ことです。

MRP(Material Requirements Planning)

MRP（エムアールピー）は生産管理手法の１つで、**生産が予定されている製品の部品表と在庫情報から資源の発注量と発注時期を決定する方法**です。予想される需要を事前に反映させることで、効率的な資材発注を実現します。

かんばん方式

かんばん方式は、**必要なものを必要なときに必要な量だけ生産する方式**です。中間在庫を極力減らすために、生産ラインでは、後工程が自工程の生産に合わせて、必要な部品を必要なときに必要な量だけ前工程から調達します。工場内で「かんばん」と呼ばれるボードを使って、工程間の情報をやり取りをしていたことから、こう呼ばれています。

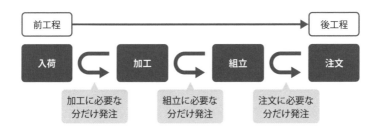

── ヨヨが試験に出る！ ──

- CAD：コンピュータを用いて設計図面を作成
- MRP：生産予定製品の部品表と在庫情報から資源の発注量と発注時期を決定
- かんばん方式：中間在庫の最小化を狙い、後工程が前工程から必要な分を調達

試験問題にチャレンジ

問題❶

H26秋-問73

CADを説明したものはどれか。

ア コンピュータを使用して，現物を利用した試作や実験を行わずに，製品の性能・機能を評価する。

イ コンピュータを使用して，生産計画，部品構成表及び在庫量などから，資材の必要量と時期を求める。

ウ コンピュータを使用して，製品の形状や構造などの属性データから，製品設計図面を作成する。

エ コンピュータを使用して製品設計図面を工程設計情報に変換し，機械加工などの自動化を支援する。

正解　ウ

解説 CAD（Computer Aided Design）は、コンピュータを用いて設計図面を作成することです。なお、**ア**はシミュレーション、**イ**はMRP、**エ**はCAMの説明です。

問題❷

H29春-問72

"かんばん方式"を説明したものはどれか。

ア 各作業の効率を向上させるために，仕様が統一された部品，半製品を調達する。

イ 効率よく部品調達を行うために，関連会社から部品を調達する。

ウ 中間在庫を極力減らすために，生産ラインにおいて，後工程が自工程の生産に合わせて，必要な部品を前工程から調達する。

エ より品質が高い部品を調達するために，部品の納入指定業者を複数定め，競争入札で部品を調達する。

正解　ウ

解説 "かんばん方式"は、必要なものを必要なときに必要な量だけ生産する方式です。中間在庫の最小化を狙い、後工程が必要な部品を必要なときに必要な量だけ前工程から調達します。なお、**ア**、**イ**、**エ**は、かんばん方式には関係のない記述のため誤りです。

03 eビジネス

電子商取引について学ぼう

- 電子商取引とは何かを理解しよう。
- 取引先相手による分類を理解しよう。
- 電子商取引に関連する用語を学ぼう。

電子商取引

　インターネットの普及により、ビジネスシーンでもインターネットを使ったサービスやツールが使われるようになりました。**インターネットを使って商品やサービスを売買することを**電子商取引（EC：Electronic Commerce）といいます。売買に伴う手続きがデータ化され、ネットワークを通じてやり取りができるため、コストの削減や業務の効率化を実現できます。

取引先相手による電子商取引の分類

　電子商取引は、取引相手によって分類されます。

BtoB（Business to Business）
　BtoBは、**企業と企業による取引**です。インターネット上に設けられた、中間流通業者を介さず、売り手と買い手が直接取引を行うeマーケットプレイスがあります。

CtoC (Consumer to Consumer)

CtoC は、**個人と個人によるによる取引**です。インターネットを使ってオークションを行うネットオークションは、CtoC に該当します。

ほかにも次のような分類があります。

種類	意味	例
BtoC (Business to Consumer)	企業と個人による取引	ネットショッピングや、インターネットを使って銀行のサービスを利用するネットバンキング
GtoC (Government to Consumer)	政府・自治体と個人によるサービス提供モデル	インターネットを使った確定申告や住民票の申請
GtoB (Government to Business)	**政府・自治体と企業による取引**	**インターネットを使った資材の調達や入札**

e-ビジネスにおける●to●に使用されるアルファベットは次の3種類です。アルファベットの意味を覚えておくことで、正しい選択肢を選ぶことができます。

- ▶ G (Government) ＝政府・自治体
- ▶ B (Business) ＝企業
- ▶ C (Consumer) ＝個人

同じような表記で、**OtoO** という言葉も出題されています。これは Online to Offline の略で、実店舗で使える割引クーポンをネット上で配布するなど、**顧客をインターネットサイトから実店舗へ誘導して購入につなげたり、逆に実店舗からネットショップへ誘導する仕組み**です。

- ・GtoB：政府や自治体と企業による取引。物品や資材の電子調達や電子入札など

Chapter **14** ビジネスインダストリ

電子商取引に関連する用語

ロングテール

　インターネットショッピングでは、実店舗と違い、商品棚の制限を受けずに多くの品揃えが可能なため、販売コストをかけずに多種類を少量販売できます。そのため、**1つ1つは小さな売上高でも、売上合計に占める割合が大きくなり、結果的に大きな利益につながります**。この現象を**ロングテール**といいます。

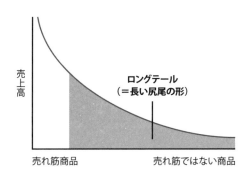

逆オークション

　通常のオークションでは、売り手が売りたい品物を提示し、それに買い手が応じます。逆オークションは、**買い手が買いたい品物と購入条件を提示し、売り手がそれに応じる取引形態**です。例えば、政府・自治体による競争入札などがこの形態です。

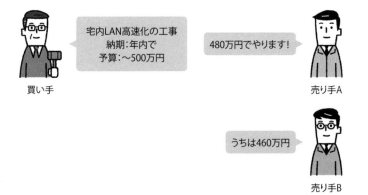

シェアリングエコノミー

　個人があまり使っていない車や空き部屋などの遊休資産を、不特定多数の人と共有したり、貸し借りしたりする仕組みをシェアリングエコノミーといいます。近年ソーシャルメディアの発達により、貸したい人と借りたい人のマッチングが容易になりました。

クラウドファンディング

　プロジェクトの事業計画を公表して出資を募り、資金を出してくれた人に製品やサービスの権利などを提供する資金調達の方法をクラウドファンディングといいます。インターネットを活用して不特定多数の個人に呼びかけることで、効率的に低コストで資金を調達できるメリットがあります。

仮想通貨マイニング

　仮想通貨は暗号資産とも呼ばれ、**インターネット上で取引できるデジタルデータの通貨**です。ブロックチェーンと呼ばれる技術を使い、**取引データとハッシュ値をつないで記録した分散台帳を多数のコンピュータで分散保持**することで、安心して仮想通貨を取引できる仕組みを実現しています。仮想通貨マイニングは、これらの**取引の確認や記録の計算作業に参加することで、報酬として仮想通貨を得る行為**です。

―― **ココ**が試験に出る！ ――

- ロングテール：ネットショップで売れ筋ではない商品の売上合計が無視できなくなる現象
- 逆オークション：買い手が買いたい品物と購入条件を示し、売り手が応じる取引形態
- シェアリングエコノミー：インターネットを活用して、個人同士で遊休資産を共有する仕組み
- クラウドファンディング：インターネットで公募し、不特定多数の個人から資金を調達
- ブロックチェーン：取引データとハッシュ値をつないで記録した分散台帳を多数のコンピュータで分散保持

試験問題にチャレンジ

問題❶

電子自治体において，GtoB に該当するものはどれか。

ア　自治体内で電子決裁や電子公文書管理を行う。

イ　自治体の利用する物品や資材の電子調達，電子入札を行う。

ウ　住民基本台帳ネットワークによって，自治体間で住民票データを送受信する。

エ　住民票，戸籍謄本，婚姻届，パスポートなどを電子申請する。

....

正解　イ

解説 GtoB は、Government to Business の略で、自治体が企業に発注する取引なのでイが正解です。

　　ア　自治体内におけるシステム化の説明です。

　　ウ　自治体同士の取引なので、GtoG です。

　　エ　自治体と個人の取引なので、GtoC です。

問題❷

ロングテールの説明はどれか。

ア　Web コンテンツを構成するテキストや画像などのデジタルコンテンツに，統合的・体系的な管理，配信などの必要な処理を行うこと

イ　インターネットショッピングで，売上の全体に対して，あまり売れない商品群の売上合計が無視できない割合になっていること

ウ　自分の Web サイトやブログに企業へのリンクを掲載し，他者がこれらのリンクを経由して商品を購入したときに，企業が紹介料を支払うこと

エ　メーカや卸売業者から商品を直接発送することによって，在庫リスクを負うことなく自分の Web サイトで商品が販売できること

....

正解　イ

解説 ロングテールは、インターネットで売れ筋でない商品も幅広く販売することで、1つ1つは小さな売上でも売上合計に占める割合が大きくなる現象です。

なお、アは CMS、ウはアフィリエイト、エはドロップシッピングの説明です。

問題❸

インターネット上で，一般消費者が買いたい品物とその購入条件を提示し，単数又は複数の売り手がそれに応じる取引形態はどれか。

ア BtoB

イ GtoC

ウ 逆オークション

エ バーチャルモール

正解　ウ

解説 買い手が買いたい品物と購入条件を提示し、売り手がそれに応じる取引形態は、逆オークションです。

ア 企業間での電子商取引です。

イ 政府・自治体と個人の間での電子サービス提供モデルです。

エ 複数のオンラインショップが集まったインターネット上の商店街のことです。

最新のITトレンド

 最新のIT技術動向に
ついておさえよう

- 機械学習の教師あり学習、教師なし学習について理解しよう。
- ディープラーニングについて理解しよう。
- IoTを理解しよう。

テクノロジーの進化

　企業は、他社との競争優位性を保つために、積極的に最新技術を導入していく必要があります。近年では、**スマート家電や自動車の自動運転、スマホの音声認識**など、**最新のIT技術を応用した製品やサービスが開発されています**。これらを支える技術や仕組みを見ていきましょう。

機械学習

　機械学習とは、**未知のデータに対して予測や分類を行う技術**です。大量のデータをコンピュータに反復学習させ、数学的アプローチによって特定のパターンや特徴を見つけ出していきます。

　機械学習がデータの背景にあるルールやパターンを学習する方法には、教師あり学習、教師なし学習、強化学習などがあります。

教師あり学習

　教師あり学習は、**正解のデータを用いてルールやパターンを学習し、未知のデータに対して予測**を行います。例えば、動物の画像から種類を判別したい場合、あらかじめ「犬」「うさぎ」「馬」などのラベルをつけた画像データ（教師データ）をAIへ読み込ませてパターンを学習させ、予測モデルをつくります。そのモデルに、正解のない画像データを読み込ませると、データの特徴から与えられた動物である確率を予測し、判定します。

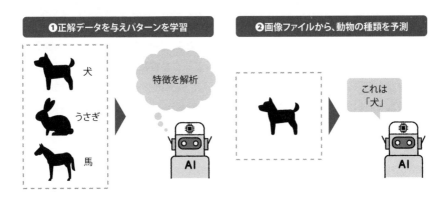

　教師あり学習は、さらに次のように分けられます。

種類	説明	具体例
分類	**あらかじめ定めた分類にデータを振り分ける**	受信メールが迷惑メールかどうかを自動判定
回帰	**連続するデータの将来の値を予測する**	新築の住宅販売価格を、過去の実績に基づいて予測

教師なし学習

　教師なし学習は、**学習データに正解を与えない状態で学習させる学習手法**です。もともと正解となるデータがないため、それぞれのデータの近さや類似度などを計算して、データをグループに分けたり、データ間のつながりを見つけ出そうとします。

　教師なし学習は、さらに次のように分けられます。

Chapter

14

ビジネスインダストリ

種類	説明	具体例
クラスタリング	特徴が似ているデータを集めていくつかのグループに分類し、データの特性や共通項を把握	市場調査、データマイニング、画像処理など
次元削減	たくさんの情報を含む複雑なデータ（高次元データ）を、重要な部分を残しながら、シンプルな形に整理	ネットショップのリコメンデーション機能で応用される協調フィルタリング、主成分分析など

ディープラーニング

ディープラーニングは、深層学習とも呼ばれます。機械学習の一種で、**人間の脳神経回路の構造を模倣したニューラルネットワークを複数重ねて使用することで、データから識別のための特徴を自動的に学習し、未知のデータに対して高精度な予測や分類を行います。**音声認識、画像認識、自然言語処理など、様々な分野で利用されています。

AI

AI（Artificial Intelligence）は、人工知能のことで、**人間が行うような知的な活動をコンピュータにさせようとする技術の総称です。**具体的には、学習、推論、判断、問題解決などを行う能力をコンピュータで実現することを目指します。AIは、機械学習やディープラーニングなどの技術によって支えられています。

生成AI

生成AIは、**テキスト、画像、音楽、プログラムコードなどといったコンテンツを新たに作成することができるAI**です。これまでのAIでは、あらかじめ決められたことを自動的に実行しますが、生成AIは新しくコンテンツを作る点が異なります。

システム開発にも、生成AIを活用する事例が出てきています。例えば、**自然言語（人間が話す言語）で対象業務や出力形式などの指示を生成AIに与えると、E-R図や処理フローといった図を描画するコードなどを出力**できます。これにより、効率的に作業を進めることが可能になります。

ハルシネーション

生成AIは、事実とは異なる情報や無関係な情報をあたかも真実であるかのように生成することがあります。このような現象をハルシネーションといいます。生成AIの回答を鵜呑みにせず、その真偽を検証することが重要です。

IoT

IoT（Internet of Things）は「**モノのインターネット**」ともいわれています。スマートフォンやパソコンといった情報端末だけでなく、人間や生物を含むさまざまなモノに通信機能をもたせて、**インターネットに接続させて情報を収集・解析することで、高度な判断やサービスを実現しています。**

IoTの実用例としては、電気使用量を計測して電力会社に送信する電力メータや、自動車の位置情報を収集して分析し、渋滞情報を自動車に配信するシステム、大型機械の稼働状況をセンサでモニタリングして送信し、遠隔制御や故障予測をするシステムなどがあります。

ビッグデータ

インターネット上には膨大で複雑なデータが日々生み出されています。これをビッグデータといいます。

ビッグデータがもつ特性は、**3つのV**で説明できます。

特性	意味	説明
Volume	データ量	**膨大なデータ量**を取り扱う
Velocity	データ生成・更新速度	データが生成・更新される**頻度、変化の速さ**
Variety	データの多様性	数値や文字列といった構造化データだけでなく、**従来では取り扱いが困難だった非構造化データも含まれる**

従来のデータベース管理システムでは扱えなかったこれらの特徴をもつビッグデータも、インフラやハードウェアの性能向上により収集が可能になり、AIで分析され、企業経営などで活用されるようになりました。

例えば、企業のマーケティング活動では、過去の蓄積データに加えてWebサイ

トのアクセス履歴などリアルタイム性の高いデータも含めてビッグデータを分析することで、**今後の販売予測や在庫の適正化などに役立てています**。また、<ruby>HR<rt>エイチアール</rt></ruby>テックと呼ばれる**採用や育成、評価、配属などの人事領域**で、ビッグデータ解析やAIなどを活用する取組みも行われています。

ビッグデータのデータ形式

　ビッグデータには、構造化データと非構造化データの両方が含まれます。それぞれのデータ形式の特徴は、次のとおりです。

データ形式	特徴
構造化データ	**あらかじめ決められた形式で保存されたデータ**。表計算ソフトや関係データベースに保存されたデータなど
非構造化データ	**特定の形式がなく、加工されていない状態のまま保存されたデータ**。文章や音声、画像、動画などのデータ

　非構造化データを活用して分析するためには、**形式を揃えて構造化データにする加工処理が必要**になります。

　非構造化データの活用事例としては、例えばソーシャルメディアの口コミ分析があります。さまざまな形式でインターネット上に点在する口コミを収集し、**機械学習によって単語ごとに分解**した上で要約を作ります。データ形式を定義した構造化データに加工し、関係データベースに保管することで、さまざまな分析ができるようになり、商品やサービスのさらなる改善に役立てられます。

SNSの口コミ
（非構造化データ）

要約を作成

関係データベースに保管
（構造化データ）

ココに気をつけて！ ビッグデータ分析をするための前段階として、**非構造化データを構造化データに加工する事例**が出題されていますので、流れを理解しておきましょう。

─── ココ が試験に出る！ ───

- 機械学習：コンピュータにデータを学習させ、特定のパターンや特徴を見つけ出す
- ディープラーニング：ニューラルネットワークを用いて、コンピュータにも人間と同じように認識させる
- 教師あり学習：正解のデータを用いてパターンを学習し、未知のデータに対して予測
- IoT：モノに通信機能をもたせて、膨大な情報を収集・解析し高度なサービスを実現
- IoTの構成要素：インターネットに接続できるすべてのモノ
- ビッグデータ：非構造化データやリアルタイム性の高いデータも処理の対象
- HRテック：人事領域でビッグデータやAIを活用する取組み
- ビッグデータ分析の前段階処理で、非構造化データを構造化データに加工する処理の流れを理解しておこう

Chapter

14

ビジネスインダストリ

試験問題にチャレンジ

問題❶

AIにおける機械学習の説明として，最も適切なものはどれか。

ア 記憶したデータから特定のパターンを見つけ出すなどの，人が自然に行っている学習能力をコンピュータにもたせるための技術

イ コンピュータ，機械などを使って，生命現象や進化のプロセスを再現するための技術

ウ 特定の分野の専門知識をコンピュータに入力し，入力された知識を用いてコンピュータが推論する技術

エ 人が双方向学習を行うために，Webシステムなどの情報技術を用いて，教材や学習管理能力をコンピュータにもたせるための技術

正解　**ア**

解説 機械学習は、コンピュータにデータを学習させ、特定のパターンや特徴を見つけ出す技術です。

なお、**イ**は人工生命、**ウ**はエキスパートシステム、**エ**はEdTechの説明です。

問題❷

生産現場における機械学習の活用事例として，適切なものはどれか。

ア 工場における不良品の発生原因をツリー状に分解して整理し，アナリストが統計的にその原因や解決策を探る。

イ 工場の生産設備を高速通信で接続し，ホストコンピュータがリアルタイムで制御できるようにする。

ウ 工場の生産ロボットに対して作業方法をプログラミングするのではなく，ロボット自らが学んで作業の効率を高める。

エ 累積生産量が倍増するたびに工場従業員の生産性が向上し，一定の比率で単位コストが減少する。

正解　**ウ**

解説 生産ロボット自らが学んで作業の効率を高めていくのは、機械学習における強化学習の活用事例です。

なお、**ア**はディシジョンツリー、**イ**はMtoM（Machine to Machine）、**エ**は経験曲線の活用事例です。

問題❸   H30春-問3

AIにおけるディープラーニングの特徴はどれか。

ア　"AならばBである"というルールを人間があらかじめ設定して，新しい知識を論理式で表現したルールに基づく推論の結果として，解を求めるものである。

イ　厳密な解でなくてもなるべく正解に近い解を得るようにする方法であり，特定分野に特化せずに，広範囲で汎用的な問題解決ができるようにするものである。

ウ　人間の脳神経回路を模倣して，認識などの知能を実現する方法であり，ニューラルネットワークを用いて，人間と同じような認識ができるようにするものである。

エ　判断ルールを作成できる医療診断などの分野に限定されるが，症状から特定の病気に絞り込むといった，確率的に高い判断ができる。

正解　**ウ**

解説 ディープラーニングは、ニューラルネットワークを用いて、コンピュータに人間と同じような認識を実現させることが特徴です。

　ア　エキスパートシステムの特徴です。

　イ　ディープラーニングの学習モデルは、特定分野に限定したものになるので誤りです。

　エ　トレーニング用のデータさえあれば、判断ルールはシステム自身が試行錯誤しながら見つけていきます。そのため、人間が判断ルールを作成できない分野でも使われています。

機械学習における教師あり学習の説明として，最も適切なものはどれか。

ア 個々の行動に対しての善しあしを得点として与えることによって，得点が最も多く得られるような方策を学習する。

イ コンピュータ利用者の挙動データを蓄積し，挙動データの出現頻度に従って次の挙動を推論する。

ウ 正解のデータを提示したり，データが誤りであることを指摘したりすることによって，未知のデータに対して正誤を得ることを助ける。

エ 正解のデータを提示せずに，統計的性質や，ある種の条件によって入力パターンを判定したり，クラスタリングしたりする。

正解　ウ

解説 教師あり学習は、正解のデータを用いてルールやパターンを学習し、未知のデータに対して予測を行います。

ア 強化学習の説明です。

イ 教師なし学習の1つである協調フィルタリングの説明です。

エ 教師なし学習の説明です。

IoTの構成要素に関する記述として，適切なものはどれか。

ア アナログ式の機器を除く，デジタル式の機器が対象となる。

イ インターネット又は閉域網に接続できる全てのモノが対象となる。

ウ 自律的にデータを収集してデータ分析を行う機器だけが対象となる。

エ 人や生物を除く，形のある全てのものが対象となる。

正解　イ

解説 IoTは、物理的なモノに通信機能をもたせて情報を収集するサービスです。構成要素は、ネットワーク＋通信機能をもったすべてのモノとなります。

ア アナログ式の機器であっても、データをデジタル変換することで対応できます。

ウ 必ずしもデータ分析を行う機器だけが対象ではなく、データを収集・送信する機器も対象です。

エ ヒトや生物も対象になります。通信デバイスをつけて人間の健康状態をチェックする事例もあります。

問題❻

　企業がマーケティング活動に活用するビッグデータの特徴に沿った取扱いとして，適切なものはどれか。

- **ア**　ソーシャルメディアで個人が発信する商品のクレーム情報などの，不特定多数によるデータは処理の対象にすべきではない。
- **イ**　蓄積した静的なデータだけでなく，Webサイトのアクセス履歴などリアルタイム性の高いデータも含めて処理の対象とする。
- **ウ**　データ全体から無作為にデータをサンプリングして，それらを分析することによって全体の傾向を推し量る。
- **エ**　データの正規化が難しい非構造化データである音声データや画像データは，処理の対象にすべきではない。

正解　イ

解説 ビッグデータでは、リアルタイム性の高いデータも処理の対象にします。
- **ア**　SNSの不特定多数によるデータも、市場の反応を確認したり、商品を改善したりするために活用されています。
- **ウ**　ビッグデータの処理ではサンプリングは行わず、すべてのデータを処理します。
- **エ**　多種多様な非構造化データも処理の対象です。

問題❼

　HRテックの説明はどれか。

- **ア**　ICTを活用して，住宅内のエネルギー使用状況の監視，機器の遠隔操作や自動制御などを可能にし，家庭におけるエネルギー管理を支援するソリューション
- **イ**　既存のビジネスモデルによる業界秩序や既得権益を破壊してしまうほど大きな影響を与える新しいICTやビジネスモデル
- **ウ**　個人の資金に関わる情報を総合的に管理するサービスやマーケットプレイス・レンディングなどの金融サービスを実現するための新しい情報技術
- **エ**　採用，育成，評価，配属などの人事領域の業務を対象に，ビッグデータ解析やAIなどの最新ICTを活用して，業務改善と社員満足度向上を図るソリューション

解説 HRテックは、人事領域でビッグデータやAIを活用する取り組みのことです。

ア HEMSの説明です。

イ 破壊的イノベーションの説明です。

ウ フィンテックの説明です。

問題❽

R6 公開 - 問15

ビッグデータ分析の前段階として，非構造化データを構造化データに加工する処理を記述している事例はどれか。

ア 関係データベースに蓄積された大量の財務データから必要な条件に合致するデータを抽出し，利用者が扱いやすい表計算ソフトウェアデータに加工する。

イ 個人情報を含むビッグデータを更に利活用するために，特定の個人を識別することができないように匿名化加工する。

ウ 住所データ項目の中にある，"ヶ"と"が"の混在や，丁番地の表記不統一を，標準化された表記へ統一するために加工する。

エ ソーシャルメディアの口コミを機械学習によって単語ごとに分解し，要約を作り，分析可能なデータに加工し，関係データベースに保管する。

解説 非構造化データとは、定められた特定の形式や構造を持たないデータです。例えば、SNSの投稿やEメール本文などが当てはまります。このままでは分析や処理が難しいため、構造化データに加工した上で関係データベースに保管します。

ア 関係データベースに蓄積された財務データは、すでに構造化データのため誤りです。

イ 個人情報を含むビッグデータは非構造化データも多く含まれますが、匿名化加工は構造化データに加工しているわけではないため誤りです。

ウ 住所データ項目は、すでに構造化データのため誤りです。

ストラテジ系

Chapter

15

テクノロジ系　マネジメント系　ストラテジ系

基礎理論

コンピュータシステム

技術要素

開発技術

プロジェクト
マネジメント

サービスマネジメント

システム戦略

経営戦略

企業と法務

解説動画 ▶

企業会計

本章の学習ポイント

- 損益分岐点とは、売上高と費用が同額になる、利益がちょうどゼロになる売上高のこと。
- 変動費率とは、売上高に占める変動費の割合のこと。
- 売上総利益とは、売上高から売上原価を引いたもの。営業利益とは、売上総利益から販売費と一般管理費を引いたもの。

01 企業会計

企業会計の基礎をおさえよう

- 損益分岐点を理解し、計算方法を学ぼう。
- 財務諸表について学ぼう。
- 在庫評価方法について学ぼう。

企業とお金

　企業は、事業を続けていくためにもお金を儲ける必要があります。商品やサービスがたくさん売れたとしても、費用が売上以上にかかっていたら儲けは出ないため、倒産してしまいます。そのため企業は常に、売上と費用の両方を管理していく必要があります。**売上や費用などのお金の出入りを記録、管理すること**を会計といいます。

売上高と費用

　商品やサービスを売った金額を売上高、**商品を作ったり運んだりするのにかかった金額**を費用、**売上高から費用を引いた、いわゆる「儲けた金額」**を利益といいます。

> **公式**
>
> **利益＝売上高－総費用**

費用には、人件費や家賃、光熱費など、商品の**生産数とは関係なくかかる**固定費と、材料費や運搬費など**生産数に比例して増える**変動費があります。

> **公式**
>
> **費用＝固定費＋変動費**

計算問題では、**変動費を求めるときにかけ算を忘れないように注意しましょう。**

例：客1人当たりの変動費100円、月に来客数が1,000人の場合

月額の変動費＝100円×1,000人＝100,000円

損益分岐点

利益を得るためには、「商品を何個以上売れば利益が出るのか」や、逆に「100個しか売れないことが想定される商品の場合、固定費や変動費をどのくらいに抑えれば利益が出るのか」といった分析が必要です。そのためには、**売上高と費用（固定費＋変動費）が同じ金額になるところ、つまり利益がゼロになる売上高**である損益分岐点を知る必要があります。

損益分岐点は、固定費と変動費を足した総費用と、売上高をグラフにしたときに、ちょうど交差する点のことです。

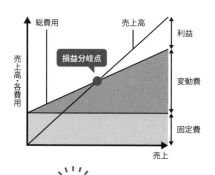

ココが試験に出る！

損益分岐点での売上高は、固定費と変動費の和に等しい。

損益分岐点は、次の式で求めることができます。変動費率とは、**売上高に占める変動費の割合**です。

損益分岐点＝固定費÷（1－変動費率）
※変動費率＝変動費÷売上高

ココに気をつけて！ 計算問題で「売上高が100百万円のとき変動費60百万円」といった記述があるときは、**前提となる売上高が変われば変動費の額も変わるため要注意**。そのときは、いったん変動費率を算出し、売上高×変動費率で売上に応じた変動費を計算します。

具体的に、次の損益計算書における損益分岐点を計算してみます。

単位：百万円

項目	内訳		金額
売上高			700
売上原価	変動費	100	300
	固定費	200	
売上総利益			400
販売費・一般管理費	変動費	40	340
	固定費	300	
税引前利益			60

固定費＝200＋300＝500
変動費＝100＋40＝140
変動費率＝140÷700＝0.2
損益分岐点＝500÷（1－0.2）＝500÷0.8＝625

よって、625百万円が損益分岐点となります。

ココに気をつけて！ 計算問題で変動費を求めるときは、変動費は売上原価と販売費・一般管理費の両方に含まれるので、忘れずに両方の変動費を足し算しましょう。

財務諸表

企業が営業活動などで行った取引を記録し、企業の財務状況やどのくらい儲けたかを示すために作成する資料を財務諸表といいます。代表的なものに、損益計算書、貸借対照表、キャッシュフロー計算書があります。

損益計算書

損益計算書は、企業が会計期間中にどのくらい儲けたのかを表す、経営の成績表です。

単位：億円

売上高	100	
売上原価	75	← 人件費や材料費など、製品やサービスを構成するのに必要な原価
売上総利益（粗利益）	25	← 売上高－売上原価
販売費及び一般管理費	15	← 販売部門や管理部門で生じた費用
営業利益	10	← 売上総利益－販売費及び一般管理費
営業外利益	2	← 金融上の収益や余資を運用した結果の収益
営業外費用	5	← 投資活動や財務活動など、本業以外に関わる費用
経常利益	7	← 営業利益＋営業外収益－営業外費用
特別利益	0	← 固定資産売却益など、例外的に発生した利益
特別損失	1	← 固定資産売却損など、例外的に発生した損失
税引前当期純利益	6	← 経常利益＋特別利益－特別損失
法人税等	2	← 法人が得た所得に課税される税金
当期純利益	4	← 税引前当期純利益－法人税等

貸借対照表

貸借対照表は、企業のもっている企業の資産、負債、純資産の内訳を記載した書類です。財務上の安定性や課題、経営リスクなどの把握に役立ちます。

単位：百万円

資産		負債	
流動資産	70	流動負債	30
固定資産	30	固定負債	16
		純資産	
		資本金	50
		利益余剰金	4
合計	100	合計	100

ココが試験に出る！

貸借対照表の純資産の部には、資本金が表示される。

Chapter

15

企業会計

キャッシュフロー計算書

　キャッシュフロー計算書は、**会計期間におけるキャッシュ（現金および現金同等物）の流れを、営業活動・投資活動・財務活動に分けて記載した書類**です。

区分	具体的な収入・支出（例）
営業活動による キャッシュフロー	**商品販売による収入、仕入や管理による支出など、本業に関する収支**
投資活動による キャッシュフロー	固定資産の取得や売却、有価証券の取得や売却
財務活動による キャッシュフロー	株式や社債の発行、自己株式の取得、社債の償還、借入金の返済、支払利息に係る項目

ココが試験に出る!

- 営業活動によるキャッシュフロー：本業に関する収支。プラスだと、本業で稼いでいると判断できる

在庫評価方法

　普通、製造された商品はすぐに全部売れてしまうことはなく、一部は在庫として倉庫に保管されます。この在庫は、企業の棚卸資産（販売目的で保有している資産）として金額に換算して決算書に記載されます。ただし、**商品の仕入単価は時期によって異なることもあるため、在庫として残っている商品の仕入単価をいつの時点の単価にするかで評価方法が変わります**。評価方法には先入先出法、後入先出法、総平均法があります。

方法	説明
先入先出法	**先に仕入れた商品から先に出荷したものと見なして計算する方法**
後入先出法	後に仕入れた商品から先に出荷したものと見なして計算する方法
総平均法	対象期間中に仕入れた商品の総額を、総仕入れ数量で割って平均単価を計算する方法

先入先出法で評価した場合について、当月の売上原価と当月末の在庫評価額を計算してみます。

日付	摘要	受払個数		単価（円）
		受入	払出	
1日	前月繰越	100		200
5日	仕入	50		215
15日	売上		70	
20日	仕入	100		223
25日	売上		60	
30日	翌月繰越		120	

払出合計（売上分）70＋60＝130個

前月繰越分の100個（単価200円）＋5日仕入分の30個（単価215円）の払出とみなし

当月の売上原価＝200円×100個＋215円×30個＝26,450円

当月末在庫（翌月繰越分）120個

5日仕入分の20個（単価215円）＋20日仕入分の100個（単価223円）の在庫とみなし

当月末の在庫評価額＝215×20個＋223×100個＝26,600円

ココに
気をつけて！

計算問題では、売上原価を問われる場合と、当月末の在庫評価額を問われる場合があります。**売上原価の場合は「払出商品の金額」**を、在庫評価額の場合は**「残っている商品の金額」**を計算しましょう。

ココが試験に出る！

先入先出法の在庫評価額を計算できるようにしておきましょう。

減価償却方法

　減価償却とは、建物や機械、自動車といった長期にわたって使用される固定資産の購入にかかった費用を、耐用年数にわたって分散計上する会計方法です。分散計上した費用を減価償却費といいます。耐用年数は、資産の種類によって法律で定められています。

　減価償却の計算方法には、償却費が毎年同じ定額法と、償却費が毎年減少する定率法があります。

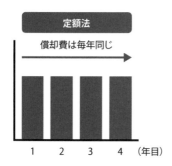

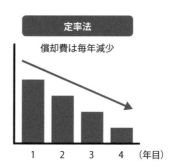

　定額法による減価償却費の求め方を具体的なケースで考えてみましょう。例えば、取得価額が200万円で、耐用年数は4年、残存価額20万円の場合、次の計算方法で、毎年の減価償却費を求めることができます。

減価償却費＝（取得価格－残存価格）÷耐用年数＝（200-20）÷4＝45万円／年

ココに気をつけて！ 試験では、償却率を使った計算問題も出題されています。償却率は、取得価額に対する減価償却費の割合です。その場合は「減価償却費＝取得価額×償却率」で、毎年の償却額を計算することができます。

定額法による減価償却費を計算できるようにしておきましょう。

試験問題にチャレンジ

問題❶   H16秋 - 問75

　表の条件で喫茶店を開業したい。月10万円の利益を出すためには，1客席当たり1日何人の客が必要か。

客1人当たりの売上高	500円
客1人当たりの変動費	100円
固定費	300,000円／月
1か月の営業日数	20日
客席数	10席

ア 3.75
イ 4
ウ 4.2
エ 5

....

正解　**エ**

解説 利益＝売上高－費用です。

来客数をxとすると、$100,000 = 500x -$費用

費用＝固定費＋変動費なので、費用を計算すると$300,000 + 100x$

$100,000 = 500x - (300,000 + 100x)$

$100,000 = 500x - 300,000 - 100x$

$400x = 400,000$

$x = 1,000$

よって、1か月に必要な来客数は1,000人。

1か月の営業日が20日なので、1日当たりの来客数は、$1,000 ÷ 20 = 50$（人）

座席数が10席なので、1日1座席数当たりの来客数は、$50 ÷ 10 = 5$（人）

したがって、正解は5人の**エ**です。

売上高が100百万円のとき，変動費が60百万円，固定費が30百万円掛かる。変動費率，固定費は変わらないものとして，目標利益18百万円を達成するのに必要な売上高は何百万円か。

ア 108

イ 120

ウ 156

エ 180

．．

正解　イ

解説 売上高が100百万円、変動費が60百万円なので、変動費率＝60÷100＝0.6

目標利益を達成するのに必要な売上高をx百万円とすると、変動費＝$0.6x$

利益＝売上高－変動費－固定費なので、$18 = x - 0.6x - 30$

$0.4x = 48$となるため、$x = 120$

損益分岐点の特性を説明したものはどれか。

ア 固定費が変わらないとき，変動費率が低くなると損益分岐点は高くなる。

イ 固定費が変わらないとき，変動費率の変化と損益分岐点の変化は正比例する。

ウ 損益分岐点での売上高は，固定費と変動費の和に等しい。

エ 変動費率が変わらないとき，固定費が小さくなると損益分岐点は高くなる。

．．

正解　ウ

解説 損益分岐点では、売上高－（固定費＋変動費）＝0なので、売上高＝固定費＋変動費が成り立ちます。

ア 固定費が変わらないとき、変動費率が低くなると損益分岐点は低くなるので誤りです。

イ 正比例はしないので誤りです。

エ 変動費率が変わらないとき、固定費が小さくなると損益分岐点は低くなるので誤りです。

問題❹

　財務諸表のうち，一定時点における企業の資産，負債及び純資産を表示し，企業の財政状態を明らかにするものはどれか。

ア　株主資本等変動計算書

イ　キャッシュフロー計算書

ウ　損益計算書

エ　貸借対照表

正解　**エ**

解説　一定時点における企業の資産や負債を示す財務諸表は、貸借対照表です。

ア　会計期間における企業の純資産の変動を表します。

イ　会計期間における資金 (現金及び現金同等物) の増減を表します。

ウ　会計期間中の売上や費用、どのくらい儲けたのかを表します。

問題❺

　貸借対照表の純資産の部に表示される項目はどれか。

ア　売掛金

イ　資本金

ウ　社債

エ　投資有価証券

正解　**イ**

解説　株主や投資家が会社に投資した資本金は、純資産の部に記載します。

ア　売掛金は、まだ支払われていない売上代金です。資産の部に記載します。

ウ　社債は、組織が設備投資などの事業資金を調達するために発行する債券です。負債の部に記載します。

エ　投資有価証券は、投資目的で保有する他社の株式です。資産の部に記載します。

　キャッシュフロー計算書において，営業活動によるキャッシュフローに該当するものはどれか。

- **ア**　株式の発行による収入
- **イ**　商品の仕入による支出
- **ウ**　短期借入金の返済による支出
- **エ**　有形固定資産の売却による収入

正解　イ

解説 **イ**の商品の仕入や管理による支出は、営業活動によるキャッシュフローに該当します。**ア**と**ウ**は財務活動、**エ**は投資活動に区分されます。

　当期の建物の減価償却費を計算すると，何千円になるか。ここで，建物の取得価額は10,000千円，前期までの減価償却累計額は3,000千円であり，償却方法は定額法，会計期間は1年間，耐用年数は20年とし，残存価額は0円とする。

- **ア**　150
- **イ**　350
- **ウ**　500
- **エ**　650

正解　ウ

解説 減価償却費＝（取得価格－残存価格）÷耐用年数＝（10,000 － 0）÷20＝500千円/年、と表せます。年間の減価償却費は500千円となり、**ウ**が正解です。なお、前期までの減価償却累計額が3,000千円なので、3,000千円÷500千円＝6年分の償却が完了しています。

ストラテジ系

Chapter

16

テクノロジ系　基礎理論

コンピュータシステム

技術要素

開発技術

マネジメント系　プロジェクト
マネジメント

サービスマネジメント

ストラテジ系　システム戦略

経営戦略

企業と法務

解説動画 ▶

法務

本章の学習ポイント

- 著作権法で守られないものとして、アルゴリズム、プログラミング
  言語、規約などがある。
- 労働者派遣法では、派遣先企業の指揮命令を受けて労働に従事するこ
  と、派遣先への転職の自由、二重派遣の禁止などが定められている。
- 不正アクセス禁止法では、ID・パスワードでアクセス制限されてい
  るコンピュータに、不正にアクセスすることが禁じられている。
- 不正競争防止法では、コピー商品の販売、産地の偽装などが違法行
  為とみなされる。

01 知的財産権

知的財産権の役割を学ぼう

- ソフトウェア開発において、著作権で保護されるもの、著作権の帰属先を学ぼう。
- 産業財産権のうち、特許法、商標法で保護されるものを理解しよう。
- 包括的な特許クロスライセンスについて理解しよう。

知的財産権

　家や車のような目に見える財産とは違って、**人や企業が考えて作った成果物**を知的財産といいます。形のない財産のため、第三者が勝手にまねしたり売ったりできないように、知的財産権として法律で守られています。

　知的財産権の種類には、著作権と産業財産権があります。

知的財産権 ─┬─ 著作権　　文章や音楽、美術など**文化的な創造物**を保護

　　　　　　└─ 産業財産権　発明や商標など、**産業における知的財産**を保護

著作権

著作権とは、**自分の思想・感情を創作的に表現した文章、音楽、絵画、写真など の著作物を創作したことによって、著作者に発生する権利のこと**です。手続きをし なくても、著作物を創作した時点から権利が自動的に発生し（原始的帰属という）、 著作者の死後**70**年間保護されます。

ソフトウェアの場合、何が著作物で著作権法の保護対象となるのかは、次のよう に区別されています。

著作物であり著作権法で守られる	著作物ではなく 著作権法で守られない
・プログラム言語で書かれたソースプログラム ・実行可能形式のオブジェクトプログラム ・アプリケーションプログラム	**・アルゴリズム** **・プログラム言語** ・規約

著作権は、著作財産権と著作者人格権に分けられます。

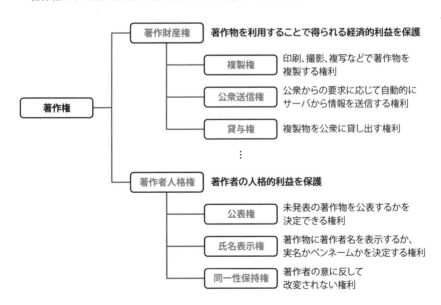

ソフトウェア開発における著作権の帰属

　ソフトウェア開発における成果物（プログラム）の著作権は一体誰のものでしょうか。開発費用を支払っている発注側だと考えがちですが、それは違います。**著作権は成果物を作成した著作者に帰属しますので、プログラムを作成した受注側が著作権をもちます。そのため、著作権を発注側に譲渡する場合には、取決めをして契約書に記載する必要があります。**

　また、従業員が創作した著作物の著作権については、著作権法15条2項に定められています。**法人の発意に基づき、従業員が職務上作成するものであれば、会社が著作者になります。**個人ではないので注意しましょう。

ココに気をつけて！ ソフトウェア開発においては、著作権の原始的帰属は、プログラムを開発した受注側にあることに注意しましょう。ただし、従業員が業務上作成したプログラムの著作権は、会社に帰属します。

産業財産権

　工業製品の発明やデザインは、特許庁に申請し登録することによって、産業財産権が適用され一定期間保護されます。産業財産権には次の4種類があり、それぞれの権利に対応する法律が用意されています。

包括的な特許クロスライセンス

　特許クロスライセンスとは、**特許権の権利者同士が相互に相手の特許権を使用できるように契約**することです。近年では、1つの製品に対してさまざまな特許が使われることが多くなりました。そのため、**特定の特許だけでなく、技術分野や製品分野を特定して、その分野に関するすべての特許権について相互に使用できるように契約**するケースも増えています。これを包括的な特許クロスライセンスといいます。

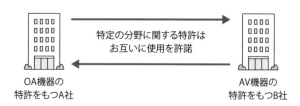

特定の分野に関する特許は
お互いに使用を許諾

OA機器の
特許をもつA社

AV機器の
特許をもつB社

ココが試験に出る!

- プログラム言語で書かれたソースプログラムや実行可能なオブジェクトプログラムは著作物であり、著作権法で保護される
  - 著作権の原始的帰属は、プログラムを開発した受注側にある
  - 従業員が業務上作成したプログラムの著作権は、会社に帰属する
- 特許法の保護対象：自然法則を利用した技術的思想の創作のうち高度なもの（＝発明）
- 商標法：商品名やロゴマークなどを保護する法律
- 包括的な特許クロスライセンス：特定分野におけるすべての特許を互いに使用できる契約

試験問題にチャレンジ

問題❶

著作権法によるソフトウェアの保護範囲に関する記述のうち，適切なものはどれか。

ア アプリケーションプログラムは著作権法によって保護されるが，OSなどの基本プログラムは権利の対価がハードウェアの料金に含まれるので，保護されない。

イ アルゴリズムやプログラム言語は，著作権法によって保護される。

ウ アルゴリズムを記述した文書は著作権法で保護されるが，そのアルゴリズムを用いて作成されたプログラムは保護されない。

エ ソースプログラムとオブジェクトプログラムの両方とも著作権法によって保護される。

....

正解　エ

解説 プログラム言語で書かれたソースプログラム、実行可能形式のオブジェクトプログラムは、いずれも著作物であり、著作権法によって保護されます。

ア OSなどの基本プログラムは著作権法の保護対象のため誤りです。

イ アルゴリズムやプログラム言語は著作権法の保護対象外のため誤りです。

ウ アルゴリズムを記述した文書、およびプログラムは著作権法の保護対象のため誤りです。

問題❷

A社は，B社と著作物の権利に関する特段の取決めをせず，A社の要求仕様に基づいて，販売管理システムのプログラム作成をB社に委託した。この場合のプログラム著作権の原始的帰属はどれか。

ア A社とB社が話し合って決定する。

イ A社とB社の共有となる。

ウ A社に帰属する。

エ B社に帰属する。

....

正解　エ

解説 著作権の原始的帰属とは、著作物が生み出された瞬間から作品を最初に創作した人に権利が帰属するということです。特段の取決めをしていない場合、著作権はプログラムを作成したB社に帰属します。

問題❸

特許法による保護の対象となるものはどれか。

- **ア** 自然法則を利用した技術的思想の創作のうち高度なもの
- **イ** 思想又は感情を創作的に表現したもの
- **ウ** 物品の形状，構造又は組合せに係る考案
- **エ** 物品の形状，模様又は色彩など，視覚を通じて美感を起こさせるもの

正解 ア

解説 特許法の保護対象は発明に限られます。発明とは、自然法則を利用した技術的思想の創作のうち高度なものと定義されています。**イ**は著作権法、**ウ**は実用新案法、**エ**は意匠法による保護の対象です。

問題❹

事業者の取り扱う商品やサービスを，他者の商品やサービスと区別するための文字，図形，記号など（識別標識）を保護する法律はどれか。

- **ア** 意匠法
- **イ** 商標法
- **ウ** 特許法
- **エ** 著作権法

正解 イ

解説 商品名やロゴマークなどの識別標識を保護する法律は商標法です。**ア**の意匠法は商品のデザインの保護、**ウ**の特許法は発明の保護、**エ**の著作権法は創作物を保護するための法律です。

02 企業と労働者の契約形態

企業と労働者間で結ぶ契約を学ぼう

- 雇用契約での就業形態にはどんなものがあるかを学習しよう。
- 契約形態によって、企業と労働者の間に生じる雇用関係、指揮命令系統を学習しよう。
- 請負契約でありながら、偽装請負とみなされる事例を学習しよう。

雇用契約

　企業と労働者の間で直接契約を結び、企業が労働者に直接指揮・命令を出す雇用形態が雇用契約です。就業形態には、正社員、契約社員、パートタイマー、アルバイトなどがあります。

雇用契約
指揮・命令
企業　　　　　　　　　　　労働者

そのほかにも、次のような働き方があります。

働き方	内容
裁量労働制	特定の専門業務や企画業務において、**労働時間の計算を、実際の労働時間ではなく、労使間であらかじめ取り決めたみなし時間で行う**ことを認める制度
ワークシェアリング	**従業員1人あたりの勤務時間を短縮し、仕事の配分を見直す**ことで雇用を確保する取組み

労働者派遣契約

　企業と労働者の間に派遣会社が入る契約形態を労働者派遣契約といいます。労働者は、実際に働く企業ではなく、派遣会社と雇用契約を結び、給料も派遣会社からもらいます。**仕事内容に関する指揮・命令は、実際に働く派遣先企業から受けます。**ただし、派遣先での時間外労働に関する法令上の届出などは派遣元が責任をもって管理します。派遣では、労働基準法に加えて、労働者派遣法という法律に従います。労働者は派遣先企業の指揮命令を受けて労働に従事するほか、**派遣先への転職の自由、派遣会社には二重派遣の禁止**などの内容が定められています。

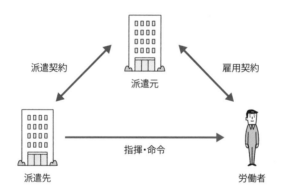

請負契約

　請負契約とは、**発注会社から「仕事をまるごと請け負う」という契約**です。発注会社は、請負会社が「仕事をしたこと」に対して報酬を払うのではなく、「仕事を完成させた結果（成果物）」に対して、その対価を払います。**発注会社は請負会社の労働者には直接指示を出せない**ため、成果物に契約内容との相違があった場合、指示を出した請負会社がその責任を負います。

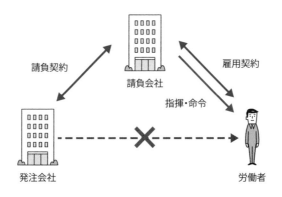

ココに気をつけて！ 発注会社の責任者の指揮命令に従って請負会社の労働者が設計書を作成するなど、**作業の実態が請負契約に沿わない場合、偽装請負とみなされます。請負契約では、発注会社は請負会社の労働者には指示を出せない点に注意が必要です。**

準委任契約

準委任契約は、**専門家がコンサルティング作業などの「仕事をすること」を約束する契約**です。請負契約とは異なり仕事の完成は約束しませんが、**専門家として一般的に期待されるレベルの注意義務**（善管注意義務）を果たさなければなりません。

ココが試験に出る！

- ワークシェアリング：従業員1人あたりの勤務時間を短縮し仕事の配分を見直す
- 労働者派遣契約：労働者は派遣元企業と雇用契約を結び、派遣先企業の指揮命令を受けて労働に従事
- 請負契約：仕事の成果物に対して対価を払う契約。発注側は請負会社の社員に指示を出せない
- 準委任契約：専門家として一般的に期待される注意義務（善管注意義務）を負う

試験問題にチャレンジ

問題❶

従業員1人当たりの勤務時間を減らして社会全体の雇用維持や雇用機会増加を図るものはどれか。

ア カフェテリアプラン
イ フリーエージェント制
ウ ワークシェアリング
エ ワークライフバランス

正解 ウ

解説 ワークシェアリングは、従業員1人あたりの勤務時間を短縮し、仕事の配分を見直すことで雇用を確保する取組みです。

ア 従業員が選択式で好きな福利厚生サービスを選べる制度です。
イ 従業員に希望の部署に自らを売り込み異動のチャンスを与える制度です。
エ 仕事とプライベートのバランスをとった働き方を目指す考え方です。

問題❷

労働者派遣法に基づく，派遣先企業と労働者との関係（図の太線部分）はどれか。

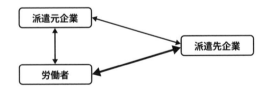

ア 請負契約関係
イ 雇用契約関係
ウ 指揮命令関係
エ 労働者派遣契約関係

正解 ウ

解説 労働者と派遣先企業との関係は、仕事の指示を与える、受けるという指揮命令関係

です。

ア　労働者派遣法には関係しないため誤りです。

イ　派遣元企業と労働者の間の関係のため誤りです。

エ　派遣元企業と派遣先企業の間の関係のため誤りです。

問題❸　　　　　　　　　　　　　　　　　　　　H25春-問79

請負契約を締結していても，労働者派遣とみなされる受託者の行為はどれか。

ア　休暇取得のルールを発注者側の指示に従って取り決める。

イ　業務の遂行に関する指導や評価を自ら実施する。

ウ　勤務に関する規律や職場秩序の保持を実施する。

エ　発注者の業務上の要請を受託者側の責任者が窓口となって受け付ける。

正解　ア

解説　請負契約では、発注側は受託側の労働者に直接指示を出すことはできません。**ア**は発注側と受託者の間で指揮命令が実態として存在するため、偽装請負かつ労働者派遣とみなされます。**イ**と**ウ**は、受託企業が雇用している労働者に対する行為であり問題ありません。**エ**の受託者側の責任者が窓口となって受け付けることは、請負契約での適切な伝達方法です。

問題❹　　　　　　　　　　　　　　　　　　　　H26秋-問80

準委任契約の説明はどれか。

ア　成果物の対価として報酬を得る契約

イ　成果物を完成させる義務を負う契約

ウ　善管注意義務を負って作業を受託する契約

エ　発注者の指揮命令下で作業を行う契約

正解　ウ

解説　準委任契約は、専門家として一般的に期待されるレベルの注意義務（善管注意義務）を負って作業を受けます。**ア**と**イ**は請負契約の説明、**エ**は労働者派遣契約の説明です。

Chapter 16

03 セキュリティ関連法規

ストラテジ系 ⏰ 15分 \ 👉 ★★★

セキュリティ関連の法律を学ぼう

- サイバーセキュリティ基本法や不正アクセス禁止法を理解しよう。
- 刑法に定められたコンピュータ犯罪に関する条文を理解しよう。
- 個人情報保護法を理解しよう。

セキュリティ関連法規の制定の流れ

インターネットは便利な反面、さまざまな情報がやり取りされるため常に危険がつきまといます。そこで、**情報社会におけるセキュリティに関する問題に対応するために、さまざまなセキュリティ関連法規が制定されました**。特に出題される代表的なものは次のとおりです。

- 1999年：不正アクセス禁止法が制定
- 2003年：個人情報保護法が制定
- 2014年：サイバーセキュリティ基本法が制定

不正アクセス禁止法

　ID・パスワードでアクセス制限が行われているコンピュータに、不正にアクセスする行為を不正アクセスといい、**不正アクセスを禁止する法律**を不正アクセス禁止法といいます。

不正アクセス禁止法の違法行為は下記のとおりです。

- ▶ 他人のIDとパスワードを無断で利用してネットワーク経由で不正にアクセスした
- ▶ セキュリティの脆弱性を攻撃して、権限のないコンピュータに不正アクセスした
- ▶ 他人のIDとパスワードを不正に取得したり、無断で第三者に教えた

個人情報保護法

　個人情報とは、**生存する個人に関する情報で、氏名、生年月日、住所、顔写真などにより特定の個人を識別できる情報**です。**個人情報の取扱いについて定めた法律**を個人情報保護法といいます。

　個人情報を扱う場合は、利用目的を明示し、その目的以外で利用することが禁止されています。また、本人の同意なしに、第三者へ個人情報を提供してはいけません。

　なお、**アンケートデータなどで収集した個人データを、個人情報が特定できないように加工した**匿名加工情報は、個人情報に該当しません。

個人情報に該当するものは下記のとおりです。

- ▶ 単体で個人を特定できる情報
  - ・監視カメラで録画された映像
  - ・個人の身体的特徴を表す指紋データ
- ▶ ほかの情報と照らし合わせることで個人を特定できる情報
  - ・マイナンバー
  - ・社員番号

サイバーセキュリティ基本法

世界中でIT化が進む中、サイバー攻撃が増加しており被害が広がっています。しかしながら、**サイバーセキュリティ対策に関する基本方針を定めた法律**がなかったため、2014年にサイバーセキュリティ基本法が制定されました。

この法律では、**国や地方公共団体、教育研究機関、民間事業者といったすべての組織と国民を対象**に、サイバーセキュリティに関する責務や努力すべきことが定められています。

刑法

刑法とは、**犯罪と刑罰に関する法律**です。近年、コンピュータやインターネットを利用した犯罪が増えていることから、これらの事件を取り締まるための条文が追加で定められています。以下、試験で出題される代表的なものを紹介します。

名称	内容
不正指令電磁的記録に関する罪（ウイルス作成罪）	**コンピュータウイルスを作成したり、他人のコンピュータに仕掛けたりする行為、インターネット上で取得、自分のパソコンに保管する行為**などを、懲役または罰金の処罰対象として定めている
電子計算機損壊等業務妨害罪	**業務で使用するコンピュータやデータを破壊する、偽の情報や不正な指令を与えてコンピュータを不正に制御するなどして業務を妨害する行為**などを、懲役または罰金の処罰対象として定めている

ココが試験に出る！

- 不正アクセス禁止法：コンピュータに不正にアクセスすることを禁止した法律
- サイバーセキュリティ基本法：すべての組織と国民に対してサイバーセキュリティに関する責務を定めた法律
- 個人情報：生存する個人の情報で、氏名、生年月日、住所、顔写真などで特定の個人を識別できる情報
- 刑法では、コンピュータウイルスの作成や不正な制御で業務を妨害する行為を処罰できる

試験問題にチャレンジ

問題❶

不正アクセス禁止法において，不正アクセス行為に該当するものはどれか。

ア 会社の重要情報にアクセスし得る者が株式発行の決定を知り，情報の公表前に当該会社の株を売買した。

イ コンピュータウイルスを作成し，他人のコンピュータの画面表示をでたらめにする被害をもたらした。

ウ 自分自身で管理運営するホームページに，昨日の新聞に載った報道写真を新聞社に無断で掲載した。

エ 他人の利用者 ID，パスワードを許可なく利用して，アクセス制御機能によって制限されている Web サイトにアクセスした。

....

正解　エ

解説　不正アクセス禁止法は、パスワードでアクセス制限が行われているコンピュータに不正にアクセスする行為を禁止する法律です。この行為に該当するのは、**エ**です。

ア 金融商品取引法で規制されているインサイダー取引の説明です。

イ 刑法の電子計算機損壊等業務妨害罪に該当します。

ウ 著作権の侵害行為に該当します。

問題❷

個人情報保護委員会"個人情報の保護に関する法律についてのガイドライン（通則編）平成28年11月（平成29年3月一部改正）"によれば，個人情報に該当しないものはどれか。

ア 受付に設置した監視カメラに録画された，本人が判別できる映像データ

イ 個人番号の記載がない，社員に交付する源泉徴収票

ウ 指紋認証のための指紋データのバックアップデータ

エ 匿名加工情報に加工された利用者アンケート情報

....

正解　エ

解説　個人情報とは、生存する個人に関する情報で、氏名、生年月日、住所、顔写真などにより特定の個人を識別できる情報です。**エ**の匿名加工情報とは、個人情報を加工し、特定の個人を識別することができないようにした情報です。個人を特定できず個人情報に該

当しないため、**エ**が正解です。

- **ア** 本人が判別できるため個人情報に該当します。
- **イ** 会社から支払われた年間給与総額や、所得税額が記載された書類です。氏名や住所、勤務先名などが記載されているため、個人を特定できる個人情報に該当します。
- **ウ** 個人の身体的特徴を変換したもので、個人を特定することができるため個人情報に該当します。

問題❸	H30秋 - 問78

コンピュータウイルスを作成する行為を処罰の対象とする法律はどれか。

- **ア** 刑法
- **イ** 不正アクセス禁止法
- **ウ** 不正競争防止法
- **エ** プロバイダ責任制限法

正解 ア

解説 コンピュータウイルスを作成する行為を処罰の対象とする法律は「刑法168条の2 不正指令電磁的記録に関する罪」で定められています。**イ**は不正アクセスを禁止する法律、**ウ**は市場で公正な競争が行われることを保護する法律、**エ**はインターネットで誹謗中傷などのトラブルが起きときにプロバイダが負うべき責任を制限した法律です。

Chapter 16

04 その他の法律

企業が活動する上で守るべき法律について学ぼう

- 不正競争防止法の目的や保護対象となる要件について学ぼう。
- 独占禁止法の目的について学ぼう。
- 製造物責任法において、ソフトウェアが原因で賠償となるケースについて学ぼう。

不正競争防止法

　市場で公正な競争が行われることを保護する法律を不正競争防止法といいます。「企業が秘密にしている営業上のノウハウを他社へ漏らす」、「コピー商品を販売する」、「食品の産地を偽装する」などの行為は、この法律に照らして違法行為となります。

不正競争防止法で保護の対象となる営業秘密の3要件は次のとおりです。

1. 秘密として管理されていること
2. 事業活動に有用な技術上または営業上の情報であること
3. 公然と知られていないこと

独占禁止法

　公正かつ自由な競争を促進し、企業が自主的な判断で自由に活動できるようにするための法律を独占禁止法といいます。もし市場に競争がなかったら、企業はコストダウンや品質・サービス向上の努力を怠り、消費者に不利益な状態になってしまいます。そこで、**企業同士が話し合って競争を止めてしまうといった行為を禁止する**ことで、消費者の利益を守ります。

製造物責任法

　製造物の欠陥が原因で生命、身体または財産に損害を被った場合に、製造業者に対して損害賠償を求めることができると定めた法律を製造物責任法（PL法）といいます。この法律では、製造物を製造または加工された動産と定義しているため、サービスや未加工のもの、不動産、ソフトウェアなどの**無体物は対象外**です。

ココに
気をつけて！ソフトウェア単体では対象外ですが、**欠陥のあるソフトウェアを内蔵した組込み機器による事故が発生し、損害との因果関係が認められるとき**には、損害賠償責任が生じます。

ココが試験に出る！

- 不正競争防止法で営業秘密となる3要件：秘密管理性・有用性・非公知性
- 独占禁止法の目的：公正かつ自由な競争の促進
- 製造物責任法（PL法）の対象：欠陥のあるソフトウェアの組込み機器による事故など

試験問題にチャレンジ

問題❶

H29春-問80

不正競争防止法において，営業秘密となる要件は，"秘密として管理されていること"，"事業活動に有用な技術上又は経営上の情報であること"と，もう一つはどれか。

ア 営業譲渡が可能なこと

イ 期間が10年を超えないこと

ウ 公然と知られていないこと

エ 特許出願をしていること

....

正解 ウ

解説 不正競争防止法において、営業秘密となる3つの要件のもう1つは「公然と知られていないこと」のため、**ウ**が正解です。

ア、**イ**、**エ**は、営業秘密の要件には含まれないため誤りです。

問題❷

H24春-問80

製造物責任法の対象となる制御用ソフトウェアの不具合はどれか。ここで、制御用ソフトウェアはエレベータの制御装置に組み込まれているものとする。

ア エレベータの待ち時間が長くなる原因となった不具合

イ エレベータの可動部分の交換を早める原因となった不具合

ウ エレベータメーカの出荷作業の遅延の原因となった不具合

エ 人的被害が出たエレベータ事故の原因となった不具合

....

正解 エ

解説 製造物責任法（PL法）は、製造物の欠陥が原因で生命、身体または財産に損害を被った場合に、製造業者に対して損害賠償を求めることができると定めた法律です。このケースに当てはまるのは**エ**です。**ア**、**イ**、**ウ**は、人の生命、身体または財産に係る被害ではなく対象外のため誤りです。

05 標準化

 標準化について学ぼう

- 標準化の目的を理解しよう。
- 代表的な標準化団体、国際標準規格を知ろう。
- 代表的なバーコードの種類を知ろう。

標準化とは

　さまざまな企業が商品を作り、販売していますが、商品を広く普及させるためには、標準化という作業が欠かせません。**標準化とは、商品の仕様などの「標準」を決めることです。**

　例えば、蛍光灯が切れてしまったので新しく購入しようとしたとき、同じメーカのものしか使えないとなると不便です。メーカが倒産してしまったら、照明器具ごと買い換えるしかなくなってしまいます。どのメーカも標準化された同じ仕様の商品を販売すれば、**消費者の利便性が高くなり、商品の普及へとつながります。**

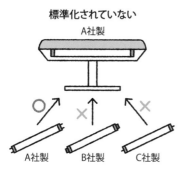

標準化されていない
A社製

○↗ A社製　×↑ B社製　×↖ C社製

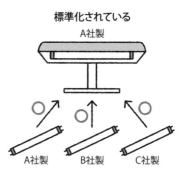

標準化されている
A社製

○↗ A社製　○↑ B社製　○↖ C社製

標準化団体

標準化は、以下のような国内外の標準化団体が行っています。

団体	標準化の対象
ISO（アイエスオー）(International Organization for Standardization：国際標準化機構)	工業と技術に関する国際規格
IETF（アイイーティーエフ）(Internet Engineering Task Force：インターネット技術タスクフォース)	**インターネットで利用される技術仕様**をRFC（アールエフシー）(Request For Comment) と呼ばれる公開文書として策定
IEEE（アイトリプルイー）(The Institute of Electrical and Electronics Engineers, Inc.：電気電子学会)	有線LAN、無線LAN、Bluetoothの技術など
W3C（ダブリュースリーシー）(World Wide Web Consortium)	**Webで利用される技術**
日本工業標準調査会	**日本国内の工業製品規格**（ジス JIS）

国際標準規格

国際標準規格の代表的なものとして、以下があります。日本では、国際標準規格と整合性をとる形で、同様のJIS規格が制定されています。

国際規格	説明
ISO 9000 シリーズ	ISOが制定した**品質マネジメントシステム**の国際標準規格の総称。基本となる規格はISO 9001。**顧客に提供する製品・サービスの品質を継続的に向上させていくことを目的に、品質マネジメントシステムのモデルを定めている。**日本では、**JIS Q 9001**として制定
ISO 14000 シリーズ	ISOが制定した**環境マネジメントシステム**の国際標準規格の総称。基本となる規格はISO 14001。継続できることに重点をおき、**環境リスクの低減および環境への貢献を目指し、環境マネジメントシステムが満たすべき事項を定めている。**日本では、**JIS Q 14001**として制定
ISO 27000 シリーズ	ISOが制定した**情報セキュリティマネジメントシステム（ISMS）**の国際標準規格の総称。基本となる規格はISO 27001。**組織が保有する情報にかかわるさまざまなリスクを適切に管理することを目的に、ISMSを構築・運用するために必要な事項を定めている。**日本では、**JIS Q 27001**として制定

読み取りコード

　標準化された規格として身近な例は、**読み取りコード**です。**読み取りコードとは、記号や余白などを使って情報を表したもの**です。コードリーダで情報を読み取り、様々なシーンで使われています。代表的な読み取りコードを紹介します。

種類	特徴	例
JANコード	**日本でもっとも普及しているバーコード**。製造国、メーカ、商品名のほか、読取りエラー検出のための数値や記号である**チェックディジット**の情報が入っている	
QRコード	英数字や漢字など、多くの情報を記録できる。**3個の検出用シンボルをもち、どの角度からでも読み取ることができる2次元コード**で、読取りエラーを訂正する機能もある	

ココが試験に出る!

- IETF:インターネット利用技術を標準化。RFCを策定
- 日本工業標準調査会:日本国内の工業製品規格（JIS）を審議

試験問題にチャレンジ

問題❶
H31春 - 問80

インターネットで利用される技術の標準化を図り，技術仕様をRFCとして策定している組織はどれか。

ア ANSI

イ IEEE

ウ IETF

エ NIST

正解 ウ

解説 インターネットで利用される技術の標準化を図り、RFCという技術仕様として公開しているのは、IETFです。

ア ANSI（アンシー）は、米国の標準化を推進する非営利の民間組織です。

イ IEEEは、有線LAN、無線LAN、Bluetoothなどの技術標準を策定した組織です。

エ NIST（ニスト）は、米国での科学技術や産業における標準化を担う国の組織です。

問題❷
H27春 - 問80

日本工業標準調査会を説明したものはどれか。

ア 経済産業省に設置されている審議会で，工業標準化法に基づいて工業標準化に関する調査・審議を行っており，特にJISの制定，改正などに関する審議を行っている。

イ 電気・電子技術に関する非営利の団体であり，主な活動内容としては，学会活動，書籍の発行，IEEE規格の標準化を行っている。

ウ 電気機械器具・材料などの標準化に関する事項を調査審議し，JEC規格の制定及び普及の事業を行っている。

エ 電子情報技術産業の総合的な発展に資することを目的とした団体であり，JEITA規格の制定及び普及の事業を行っている。

正解 ア

解説 日本工業標準調査会は、JISの制定改正を審議する団体です。なお、イはIEEE（電気電子学会）、ウはJEC（ジェーイーシー）（電気規格調査会）、エはJEITA（ジェイタ）（電子情報技術産業協会）の説明です。

Mock
Exam

模擬試験問題

問1 10進数の演算式7÷32の結果を2進数で表したものはどれか。

    ア 0.001011

    イ 0.001101

    ウ 0.00111

    エ 0.0111

問2 次に示す手順は，列中の少なくとも一つは1であるビット列が与えられたとき，最も右にある1を残し，他のビットを全て0にするアルゴリズムである。例えば，00101000が与えられたとき，00001000が求まる。aに入る論理演算はどれか。

    手順1   与えられたビット列Aを符号なしの2進数と見なし，Aから1を引き，結果をBとする。

    手順2 AとBの排他的論理和（XOR）を求め，結果をCとする。

    手順3 AとCの   a   を求め，結果をAとする。

    ア 排他的論理和（XOR）

    イ 否定論理積（NAND）

    ウ 論理積（AND）

    エ 論理和（OR）

問3 図のNANDゲートの組合せ回路で，入力 A, B, C, D に対する出力 X の論理式はどれか。ここで，論理式中の"・"は論理積，"＋"は論理和を表す。

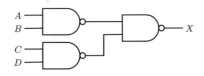

ア $(A + B) \cdot (C + D)$

イ $A + B + C + D$

ウ $A \cdot B + C \cdot D$

エ $A \cdot B \cdot C \cdot D$

問4 図は全加算器を表す論理回路である。図中のxに1，yに0，zに1を入力したとき，出力となるc（けた上げ数），s（和）の値はどれか。

	c	s
ア	0	0
イ	0	1
ウ	1	0
エ	1	1

問5 音声などのアナログデータをデジタル化するために用いられるPCMにおいて，音の信号を一定の周期でアナログ値のまま切り出す処理はどれか。

ア 逆量子化

イ 標本化

ウ 符号化

エ 量子化

問6 コンピュータアニメーション技法のうち，モーフィングの説明はどれか。

ア 画像A，Bを対象として，AからBへ滑らかに変化していく様子を表現するために，その中間を補うための画像を複数作成する。

イ 実際の身体の動きをデジタルデータとして収集して，これを基にリアルな動きをもつ画像を複数作成する。

ウ 背景とは別に，動きがある部分を視点から遠い順に重ねて画像を作成することによって，奥行きが感じられる2次元アニメーションを生成する。

エ 人手によって描かれた線画をスキャナーで読み取り，その閉領域を同一色で彩色処理する。

問7 静電容量方式タッチパネルの説明として，適切なものはどれか。

ア タッチすることによって赤外線ビームが遮られて起こる赤外線反射の変化を捉えて位置を検出する。

イ タッチパネルの表面に電界が形成され，タッチした部分の表面電荷の変化を捉えて位置を検出する。

ウ 抵抗膜に電圧を加え，タッチした部分の抵抗値の変化を捉えて位置を検出する。

エ マトリックス状に電極スイッチが並んでおり，タッチによって導通した電極で位置を検出する。

問8　次に示す接続のうち，デイジーチェーン接続と呼ばれる接続方法はどれか。

ア　PCと計測機器とをRS-232Cで接続し，PCとプリンタとをUSBを用いて
接続する。

イ　Thunderbolt接続コネクタが2口ある4Kディスプレイ2台を，PCの
Thunderbolt接続ポートから1台目のディスプレイにケーブルで接続し，
さらに，1台目のディスプレイと2台目のディスプレイとの間をケーブル
で接続する。

ウ　キーボード，マウス及びプリンタをUSBハブにつなぎ，USBハブとPC
とを接続する。

エ　数台のネットワークカメラ及びPCをネットワークハブに接続する。

問9　回転数が4,200回／分で，平均位置決め時間が5ミリ秒の磁気ディスク装置
がある。この磁気ディスク装置の平均待ち時間は約何ミリ秒か。ここで，平均
待ち時間は，平均位置決め時間と平均回転待ち時間の合計である。

ア　7

イ　10

ウ　12

エ　14

問10　ワンチップマイコンの内蔵メモリにフラッシュメモリが採用されている理由
として，適切なものはどれか。

ア　ソフトウェアのコードサイズを小さくできる。

イ　マイコン出荷後もソフトウェアの書換えが可能である。

ウ　マイコンの処理性能が向上する。

エ　マスクROMよりも信頼性が向上する。

問11 優先度に基づくプリエンプティブなスケジューリングを行うリアルタイムOSで，二つのタスクA，Bをスケジューリングする。Aの方がBより優先度が高い場合にリアルタイムOSが行う動作のうち，適切なものはどれか。

　ア　Aの実行中にBに起動がかかると，Aを実行可能状態にしてBを実行する。

　イ　Aの実行中にBに起動がかかると，Aを待ち状態にしてBを実行する。

　ウ　Bの実行中にAに起動がかかると，Bを実行可能状態にしてAを実行する。

　エ　Bの実行中にAに起動がかかると，Bを待ち状態にしてAを実行する。

問12 LRUアルゴリズムで，ページ置換えの判断基準に用いられる項目はどれか。

　ア　最後に参照した時刻

　イ　最初に参照した時刻

　ウ　単位時間当たりの参照頻度

　エ　累積の参照回数

問13 ページング方式の仮想記憶において，主記憶に存在しないページをアクセスした場合の処理や状態の順番として，適切なものはどれか。ここで，主記憶には現在，空きのページ枠はないものとする。

　ア　置換え対象ページの決定→ページイン→ページフォールト→ページアウト

　イ　置換え対象ページの決定→ページフォールト→ページアウト→ページイン

　ウ　ページフォールト→置換え対象ページの決定→ページアウト→ページイン

　エ　ページフォールト→置換え対象ページの決定→ページイン→ページアウト

問14 ファイルシステムの絶対パス名を説明したものはどれか。

ア あるディレクトリから対象ファイルに至る幾つかのパス名のうち，最短の
パス名

イ カレントディレクトリから対象ファイルに至るパス名

ウ ホームディレクトリから対象ファイルに至るパス名

エ ルートディレクトリから対象ファイルに至るパス名

問15 4Tバイトのデータを格納できるようにRAID1の外部記憶装置を構成すると
き，フォーマット後の記憶容量が1Tバイトの磁気記憶装置は少なくとも何台
必要か。

ア 4

イ 5

ウ 6

エ 8

問16 クライアントサーバシステムにおいて，利用頻度の高い命令群をあらかじめ
サーバ上のDBMSに用意しておくことによって，データベースアクセスのネッ
トワーク負荷を軽減する仕組みはどれか。

ア 2相コミットメント

イ グループコミットメント

ウ サーバプロセスのマルチスレッド化

エ ストアドプロシージャ

問17 システムの外部設計を完了させるとき，顧客から承認を受けるものはどれか。

ア 画面レイアウト

イ システム開発計画

ウ 物理データベース仕様

エ プログラムの流れ図

問18 GUIの部品の一つであるラジオボタンの用途として，適切なものはどれか。

ア 幾つかの項目について，それぞれの項目を選択するかどうかを指定する。

イ 幾つかの選択項目から一つを選ぶときに，選択項目にないものはテキスト
ボックスに入力する。

ウ 互いに排他的な幾つかの選択項目から一つを選ぶ。

エ 特定の項目を選択することによって表示される一覧形式の項目から一つを
選ぶ。

問19 設計上の誤りを早期に発見することを目的として，作成者と複数の関係者が
設計書をレビューする方法はどれか。

ア ウォークスルー

イ 机上デバッグ

ウ トップダウンテスト

エ 並行シミュレーション

問20 レビュー技法の一つであるインスペクションにおけるモデレータの役割はどれか。

ア レビューで提起された欠陥，課題，コメントを記録する。

イ レビューで発見された欠陥を修正する。

ウ レビューの対象となる資料を，他のレビュー参加者に説明する。

エ レビューを主導し，参加者にそれぞれの役割を果たさせるようにする。

問21 データ構造の一つであるリストは，配列を用いて実現する場合と，ポインタを用いて実現する場合とがある。配列を用いて実現する場合の特徴はどれか。ここで，配列を用いたリストは，配列に要素を連続して格納することによって構成し，ポインタを用いたリストは，要素から次の要素へポインタで連結することによって構成するものとする。

ア 位置を指定して，任意のデータに直接アクセスすることができる。

イ 並んでいるデータの先頭に任意のデータを効率的に挿入することができる。

ウ 任意のデータの参照は効率的ではないが，削除や挿入の操作を効率的に行える。

エ 任意のデータを別の位置に移動する場合，隣接するデータを移動せずにできる。

問22 待ち行列に対する操作を，次のとおり定義する。

ENQ n:待ち行列にデータnを挿入する。

DEQ　:待ち行列からデータを取り出す。

空の待ち行列に対し，ENQ 1，ENQ 2，ENQ 3，DEQ，ENQ 4，ENQ 5，DEQ，ENQ 6，DEQ，DEQの操作を行った。次にDEQ操作を行ったとき，取り出されるデータはどれか。

ア　1

イ　2

ウ　5

エ　6

問23 顧客番号をキーとして顧客データを検索する場合，2分探索を使用するのが適しているものはどれか。

ア　顧客番号から求めたハッシュ値が指し示す位置に配置されているデータ構造

イ　顧客番号に関係なく，ランダムに配置されているデータ構造

ウ　顧客番号の昇順に配置されているデータ構造

エ　顧客番号をセルに格納し，セルのアドレス順に配置されているデータ構造

問24 次の関数 $f(n, k)$ がある。$f(4, 2)$ の値は幾らか。

$$f(n, k) = \begin{cases} 1 & (k = 0), \\ f(n-1, k-1) + f(n-1, k) & (0 < k < n), \\ 1 & (k = n). \end{cases}$$

ア　3

イ　4

ウ　5

エ　6

問25 SQL文においてFOREIGN KEY と REFERENCES を用いて指定する制約はどれか。

ア　キー制約

イ　検査制約

ウ　参照制約

エ　表明

問26 関係データベースの操作の説明のうち，適切なものはどれか。

ア　結合は，二つ以上の表を連結して，一つの表を生成することをいう。

イ　射影は，表の中から条件に合致した行を取り出すことをいう。

ウ　選択は，表の中から特定の列を取り出すことをいう。

エ　挿入は，表に対して特定の列を挿入することをいう。

問27 関係を第3正規形まで正規化して設計する目的はどれか。

- **ア** 値の重複をなくすことによって，格納効率を向上させる。
- **イ** 関係を細かく分解することによって，整合性制約を排除する。
- **ウ** 冗長性を排除することによって，更新時異状を回避する。
- **エ** 属性間の結合度を低下させることによって，更新時のロック待ちを減らす。

問28 関係"注文記録"の属性間に①～⑥の関数従属性があり，それに基づいて第3正規形まで正規化を行って，"商品"，"顧客"，"注文"，"注文明細"の各関係に分解した。関係"注文明細"として，適切なものはどれか。ここで，$\{X,Y\}$ は，属性 X と Y の組みを表し，$X \rightarrow Y$ は X が Y を関数的に決定することを表す。また，実線の下線は主キーを表す。

注文記録（注文番号，注文日，顧客番号，顧客名，商品番号，商品名，数量，
　　　　　販売単価）

〔関数従属性〕

① 注文番号 → 注文日	② 注文番号 → 顧客番号
③ 顧客番号 → 顧客名	④ {注文番号，商品番号} → 数量
⑤ {注文番号，商品番号} → 販売単価	⑥ 商品番号 → 商品名

- **ア** 注文明細（注文番号，数量，販売単価）
- **イ** 注文明細（注文番号，顧客番号，数量，販売単価）
- **ウ** 注文明細（注文番号，顧客番号，商品番号，顧客名，数量，販売単価）
- **エ** 注文明細（注文番号，商品番号，数量，販売単価）

問29 DBMSに実装すべき原子性（atomicity）を説明したものはどれか。

ア 同一データベースに対する同一処理は，何度実行しても結果は同じである。

イ トランザクション完了後にハードウェア障害が発生しても，更新された
データベースの内容は保証される。

ウ トランザクション内の処理は，全てが実行されるか，全てが取り消される
かのいずれかである。

エ 一つのトランザクションの処理結果は，他のトランザクション処理の影響
を受けない。

問30 LANに接続されているプリンタのMACアドレスを，同一LAN上のPCから
調べるときに使用するコマンドはどれか。ここで，PCはこのプリンタを直前
に使用しており，プリンタのIPアドレスは分かっているものとする。

ア arp
イ ipconfig
ウ netstat
エ ping

問31 TCP/IP階層モデルにおいて，TCPが属する層はどれか。

ア アプリケーション層
イ インターネット層
ウ トランスポート層
エ リンク層

問32 TCP/IPネットワークで利用されるプロトコルのうち，ホストにリモートログインし，遠隔操作ができる仮想端末機能を提供するものはどれか。

    ア FTP
    イ HTTP
    ウ SMTP
    エ TELNET

問33 Webページのスタイルを定義する仕組みはどれか。

    ア CMS
    イ CSS
    ウ PNG
    エ SVG

問34 LANに接続されている複数のPCをインターネットに接続するシステムがあり，装置AのWAN側インタフェースには1個のグローバルIPアドレスが割り当てられている。この1個のグローバルIPアドレスを使って複数のPCがインターネットを利用するのに必要となる装置Aの機能はどれか。

利用者宅内

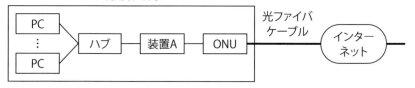

ア DHCP
イ NAPT（IPマスカレード）
ウ PPPoE
エ パケットフィルタリング

問35 不正が発生する際には"不正のトライアングル"の3要素全てが存在すると考えられている。"不正のトライアングル"の構成要素の説明として，適切なものはどれか。

ア "機会"とは，情報システムなどの技術や物理的な環境，組織のルールなど，内部者による不正行為の実行を可能又は容易にする環境の存在である。
イ "情報と伝達"とは，必要な情報が識別，把握及び処理され，組織内外及び関係者相互に正しく伝えられるようにすることである。
ウ "正当化"とは，ノルマによるプレッシャなどのことである。
エ "動機"とは，良心のかしゃくを乗り越える都合の良い解釈や他人への責任転嫁など，内部者が不正行為を自ら納得させるための自分勝手な理由付けである。

問36 図のように，クライアント上のアプリケーションがデータベース接続プログラム経由でサーバ上のデータベースのデータにアクセスする。アプリケーションとデータベースとの間で送受信されるコマンドや実行結果の漏えいを防止する対策はどれか。

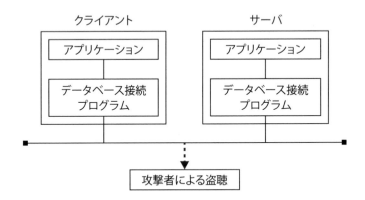

ア サーバ側のデータベース接続プログラムにアクセスできるクライアントのIPアドレスを必要なものだけに制限する。

イ サーバ側のデータベース接続プログラムを起動・停止するときに必要なパスワードを設定する。

ウ データベース接続プログラムが通信に使用するポート番号をデータベース管理システムでの初期値から変更する。

エ データベース接続プログラム間の通信を暗号化する。

問37 電子メールを暗号化するために使用される方式はどれか。

ア BASE64

イ GZIP

ウ PNG

エ S/MIME

問38 クライアントとWebサーバの間において，クライアントからWebサーバに送信されたデータを検査して，SQLインジェクションなどの攻撃を遮断するためのものはどれか。

ア SSL-VPN機能
イ WAF
ウ クラスタ構成
エ ロードバランシング機能

問39 コンピュータやネットワークのセキュリティ上の脆弱性を発見するために，システムを実際に攻撃して侵入を試みる手法はどれか。

ア ウォークスルー
イ ソフトウェアインスペクション
ウ ペネトレーションテスト
エ リグレッションテスト

問40 情報セキュリティにおいてバックドアに該当するものはどれか。

ア アクセスする際にパスワード認証などの正規の手続が必要なWebサイトに，当該手続を経ないでアクセス可能なURL
イ インターネットに公開されているサーバのTCPポートの中からアクティブになっているポートを探して，稼働中のサービスを特定するためのツール
ウ ネットワーク上の通信パケットを取得して通信内容を見るために設けられたスイッチのLANポート
エ プログラムが確保するメモリ領域に，領域の大きさを超える長さの文字列を入力してあふれさせ，ダウンさせる攻撃

問41 SIEM（Security Information and Event Management）の機能はどれか。

ア 隔離された仮想環境でファイルを実行して，C&Cサーバへの通信などの振る舞いを監視する。

イ 様々な機器から集められたログを総合的に分析し，管理者による分析と対応を支援する。

ウ ネットワーク上の様々な通信機器を集中的に制御し，ネットワーク構成やセキュリティ設定などを変更する。

エ パケットのヘッダ情報の検査だけではなく，通信先のアプリケーションプログラムを識別して通信を制御する。

問42 プロジェクトの特性はどれか。

ア 独自性はあるが，有期性がない。

イ 独自性はないが，有期性がある。

ウ 独自性も有期性もある。

エ 独自性も有期性もない。

問43 プロジェクトに関わるステークホルダの説明のうち，適切なものはどれか。

ア 組織の内部に属しており，組織の外部にいることはない。

イ プロジェクトに直接参加し，間接的な関与にとどまることはない。

ウ プロジェクトの成果が，自らの利益になる者と不利益になる者がいる。

エ プロジェクトマネージャのように，個人として特定できることが必要である。

問44 プロジェクトの目的及び範囲を明確にするマネジメントプロセスはどれか。

ア コストマネジメント

イ スコープマネジメント

ウ タイムマネジメント

エ リスクマネジメント

問45 図のように，プロジェクトチームが実行すべき作業を上位の階層から下位の階層へ段階的に分解したものを何と呼ぶか。

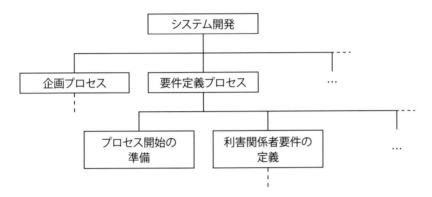

ア CPM

イ EVM

ウ PERT

エ WBS

問46 SLAを策定する際の方針のうち，適切なものはどれか。

- **ア** 考えられる全ての項目に対し，サービスレベルを設定する。
- **イ** 顧客及びサービス提供者のニーズ，並びに費用を考慮して，サービスレベルを設定する。
- **ウ** サービスレベルを設定する全ての項目に対し，ペナルティとしての補償を設定する。
- **エ** 将来にわたって変更が不要なサービスレベルを設定する。

問47 監査調書の説明はどれか。

- **ア** 監査人が行った監査手続の実施記録であり，監査意見の根拠となる。
- **イ** 監査人が監査実施に当たり被監査部門に対して提出する，監査人自身のセキュリティ誓約書をまとめたものである。
- **ウ** 監査人が監査の実施に利用した基準書，ガイドラインをまとめたものである。
- **エ** 監査人が正当な注意義務を払ったことを証明するために，監査報告書とともに公表するよう義務付けられたものである。

問48 システム監査の実施体制に関する記述のうち，適切なものはどれか。

- **ア** 監査依頼者が監査報告に基づく改善指示を行えるように，システム監査人は監査結果を監査依頼者に報告する。
- **イ** 業務監査の一部として情報システムの監査を行う場合には，利用部門のメンバによる監査チームを編成して行う。
- **ウ** システム監査人がほかの専門家の支援を受ける場合には，支援の範囲，方法，監査結果の判断などは，ほかの専門家の責任において行う。
- **エ** 情報システム部門における開発状況の監査を行う場合は，開発内容を熟知した情報システム部門員による監査チームを編成して行う。

問49 経営層のアカウンタビリティを説明したものはどれか。

- **ア** 株主やその他の利害関係者に対して，経営活動の内容・実績に関する説明責任を負う。
- **イ** 企業が環境保全に掛けた費用とその効果を定量化して，財務情報として定期的に公表する。
- **ウ** 企業倫理に基づいたルール，マニュアル，チェックシステムなどを整備し，法令などを遵守する経営を行う。
- **エ** 投資家やアナリストに対して，投資判断に必要とされる正確な情報を，適時にかつ継続して提供する。

問50 BCP（事業継続計画）の策定，運用に関する記述として，適切なものはどれか。

- **ア** IT に依存する業務の復旧は，技術的に容易であることを基準に優先付けする。
- **イ** 計画の内容は，経営戦略上の重要事項となるので，上級管理者だけに周知する。
- **ウ** 計画の内容は，自社組織が行う範囲に限定する。
- **エ** 自然災害に加え，情報システムの機器故障やマルウェア感染も検討範囲に含める。

問51 企業活動における BPM（Business Process Management）の目的はどれか。

- **ア** 業務プロセスの継続的な改善
- **イ** 経営資源の有効活用
- **ウ** 顧客情報の管理，分析
- **エ** 情報資源の分析，有効活用

問52 社内業務システムをクラウドサービスへ移行することによって得られるメリットはどれか。

ア PaaSを利用すると，プラットフォームの管理やOSのアップデートは，サービスを提供するプロバイダが行うので，導入や運用の負担を軽減することができる。

イ オンプレミスで運用していた社内固有の機能を有する社内業務システムをSaaSで提供されるシステムへ移行する場合，社内固有の機能の移行も容易である。

ウ 社内業務システムの開発や評価で一時的に使う場合，SaaSを利用することによって自由度の高い開発環境が整えられる。

エ 非常に高い可用性が求められる社内業務システムをIaaSに移行する場合，いずれのプロバイダも高可用性を保証しているので移行が容易である。

問53 エンタープライズアーキテクチャに関する図中のaに当てはまるものはどれか。ここで，網掛けの部分は表示していない。

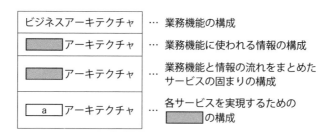

ア アプリケーション

イ データ

ウ テクノロジ

エ コンピュータ

問54 表は，ある企業の損益計算書である。損益分岐点は何百万円か。

単位 百万円

項　　目	内　　訳	金額
売上高		700
売上原価	変動費　　100 固定費　　200	300
売上総利益		400
販売費・一般管理費	変動費　　 40 固定費　　300	340
税引前利益		60

ア　250

イ　490

ウ　500

エ　625

問55 商品Aを先入先出法で評価した場合，当月末の在庫の評価額は何円か。

日付	概要	受払個数 受入	受払個数 払出	単価（円）
1	前月繰越	10		100
4	仕入	40		120
5	売上		30	
7	仕入	30		130
10	仕入	10		110
30	売上		30	

ア　3,300

イ　3,600

ウ　3,660

エ　3,700

問56 平成27年4月に30万円で購入したPCを3年後に1万円で売却するとき，固定資産売却損は何万円か。ここで，耐用年数は4年，減価償却は定額法，定額法の償却率は0.250，残存価額は0円とする。

    ア 6.0

    イ 6.5

    ウ 7.0

    エ 7.5

問57 著作者人格権に該当するものはどれか。

    ア 印刷，撮影，複写などの方法によって著作物を複製する権利

    イ 公衆からの要求に応じて自動的にサーバから情報を送信する権利

    ウ 著作物の複製物を公衆に貸し出す権利

    エ 自らの意思に反して著作物を変更，切除されない権利

問58 包括的な特許クロスライセンスの説明として，適切なものはどれか。

    ア インターネットなどでソースコードを無償公開し，誰でもソフトウェアの改良及び再配布が行えるようにすること

    イ 技術分野や製品分野を特定し，その分野の特許権の使用を相互に許諾すること

    ウ 自社の特許権が侵害されるのを防ぐために，相手の製造をやめさせる権利を行使すること

    エ 特許登録に必要な費用を互いに分担する取決めのこと

問59 発注者と受注者の間でソフトウェア開発における請負契約を締結した。ただし，発注者の事業所で作業を実施することになっている。この場合，指揮命令権と雇用契約に関して，適切なものはどれか。

- **ア** 指揮命令権は発注者にあり，さらに，発注者の事業所での作業を実施可能にするために，受注者に所属する作業者は，新たな雇用契約を発注者と結ぶ。
- **イ** 指揮命令権は発注者にあり，受注者に所属する作業者は，新たな雇用契約を発注者と結ぶことなく，発注者の事業所で作業を実施する。
- **ウ** 指揮命令権は発注者にないが，発注者の事業所で作業を実施可能にするために，受注者に所属する作業者は，新たな雇用契約を発注者と結ぶ。
- **エ** 指揮命令権は発注者になく，受注者に所属する作業者は，新たな雇用契約を発注者と結ぶことなく，発注者の事業所で作業を実施する。

問60 ソフトウェアやデータに瑕疵がある場合に，製造物責任法の対象となるものはどれか。

- **ア** ROM化したソフトウェアを内蔵した組込み機器
- **イ** アプリケーションソフトウェアパッケージ
- **ウ** 利用者がPCにインストールしたOS
- **エ** 利用者によってネットワークからダウンロードされたデータ

問1 ウ

→ **01-01**参照（H31春 - 問1）

10進数の7を2進数にすると111、10進数の32を2進数にすると100000になります。よって、2の階乗を使って割り算を分数で表して、次のように計算していきます。

$$7 \div 32 = \frac{7}{32} = \frac{4 + 2 + 1}{32} = \frac{2^2 + 2^1 + 2^0}{2^5}$$

$$= \frac{2^2}{2^5} + \frac{2^1}{2^5} + \frac{2^0}{2^5}$$

$$= \frac{2^0}{2^3} + \frac{2^0}{2^4} + \frac{2^0}{2^5}$$

$$= \frac{1}{2^3} + \frac{1}{2^4} + \frac{1}{2^5}$$

$$= 1 \times 2^{-3} + 1 \times 2^{-4} + 1 \times 2^{-5}$$

ここで10進数を2進数で表すと、2^{-3}は小数点から右3桁を表すので0.001です。同様に、右4桁を表すと0.0001、右5桁を表すと0.00001なので、全体を2進数で表すと0.00111になります。

問2 ウ

→ **01-06**参照（H30秋 - 問2）

問題文より、$A = 00101000$

手順1 $00101000 - 1 = 00100111$で、$B = 00100111$

手順2 00101000 XOR $00100111 = 00001111$で、$C = 00001111$

手順3 00101000 ⬚ a ⬚ $00001111 = 00001000$が成り立つ論理演算は、論理積（AND）

問3 ウ

→ **01-06**参照（H27秋 - 問23）

NAND回路を論理式で表すと「$\overline{A \cdot B}$」です。問題の回路は、「$\overline{A \cdot B}$」と「$\overline{C \cdot D}$」の結果をNAND回路に入力するので、$\overline{\overline{A \cdot B} \cdot \overline{C \cdot D}}$と表すことができます。

ド・モルガンの法則を使って式を変形すると、以下のようになります。

$$\overline{\overline{A \cdot B} \cdot \overline{C \cdot D}} = \overline{\overline{A \cdot B}} + \overline{\overline{C \cdot D}}$$

$$= A \cdot B + C \cdot D$$

問4　ウ　　　　　　　　　　　　　　　　　　　➡ 01-07 参照（H21秋-問25）

sはx+y+zを足し算したときの1桁目の値、cは桁上がりの値になります。x＝1、y＝0、z＝1のとき、加算すると1＋0＋1＝10（2進数）となり、1桁目の値、つまり和が0で、桁上がりが1。よって、c＝1、s＝0となります。

問5　イ　　　　　　　　　　　　　　　　　　　➡ 02-03参照（R4免-問24）

音声データを一定の周期ごとに区切って値を切り出す処理は「標本化」です。その後、デジタルデータとして表す「量子化」→量子化したデータをビット列に変換する「符号化」が行われます。**ア**の「逆量子化」は、量子化の逆の処理を行うことで、デジタルデータを連続したアナログデータに戻します。

問6　ア　　　　　　　　　　　　　　　　　　　➡ 02-04参照（H25秋-問27）

モーフィングは、2つの画像の間の変化を滑らかに表現するため、間に画像を保管するCG技法です。**イ**はモーションキャプチャ、**ウ**はセル画を用いたアニメーション技法、**エ**は描画ソフトを使ったアニメーション技法の説明です。

問7　イ　　　　　　　　　　　　　　　　　　　➡ 03-02参照（H25秋-問12）

静電容量方式タッチパネルは、タッチした部分の表面電荷の変化から位置を特定します。なお、**ア**は赤外線方式タッチパネル、**ウ**は抵抗膜方式タッチパネル、**エ**はマトリックススイッチの説明です。

問8　イ　　　　　　　　　　　　　　　　　　　➡ 03-03参照（R1秋-問14）

デイジーチェーン接続は、PC-周辺機器-周辺機器といった数珠つなぎの接続です。**イ**は、PC-ディスプレイ-ディスプレイと数珠つなぎになっているので正解です。
- **ア**　PCを基点に、2つの周辺機器に接続されています。
- **ウ**　PCを基点に、USBハブを介して3つの周辺機器に接続されています。
- **エ**　PCを基点に、ネットワークハブを介して数台のネットワークカメラに接続されています。

まず、回転数から1回転するのにかかる時間を計算します。

1回転あたりの時間＝60秒÷4200回÷0.014秒＝14ミリ秒

平均回転待ち時間は1/2回転の時間とするため、1回転あたりの時間÷2

で計算します。

平均回転待ち時間＝1回転あたりの時間÷2＝14ミリ秒÷2＝7ミリ秒

よって、平均待ち時間は5＋7＝12ミリ秒となります。

フラッシュメモリは、書込み、消去を電気的に行うことができる特徴があります。従来使われていたマスクROMは工場出荷後は書き換えることができませんでしたが、フラッシュメモリが使われるようになり、出荷後のソフトウェア書換えができるようになりました。

優先度に基づくプリエンプティブなタスクスケジューリングでは、OSが強制的にタスクを切り替え、優先度が高いタスクから順に実行していきます。

ア　Aのほうが優先度が高いので、Aが引き続き実行状態です。

イ　Aのほうが優先度が高いので、Aが引き続き実行状態です。

ウ　正しい説明です。

エ　Bは待ち状態ではなく実行可能状態に戻り、Aが実行状態に切り替わります。タスクが実行状態から待ち状態になるのは、入出力要求などが発生する場合です。

問12　ア
➡ **04-03**参照（H28秋‐問19）

LRU（Least Recently Used）方式は、最後に使われてから最も長い時間が経過したページを置き換える方式です。

問13　ウ
➡ **04-03**参照（H20秋‐問27）

主記憶に存在しないページをアクセスした場合は、次の①〜④の流れになります。

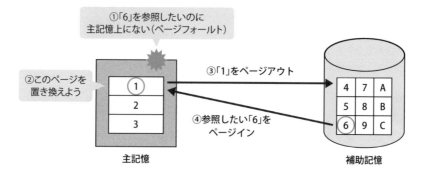

よって、**ウ**が正解です。

問14　エ
➡ **04-04**参照（H30春‐問17）

絶対パス名は、ルートディレクトリから対象ファイルへの道順を表したパス名です。

ア　あるディレクトリではなく、ルートディレクトリです。また複数のパス名は存在しません。

イ　相対パスの説明です。

ウ　ホームディレクトリが基点ではありません。

問15　エ
➡ **05-04**参照（H29春‐問11）

RAID1は、別の磁気ディスクにも同じデータを書き込むミラーリング構成をとります。そのため、4Tバイトのデータを格納するには、その2倍の8Tバイト分のディスクが必要になります。よって、フォーマット後の記憶容量が1Tバイトの磁気記憶装置は、8(T) ÷ 1(T/台) = 8(台)必要です。

問16 エ　　　　　　　　　　　　　　　➡ 05-04参照（H25秋-問28）

よく利用する命令群をサーバ側に用意し、データベースへの通信負担を軽減する仕組みはストアドプロシージャです。

問17 ア　　　　　　　　　　　　　　　➡ 06-01参照（H29春-問46）

外部設計では、画面などシステムの見た目の部分を設計し、顧客から承認を受けます。

問18 ウ　　　　　　　　　　　　　　　➡ 06-04参照（H31春-問24）

アはチェックボックス、イはテキストボックスとリストボックスを組み合わせたコンボボックス、エはプルダウンメニューが適しています。

問19 ア　　　　　　　　　　　　　　　➡ 06-09参照（H23特別-問47）

設計書の不備や誤りを早期に発見し、品質向上を図るために、作成者と関係者で実施されるレビューはウォークスルーです。

問20 エ　　　　　　　　　　　　　　　➡ 06-09参照（H27秋-問46）

アはレコーダ、イはレビューイ、ウはプレゼンタの役割です。

問21 ア　　　　　　　　　　　　　　　➡ 07-02参照（H29春-問4）

配列を用いた場合は、位置を示す添字を指定することで、直接データにアクセスできます。ポインタを用いた場合は、先頭から順にたどっていく必要があります。よって、アが正解です。

　　イ　配列では、先頭にデータを挿入する場合、後ろの要素すべてをずらす処理が発生します。

　　ウ　配列では、添字を指定して直接データ参照できるため効率的です。いっぽう、削除や挿入は要素がずれる分、移動処理が発生して非効率です。

　　エ　配列では、データを移動する場合、移動先データをいったん退避させて隣接データを移動する処理が発生します。

問22 ウ　　　　　　　　　　　　　　➡ 07-03参照（H30秋-問5）

　待ち行列はキュー構造なので、先に入ったものが先にでるFIFO方式です。処理を順番に行った場合の変化を見てみましょう。データが左から入り、右へ出ていく状態とします。

ENQ 1	1	
ENQ 2	2, 1	
ENQ 3	3, 2, 1	
DEQ	3, 2	⟶ 1を取り出す
ENQ 4	4, 3, 2	
ENQ 5	5, 4, 3, 2	
DEQ	5, 4, 3	⟶ 2を取り出す
ENQ 6	6, 5, 4, 3	
DEQ	6, 5, 4	⟶ 3を取り出す
DEQ	6, 5	⟶ 4を取り出す
DEQ	6	⟶ 5を取り出す

ここまでが問題の操作

　よって、**ウ**が正解です。

問23 ウ　　　　　　　　　　　　　　➡ 07-06参照（H29春-問7）

　2分探索を使用するためには、検索対象となる顧客番号があらかじめ昇順または降順になっている必要があります。選択肢の中で該当するのは、ウのみです。

問24 エ　　　　　　　　　　　　　　➡ 07-08参照（H26秋-問7）

　次のように求められます。

$f(4, 2) = f(4 - 1, 2 - 1) + f(4 - 1, 2)$
$= f(3, 1) + f(3, 2)$
$= f(2, 0) + f(2, 1) + f(2, 1) + f(2, 2)$
$= 1 + f(1, 0) + f(1, 1) + f(1, 0) + f(1, 1) + 1$
$= 1 + 1 + 1 + 1 + 1 + 1$
$= 6$

問25 ウ　　　　　　　　　　　　➡ 08-02参照(H29秋 - 問27)

　参照制約は、関係データベースの整合性を保つために外部キーに対して設定します。なお、「FOREIGN KEY」は外部キー、「REFERENCES」は参照という意味です。

問26 ア　　　　　　　　　　　　➡ 08-03参照(H23秋 - 問35)

結合は、2つ以上の表を組み合わせて1つの表を作ります。
- **イ**　射影は、「条件に合致した行」ではなく「条件に合致した列」を取り出すことです。
- **ウ**　選択は、「特定の列」ではなく「特定の行」を取り出すことです。
- **エ**　挿入は、「特定の列」ではなく「特定の行」を差し込む操作です。

問27 ウ　　　　　　　　　　　　➡ 08-04参照(H26秋 - 問28)

　第3正規形まで正規化することで，データの重複や矛盾を排除し，更新時異状を回避することができます。ただし，表を分けることで，整合性制約による更新時のロック待ちが増え，格納効率は低下することが多いです。

問28 エ　　　　　　　　　　　　➡ 08-04参照(H27秋 - 問27)

関数従属性は次のような図で表せます。

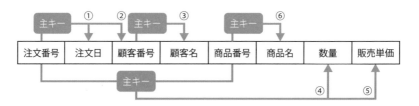

　必ず主キーによって各項目が特定できるように分割し、かつ主キー以外の項目では各項目を特定できないように表を分割します（第3正規化）。

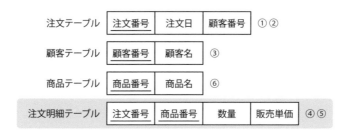

問29 ウ
➡ **08-07**参照（R6公開 - 問7）

原子性は、トランザクション内の処理がすべて実行されるか、すべてが取り消されるかのいずれかを保証します。

ア べき等性の説明です。

イ 永続性の説明です。

エ 独立性の説明です。

問30 ア
➡ **09-03**参照（H30春 - 問33）

IPアドレスからMACアドレスを得るために用いられるプロトコルはARPです。PCではarpコマンドが準備されており、IPアドレスとMACアドレスの対応表を参照することができます。そのため、arpコマンドを実行すると、プリンタのMACアドレスを調べることができます。

問31 ウ
➡ **09-04**参照（H23秋 - 問38）

TCPが属する層は、トランスポート層です。

問32 エ
➡ **09-04**参照（H23特別 - 問41）

リモートログインし、遠隔操作を行うためのプロトコルはTELNETです。

問33 イ
➡ **09-05**参照（H24秋 - 問24）

CSSは、Webページのデザインやレイアウトといったスタイルを定義する言語です。

問 34　イ

プライベートIPアドレスとグローバルIPアドレスを多対1で変換する機能は、NAPT（IPマスカレード）です。この機能により、1つのグローバルIPアドレスがあれば、利用者宅内の複数PCが同時にインターネット接続できます。

ア　DHCPは、ネットワーク接続された端末にIPアドレスを自動的に割り振る機能です。

ウ　PPPoEは、1対1の機器間接続をEthernet上で行う機能です。家庭から通信事業者の光ファイバー回線などのインターネット接続で使用されています。

エ　パケットフィルタリングは、パケットをチェックして通信可否を判断する機能です。ルータやファイアウォールなどで使用されています。

問 35　ア

イは、不正のトライアングルとは関係がありません。**ウ**の"正当化"と、**エ**の"動機"は定義自体が誤りです。

問 36　エ

クライアントとサーバ間における通信内容の漏洩リスクに対しては、通信内容を暗号化することで、盗聴されても内容がわからないようにすることが防止対策となります。

ア　クライアントのIPアドレスを制限しても、そのあとの通信内容を盗聴されてしまいます。

イ　パスワードが通信経路に流れてしまうため、盗聴されてしまいます。

ウ　ポート番号を変更しても、クライアントとサーバ間の通信内容を盗聴されてしまいます。

問 37　エ

S/MIMEは、メールのセキュリティを高める暗号化方式の1つです。デジタル証明書を用いて、メールの暗号化とデジタル署名を行います。

ア　バイナリ形式からテキスト形式へデータを変換するエンコード方式です。

イ　圧縮データのフォーマットです。

ウ　可逆圧縮の画像ファイルフォーマットです。

問38　イ　　　　　　　　　　　　➡ **10-06**参照(H28春-問43)

　WAF(Web Application Firewall)は、Webアプリケーションのやり取りを管理することによって不正侵入を防止するファイアウォールです。IPアドレスやポート番号だけではなく、パケットの中身をチェックすることで、SQLインジェクションなどの攻撃を検知し、通信を遮断します。

ア　SSL-VPN機能は、SSL/TLS技術を使って暗号化通信を行い、インターネット上でVPN接続を実現します。

ウ　クラスタ構成は、複数のコンピュータを使って処理性能や可用性を高めます。

エ　ロードバランシング機能は、複数のサーバに負荷を分散する機能です。

問39　ウ　　　　　　　　　　　　➡ **10-06**参照(H29秋-問45)

　システムを実際に攻撃して侵入を試みる手法は、ペネトレーションテストです。

問40　ア　　　　　　　　　　　　➡ **10-06**参照(R1秋-問39)

　バックドアは、侵入者が通常の経路以外から不正侵入できる裏経路のことです。**ア**の「該当手続きを経ないでアクセス可能なURL」は、バックドアに該当します。なお、**イ**はポートスキャナ、**ウ**はミラーポート、**エ**はバッファオーバーフロー攻撃の説明です。

問41　イ　　　　　　　　　　　　➡ **10-06**参照(R1秋-問43)

　SIEMは、さまざまなログを総合的に分析して異状を検知し、管理者を支援する機能です。

ア　サンドボックスの説明です。

ウ　SDN(Software Defined Network)の説明です。

エ　IPS(Intrusion Prevention System)の説明です。

問42　ウ　　　　　　　　　　　　➡ **11-01**参照(H25秋-問51)

　プロジェクトは、今までに経験したことのない要素が含まれるため独自性があります。また、期間が決まっているので有期性もあります。

問43　ウ
➡ 11-01参照(H27春-問52)

　プロジェクトに関わるステークホルダは、利害関係者とも呼ばれます。プロジェクトによって直接的、間接的に影響を受けるすべての人が含まれます。よって、プロジェクトの成果が利益になる人もいれば、不利益になる人もいます。

　ア　組織の外部にもいます。

　イ　間接的な関与の利害関係者も含みます。

　エ　個人とは限らず、組織・団体の場合もあります。

問44　イ
➡ 11-01参照(H28春-問52)

　スコープマネジメントは、プロジェクトにおいて必要な作業を過不足なく含め、プロジェクトを成功に導くことを目的とするプロセスです。WBS作成も、このプロセスに含まれます。

　ア　コストマネジメントは、費用が予算内に収まるように管理するプロセスです。

　ウ　タイムマネジメントは、進捗状況に応じてスケジュール調整を行うプロセスです。

　エ　リスクマネジメントは、リスクを特定、評価し、適切な対策を行うプロセスです。

問45　エ
➡ 11-01参照(H26春-問52)

　プロジェクトの作業をトップダウン方式で分解し、構造化する作業計画手法はWBSです。

　ア　CPM (Critical Path Method) は、クリティカルパスを求める手法です。

　イ　EVM (Earned Value Management) は、工数などをすべてコストとして換算する管理手法です。

　ウ　PERT (Program Evaluation and Review Technique) は、プロジェクトの各工程の依存関係を図示する管理手法です。

問46 イ　　　　　　　　　　→ 11-03参照（H25秋-問56）

SLA（Service Level Agreement）は、のちのトラブルを防ぐために、ITサービス提供者と利用者で、あらかじめサービス内容や品質を決めて文書化したものです。お互いのニーズや費用を考慮して、サービルレベルを設定しておきます。よって、イが正解です。

ア すべての項目に対してSLAを設定すると高コストになるため、重要な項目に絞り込みます。

ウ SLAの項目のうち、達成保証を約束しない努力目標についてはペナルティは設定されません。

エ SLAは、定期的に見直すことが重要ですので、変更が不要なレベルを設定する必要はありません。

問47 ア　　　　　　　　　　→ 11-04参照（H29秋-問60）

監査調書は、監査の実施記録で、監査意見の根拠となるものです。

問48 ア　　　　　　　　　　→ 11-04参照（H23特別-問59）

システム監査人は「実施した監査の目的に応じた適切な形式の監査報告書を作成し、遅滞なく監査の依頼者に提出しなければならない」とシステム監査基準に定められています。

イ 利用部門との間には利害関係が生じる可能性があるため不適切です

ウ ほかの専門家の責任ではなく、システム監査人の責任において行います

エ 同じ部門のメンバが監査を行うことは、独立性の観点から不適切です

問49 ア　　　　　　　　　　→ 12-01参照（H25秋-問74）

アカウンタビリティとは説明責任のことです。経営層は、利害関係者に対して経営活動に関する説明責任を負います。なお、**イ**は環境報告書、**ウ**はコンプライアンス、**エ**はディスクロージャの説明です。

　現在、多くの組織で情報システムが活用されており、機器の故障やマルウェア感染が事業中断の原因となっています。そのため、これらの対応もBCPの検討範囲に含めるべきです。

　ア　業務を継続できるかを基準に優先順位を決定します。

　イ　組織全員に周知しておく必要があります。

　ウ　自組織だけで構築するのではなく、事業に関わる全組織を範囲に含めます。

　BPMは、PDCAサイクルを繰り返して継続的な改善を実現します。

　イ　ERPの目的です。

　ウ　CRMの目的です。

　エ　BIツールの目的です。

　PaaSでは、プラットフォーム管理やOS更新はサービス提供者側で行われるため、導入や運用の負担が減ります。

　イ　SaaSでは複数の利用者でサーバやデータベースを共有するため、カスタマイズに制限があり、社内固有の機能の移行は容易ではありません。

　ウ　SaaSではソフトウェアがサービス提供者側に管理されているため、自由度には制限があります。

　エ　プロバイダによって提示している可用性は異なるため、求めるレベルの高可用性を保証しているとは限りません。そのため、移行は容易ではありません。

　一番下のアーキテクチャは、基盤となる「テクノロジ」アーキテクチャで、ウが正解です。「技術的要素」で構成されています。下から二番目は「アプリケーション」アーキテクチャ、その上は「データ」アーキテクチャです。

問54　エ　　　　　　　　　　　　　　　　➡ 15-01参照(H26春-問78)

　損益分岐点を求める公式に当てはめて計算します。固定費と変動費は、売上原価と販売費・一般管理費にある内訳をそれぞれ足した費用を使います。

　変動費率＝変動費÷売上高＝(100＋40)÷700＝0.2

　損益分岐点＝固定費÷(1－変動費率)＝(200＋300)÷(1－0.2)＝625

問55　エ　　　　　　　　　　　　　　　　➡ 15-01参照(H23特別-問76)

　先入先出法は、先に仕入れた商品から順に出していきます。5日の「30個の払出」は、「前月繰越」から10個、4日「受入」分から20個払い出します。30日の「30個の払出」は、4日の残りから20個、7日「受入」分から10個払い出します。よって、月末の在庫の評価額は、7日「受入」分の20個×130円＋10日「受入」分の10個×110円＝3,700円となります。

問56　イ　　　　　　　　　　　　　　　　➡ 15-01参照(H27秋-問77)

　固定資産売却損益とは、固定資産の売却額と帳簿価額の差によって生じる損益です。まず、売却時点での帳簿価額を計算します。

　減価償却は償却率0.250の定額法で行うので、

年間償却額：30万円×0.250＝7.5万円

　売却は3年後なので、売却時点での帳簿価額は、30万円－(7.5万円×3年)＝7.5万円

　7.5万円の物を1万円で売却したので、固定資産売却損は、7.5万円－1万円＝6.5万円

問57　エ　　　　　　　　　　　　　　　　➡ 16-01参照(H31春-問79)

　著作者人格権は著作物に含まれる著作者の人格を保護する権利を定めたもので、エはそのうちの同一性保持権に該当します。ア、イ、ウは、著作物を独占的に使う著作財産権についての記述です。

問58　イ　　　　　　　　　　　　　　　　➡ 16-01参照(H25春-問49)

　包括的な特許クロスライセンスは、特定分野の特許権の使用を相互に許諾することです。アはオープンソースソフトウェア、ウは特許権、エは共同特許出願についての説明です。

問59　エ

➡ 16-02参照（R3免 - 問80）

　請負契約では、指揮命令権は発注者にはありません。作業者は受注者に所属しているため、新たな雇用契約を発注者と結ぶ必要なく、発注者の事務所で作業を実施できます。

- **ア**　指揮命令権が発注者にある、新たな雇用契約を発注者と結ぶの2点が誤りです。
- **イ**　指揮命令権が発注者にある、が誤りです。
- **ウ**　発注者の事務所で作業を実施可能にするために新たな雇用契約を発注者と結ぶ、が誤りです。

問60　ア

➡ 16-04参照（R1秋 - 問80）

　製造物責任法（PL法）は、製造物の瑕疵（欠陥）が原因で生命、身体または財産に損害を被った場合に、製造業者に対して損害賠償を求めることができると定めた法律です。製造物を「製造または加工された動産」と定義しており、ソフトウェアなどの無体物は対象外です。なお、**ア**はソフトウェアを組み込んだハードウェアに欠陥があるとみなされるため、製造物責任法の対象となります。**イ**、**ウ**、**エ**は、ソフトウェアやデータ単体なので対象外です。

索引

数字、記号

10進数	20
16進数	23
2D	76
2進数	20
2相コミット	347
2分探索木	268
2分探索法	276
2要素認証	435
3D	76
3Dプリンタ	91
3Dモデリング	77
3層クライアントサーバシステム	159
4G	354
5G	354
8進数	23
μ（マイクロ）	112

A

ABC分析	496
ACID特性	336
AES	428
AH	431
AI	520
Ajax	374
AND	49
Apache Hadoop	150
ARP	363
ASC	329
ASCIIコード	61
ASP	488
AVG関数	326

B

BCP	468
Bluetooth	94
BMP	70
BPM	469
BPO	480
BPR	469
bps	393
BtoB	512
BtoC	513
BYOD	490

C

C&Cサーバ	423
CAD	509
CAM	509
CAPTCHA	436
CEO	474
CFO	474
CG	76
CGI	373
CIO	474
COO	474
COUNT関数	327
CPU	85
CPUの投機実行	121
CRC	400
CREATE VIEW文	330
CRM	506
CRTディスプレイ	90
CSMA/CD方式	351
CSR調達	481
CSS	372
CTO	474
CtoC	513

D

DES	428
DESC	329
DFD（データフロー図）	203
DHCP	382
DLL	219
DMZ	438
DNS	379
DNSキャッシュポイズニング	409
DoS攻撃	410
dpi	63
DRAM	104

E

Eclipse	150
E-R図	204
EMS	480
ERP	505
e-SIM	353
ESP	431
EUC	61
eマーケットプレイス	512

F

FA	509
FIFO（先入れ先出し）	142, 257
FOREIGN KEY	307
FTP	367

G

G（ギガ）	112
GIF	70
GROUP BY 句	328
GtoB	513
GtoC	513
GUI	209

H

H.264/MPEG-4 AVC	79
HAVING 句	328
HDMI	94
HTTP	367, 371
HTTPS	371
Hz	110

I

IaaS	489
IDS	440
IEEE	562
IETF	562
IMAP4	368
INNER JOIN 句	323
IoT	521
IP	366
Ipsec	431
IPv4	377
IPv6	382
IP アドレス	377
IrDA	94
ISO	359, 562
ISO/IEC 20000	456
ITIL	456
IT サービスマネジメント	455
IT ポートフォリオ	482

J

JavaScript	374
Java アプレット	374
Java サーブレット	373
JIS Q 20000	456
JIS Q 27000	405
JIS コード	61
JPEG	70

K

k（キロ）	112
KPI	483

L

LAN	350
LFU 方式	142
LIFO（後入れ先出し）	258
LIKE 演算子	322
Linux	150
LRU 方式	142
LTE	354

M

m（ミリ）	112
M（メガ）	112
MAC アドレス	362
MAX 関数	327
MIL 記号	47
MIME	368
MIN 関数	327
MIPS	111
MRP	510
MTBF（平均故障間隔）	184
MTTR（平均修理時間）	184

N

n（ナノ）	112
NAND	50
NAPT（IP マスカレード）	381
NAT	381
NOR	50
NOT	49
NTP	367

O

OR	48
ORDER BY 句	329
OS	126
OSI 参照モデル	359
OtoO	513

P

p（ピコ）	112
PaaS	488

PCM方式 ················ 74
ping ···················· 378
PNG ···················· 70
POP3 ··················· 368
POS ···················· 506
PPM ···················· 481
PPP ···················· 367

Q

QRコード ··············· 563

R

RAID ··················· 174
RAM ···················· 104
RARP ··················· 363
RASIS ·················· 183
REFERENCES ············ 307
ROI ···················· 487
rootkit ················ 441
RSA ···················· 428
RSS ···················· 506

S

S/MIME ············ 368, 431
SaaS ··················· 488
SCM ···················· 505
SDカード ··············· 101
SELECT文 ··············· 319
SEOポイズニング ········ 409
SFA ···················· 505
SHA-2 ·················· 430
SIEM ··················· 441
SIMカード ·············· 353
SLA（サービスレベル合意書） ·· 456
SMTP ··················· 368
SMTP-AUTH ············· 368
SNMP ··················· 367
SOA ···················· 490
SQL ···················· 319
SQLインジェクション ····· 410
SRAM ··················· 104
SSD ···················· 101
SSL/TLS ················ 430
SUM関数 ················ 326
SVC割込み ·············· 134
SWOT分析 ··············· 481

T

T（テラ） ··············· 112
TCP ···················· 368
TCP/IP ················· 366
TELNET ················· 367

U

UDP ···················· 368
UML ···················· 228
Unicode ················ 61
USB ···················· 94
USBメモリ ·············· 101

V

VPN ···················· 353

W

WAF ···················· 439
WAN ···················· 352
WBS ···················· 447
Web ···················· 371
Webアプリケーション ····· 373
Webビーコン ············ 410
Webブラウザ ············ 372
WHERE句 ················ 321
WPA3 ··················· 438

X

XML ···················· 372
XOR ···················· 49

あ行

アウトソーシング ········ 480
アウトラインフォント ····· 62
アカウンタビリティ ······· 467
アキュムレータ ·········· 113
アクター ··············· 229
アクティビティ図 ········ 230
アジャイル開発 ·········· 198
アセンブラ ············· 218
圧縮 ··················· 70
後入先出法 ············· 534
アドレス部 ············· 113
アプリケーション ········ 127
アプリケーションアーキテクチャ ·· 505
アプリケーション層 ······ 367
アライアンス ··········· 480
アルゴリズム ··········· 246

アローダイアグラム（PERT）……… 449
暗号化 …………………………… 427
アンゾフの成長マトリクス ……… 479
アンダフロー …………………… 45
アンチエイリアシング ………… 64
イーサネット …………………… 367
移行テスト ……………………… 239
意匠権 …………………………… 544
位置決め時間（シーク時間）…… 100
一貫性（Consistency）………… 336
インクジェットプリンタ ……… 91
インシデント …………………… 456
インシデント管理 ……………… 456
インスタンス …………………… 224
インスペクション ……………… 243
インターネット層 ……………… 367
インタビュー法 ………………… 462
インタプリタ …………………… 218
インデックス …………………… 341
ウイルス作成罪 ………………… 555
ウェルノウンポート番号 ……… 378
ウォークスルー法 ……………… 462
ウォータフォールモデル ……… 196
ウォームスタンバイ方式 ……… 166
請負契約 ………………………… 549
打切り誤差 ……………………… 44
売上原価 ………………………… 533
売上総利益 ……………………… 533
売上高 …………………………… 530
運用テスト ……………………… 238
営業秘密 ………………………… 558
営業利益 ………………………… 533
永続性（Durability）…………… 336
液晶ディスプレイ ……………… 90
エクストリームプログラミング（XP）… 198
エンキュー ……………………… 257
演算装置 ………………………… 85
エンタープライズアーキテクチャ（EA）… 504
エンティティ …………………… 204
オーダ …………………………… 296
オートマトン …………………… 205
オーバフロー …………………… 45
オーバーライド ………………… 226
オープンソースソフトウェア … 150
オブジェクト指向 ……………… 223
オブジェクト図 ………………… 228
オプティマイザ ………………… 341
オペランド ……………………… 113

オンプレミス …………………… 489

か行

ガーベジコレクション ………… 217
回帰 ……………………………… 519
会計 ……………………………… 530
回線利用率 ……………………… 394
階層型データベース …………… 301
解像度 …………………………… 63
回転待ち時間（サーチ時間）…… 100
外部キー ………………………… 306
外部割込み ……………………… 134
可逆圧縮 ………………………… 70
加算器 …………………………… 54
仮数 ……………………………… 39
画素 ……………………………… 63
仮想通貨（暗号資産）…………… 515
仮想通貨マイニング …………… 515
稼働率 …………………………… 184
金のなる木 ……………………… 482
株式会社 ………………………… 467
カプセル化 ……………………… 224
株主 ……………………………… 467
可変区画方式 …………………… 140
可用性 ……………………… 183, 404
可用性管理 ……………………… 456
カレントディレクトリ ………… 146
関係データベース ……………… 301
関係モデル ……………………… 301
監査調書 ………………………… 460
監査報告書 ……………………… 461
関数従属 ………………………… 315
間接アドレス指定方式 ………… 116
完全2分木 ……………………… 267
完全性 ……………………… 183, 404
感熱式プリンタ ………………… 91
かんばん方式 …………………… 510
管理図 …………………………… 495
記憶装置 ………………………… 85
機械学習 ………………………… 518
木構造 …………………………… 266
疑似言語 ………………………… 250
技術的脅威 ……………………… 408
基数 ……………………………… 21
基底クラス（スーパクラス）… 226
機能要件 ………………………… 193
機密性 ……………………… 183, 404
逆オークション ………………… 514

キャッシュフロー計算書 …………… 534
キャッシュメモリ ………………… 105
キャパシティ管理 ………………… 456
キュー ……………………………… 257
行（レコード） …………………… 305
境界値分析 ………………………… 236
教師あり学習 ……………………… 519
教師なし学習 ……………………… 519
協調フィルタリング ……………… 520
共通鍵 ……………………………… 427
共通鍵暗号方式 …………………… 427
共有ロック ………………………… 337
クイックソート …………………… 290
クエリ ……………………………… 336
区画方式 …………………………… 140
組込みシステム …………………… 156
クライアント ……………………… 158
クライアントサーバシステム …… 158
クラウドコンピューティング … 160, 489
クラウドサービス ………………… 489
クラウドファンディング ………… 515
クラス ……………………………… 224
クラス図 …………………………… 228
クラスタリング ……………… 168, 520
グリーン購入 ……………………… 481
繰返し ……………………………… 248
クリッピング ……………………… 78
クリティカルパス ………………… 450
グローバルIPアドレス …………… 380
クロック周波数 …………………… 110
継承（インヘリタンス） ………… 226
経常利益 …………………………… 533
継続的インテグレーション ……… 199
刑法 ………………………………… 555
ゲートウェイ ……………………… 363
桁あふれ …………………………… 45
桁落ち ……………………………… 45
結合 …………………………… 310, 322
結合テスト ………………………… 237
決定表（デシジョンテーブル） … 498
減価償却 …………………………… 536
原子性（Atomicity） ……………… 336
コア技術 …………………………… 479
コアコンピタンス ………………… 479
公開鍵 ……………………………… 428
公開鍵暗号方式 …………………… 428
交換法（バブルソート） ………… 282
公衆放送権 ………………………… 543

降順 …………………………… 281, 329
高水準言語 ………………………… 217
構造化データ ……………………… 522
公表権 ……………………………… 543
コードレビュー …………………… 242
コーポレートガバナンス ………… 467
コールドスタンバイ方式 ………… 166
誤差 ………………………………… 43
個人情報 …………………………… 554
個人情報保護法 …………………… 554
固定区画方式 ……………………… 140
固定小数点表示 …………………… 38
固定費 ……………………………… 531
コピーレフト ……………………… 151
コミュニケーション図 …………… 230
雇用契約 …………………………… 548
コンデンサ ………………………… 104
コンパイラ ………………………… 218
コンパイル ………………………… 218
コンピュータ支援監査技法 ……… 462

さ行

サーバ ……………………………… 158
サービスデスク …………………… 457
サービスマネジメント …………… 455
サービスマネジメントシステム … 455
サービスレベル管理 ……………… 456
再帰呼出し ………………………… 293
在庫評価方法 ……………………… 534
最早結合点時刻 …………………… 451
最遅結合点時刻 …………………… 452
サイバーセキュリティ基本法 …… 555
財務諸表 …………………………… 533
裁量労働制 ………………………… 549
先入先出法 ………………………… 534
サブネットマスク ………………… 387
サラミ法 …………………………… 412
産業財産権 …………………… 542, 544
算術演算 …………………………… 47
算術シフト ………………………… 35
参照制約 …………………………… 306
散布図 ……………………………… 494
シーケンス図 ……………………… 229
シェアリングエコノミー ………… 515
シェルソート ……………………… 288
磁気ディスク ……………………… 98
磁気ディスクのアクセス時間 …… 99
事業部制組織 ……………………… 472

シグネチャーコード ······· 423
次元削減 ······· 520
資産 ······· 533
システム監査 ······· 460
システム監査報告書 ······· 462
システム設計 ······· 193
システムテスト ······· 238
システム要件 ······· 193
自然言語インタフェース ······· 208
実効アクセス時間 ······· 106
実体 ······· 204
実用新案権 ······· 544
指標アドレス指定方式 ······· 116
シフトJISコード ······· 61
シフト演算 ······· 33
氏名表示権 ······· 543
射影 ······· 309
社内カンパニー制 ······· 473
昇順 ······· 281, 329
集計関数 ······· 326
集中処理 ······· 154
主キー ······· 306
主キー制約 ······· 306
主記憶 ······· 97, 103
出力装置 ······· 85
主問合せ ······· 330
準委任契約 ······· 550
順次 ······· 248
純資産 ······· 533
障害回復 (リカバリ) ······· 339
条件網羅 ······· 235
小数 ······· 38
状態遷移図 ······· 205
状態遷移テスト ······· 238
商標権 ······· 544
情報落ち ······· 44
情報システム戦略 ······· 504
情報セキュリティ ······· 404
情報セキュリティマネジメントシステム (ISMS)
······· 419
職能別組織 ······· 473
シリアルインタフェース ······· 94
シリンダ ······· 99
シンクライアントシステム ······· 160
シングルコアプロセッサ ······· 121
真正性 ······· 405
人的脅威 ······· 412
信頼性 ······· 183, 405

信頼度成長曲線 (ゴンペルツ曲線) ······· 239
真理値表 ······· 47
親和図法 ······· 498
推移的関数従属 ······· 315
スイッチングハブ (レイヤ2スイッチ) ······· 362
スーパスカラ ······· 120
スーパパイプライン ······· 120
スキーマ ······· 302
スクラム ······· 198
スコープマネジメント ······· 446
スタック ······· 258
スタブ ······· 237
ステークホルダ ······· 467
ストアードプロシージャ ······· 161
ストライピング ······· 174
ストレステスト ······· 238
スパイウェア ······· 410
スパイラルモデル ······· 197
スプーリング ······· 135
スプリント ······· 200
スラッシング ······· 142
スループット ······· 179
スワッピング方式 ······· 140
スワップアウト ······· 140
スワップイン ······· 140
正規化 ······· 313
正規分布 ······· 495
制御装置 ······· 85
生産管理システム ······· 509
生成AI ······· 520
製造物責任法 (PL法) ······· 559
正の相関 ······· 494
税引前当期純利益 ······· 533
整列 ······· 281
責任追跡性 ······· 405
セキュリティバイデザイン ······· 418
セクタ ······· 98
セション層 ······· 359
節 (ノード) ······· 266
絶対値表現 ······· 30
絶対パス ······· 146
全加算器 ······· 54, 56
線形探索法 ······· 273
選択 ······· 248, 309
選択法 (選択ソート) ······· 283
占有ロック ······· 337
専用線方式 ······· 352
戦略マップ ······· 484

相対パス ……………………… 146
挿入法（挿入ソート）………… 286
総平均法 ……………………… 534
双方向連結リスト …………… 262
添字 …………………………… 253
ソーシャルエンジニアリング … 412
ソートマージ結合法 ………… 311
即値アドレス指定方式 ……… 115
ソフトウェア …………………… 84
ソフトウェア詳細設計（詳細設計）… 194
ソフトウェア方式設計（内部設計）… 193
ソフトウェア要件定義（外部設計）… 193
損益計算書 …………………… 533
損益分岐点 …………………… 531

た行

ターンアラウンドタイム ……… 178
貸借対照表 …………………… 533
代入 …………………………… 248
タイマ割込み ………………… 134
貸与権 ………………………… 543
楕円曲線暗号 ………………… 428
タスク管理 …………………… 130
タッチパネル …………………… 89
ダミー作業 …………………… 450
探索 …………………………… 273
単体テスト …………………… 234
単方向連結リスト …………… 262
チェックディジット …………… 400
チェックボックス …………… 210
逐次制御方式 ………………… 119
知的財産権 …………………… 542
中央サービスデスク ………… 457
直接アドレス指定方式 ……… 115
直列システム ………………… 185
著作権 ………………………… 543
著作者人格権 ………………… 543
ディープラーニング ………… 520
定額法 ………………………… 536
デイジーチェーン接続 ………… 95
低水準言語 …………………… 217
ディスパッチ ………………… 131
ディスプレイ ……………… 85, 90
デイリースクラム …………… 198
定率法 ………………………… 536
ディレクトリ（フォルダ）…… 145
ディレクトリトラバーサル攻撃 … 409
データアーキテクチャ ……… 505

データ転送時間 ……………… 100
データ伝送時間 ……………… 394
データベース ………………… 300
データベース管理システム … 335
データリンク層 ……………… 359
デキュー ……………………… 257
テクノロジアーキテクチャ … 505
デザインレビュー …………… 242
デジタル署名 ………………… 429
デジタルディバイド ………… 466
テスト ………………………… 234
テストカバレージ分析 ……… 236
テスト駆動開発 ……………… 199
テストケース ………………… 235
デッドロック ………………… 338
デバイスドライバ …………… 128
デュアルシステム …………… 165
デュプレキシング …………… 174
デュプレックスシステム …… 165
電子商取引（EC）…………… 512
ド・モルガンの法則 ………… 51
同一性保持権 ………………… 543
当期純利益 …………………… 533
同値分割法 …………………… 236
到着順方式 …………………… 132
動的リンク …………………… 219
ドキュメントレビュー法 …… 462
特性要因図（フィッシュボーン図）… 497
独占禁止法 …………………… 559
匿名加工情報 ………………… 554
独立性（Isolation）………… 336
特許権 ………………………… 544
ドット ………………………… 63
トップダウンテスト ………… 237
ドメイン名 …………………… 379
ドライバ ……………………… 237
ドライブバイダウンロード攻撃 … 411
トラック ……………………… 98
トランザクション …………… 336
トランスポート層 ……… 359, 367
トレーサビリティシステム … 506
トレンドチャート …………… 452
トロイの木馬 ………………… 422

な行

内部統制 ……………………… 467
内部割込み …………………… 134
流れ図（フローチャート）…… 247

なりすまし ……………………… 412
ナレッジマネジメント …………… 484
ニッチ戦略 ……………………… 478
入出力インタフェース …………… 93
入出力割込み …………………… 134
入力装置 ………………………… 85
認証局 (CA) …………………… 430
根 (ルート) …………………… 266
ネットワークアドレス …………… 388
ネットワークインタフェース層 … 367
ネットワーク型データベース …… 301
ネットワーク層 ………………… 359
ネットワーク部 ………………… 385
ノンプリエンティブ方式 ………… 132

は行

葉 ………………………………… 266
バーチャルサービスデスク ……… 457
ハードウェア …………………… 84
バイオメトリクス認証 (生体認証) … 437
排他制御 ………………………… 337
排他的論理和 …………………… 49
バイト …………………………… 27
パイプライン処理 ……………… 120
ハイブリッドクラウド …………… 489
配列 ……………………………… 252
ハウジングサービス …………… 488
パケット交換方式 ……………… 352
パケットフィルタリング ………… 439
パス ……………………………… 146
バスタブ曲線 …………………… 186
パスワードリスト攻撃 …………… 409
派生クラス (サブクラス) ……… 226
パターンマッチング法 ………… 423
バックドア ……………………… 441
ハッシュ関数 …………………… 277
ハッシュ探索法 ………………… 277
ハッシュ値 ……………………… 277
バッチ処理 ……………………… 155
バッファ ………………………… 135
花形 ……………………………… 482
パブリッククラウド …………… 489
ハミング符号方式 ……………… 400
パラレルインタフェース ………… 94
バランススコアカード ………… 483
パリティ ………………………… 397
パリティチェック ……………… 397
バリューチェーン分析 ………… 483

ハルシネーション ……………… 521
パレート図 ……………………… 496
汎化 ……………………………… 225
半加算器 ………………………… 54
パンくずリスト ………………… 372
判定条件網羅 (分岐網羅) ……… 235
番兵 ……………………………… 274
汎用レジスタ …………………… 113
ヒープソート …………………… 288
非可逆圧縮 ……………………… 70
比較演算子 ……………………… 321
光ディスク ……………………… 98
非機能要件 ……………………… 193
ピクセル ………………………… 63
ビジネスアーキテクチャ ……… 505
ヒストグラム …………………… 494
ビッグデータ …………………… 521
ビット …………………………… 27
ビット誤り ……………………… 397
ビットマップフォント …………… 62
ヒット率 ………………………… 106
否定 ……………………………… 49
否定論理積 ……………………… 50
否定論理和 ……………………… 50
否認防止 ………………………… 405
ビヘイビア法 …………………… 424
秘密鍵 …………………………… 428
ビュー表 ………………………… 330
費用 ……………………………… 530
表 (テーブル) ………………… 305
標準化 …………………………… 561
標本化 …………………………… 74
ファイアウォール ……………… 438
ファイル ………………………… 145
ファイルレスマルウェア ………… 411
ファシリテータ ………………… 499
ファンクションポイント法 ……… 447
フィッシング …………………… 408
フールプルーフ ………………… 173
フェールセーフ ………………… 172
フェールソフト ………………… 173
フォールトアボイダンス ………… 172
フォールトトレラント …………… 172
フォローザサン ………………… 457
フォント ………………………… 62
複合条件網羅 …………………… 235
複製権 …………………………… 543
副問合せ ………………………… 330

符号化 ·················· 74
負債 ··················· 533
不正アクセス禁止法 ·········· 554
不正競争防止法 ············· 558
不正のトライアングル ········· 405
プッシュ ················ 258
物理層 ················· 359
物理的脅威 ··············· 413
浮動小数点表示 ············· 39
負の相関 ················ 494
プライベートIPアドレス ········ 380
プライベートクラウド ········· 489
プラズマディスプレイ ········· 90
ブラックボックステスト ········ 234
フラッシュメモリ ········· 98, 101
プリエンティブ方式 ·········· 132
ブリッジ ················ 362
フリップフロップ ··········· 104
ブルートフォース攻撃 ········· 411
プルダウンメニュー ·········· 210
プレゼンテーション層 ········· 359
ブロードキャストアドレス ······· 389
プロキシ ················ 440
プログラミング ········ 194, 216
プログラムカウンタ ·········· 113
プログラム言語 ············· 216
プログラム割込み ··········· 134
プロジェクト ·············· 446
プロジェクト組織 ··········· 473
プロジェクトマネージャ ········ 446
プロジェクトマネジメント ······· 446
プロセス ················ 130
プロセッサ ··············· 110
プロダクトライフサイクル ······· 482
ブロックチェーン ··········· 515
プロトコル ··············· 358
プロトタイピングモデル ········ 197
分解 ·················· 226
分散処理 ················ 155
分散データベース ··········· 346
分類 ·················· 519
ペアプログラミング ·········· 199
並列システム ·············· 185
ページアウト ·············· 141
ページイン ··············· 141
ページフォールト ··········· 141
ページング方式 ············· 141
ベクタ形式 ··············· 67

ペネトレーションテスト ········ 440
ベン図 ·················· 47
変数 ·················· 248
ベンチマーキング ··········· 469
ベンチマークテスト ·········· 179
変動費 ················· 531
変動費率 ················ 532
ポインタ ················ 261
包括的な特許クロスライセンス ···· 545
ポートスキャナ ············· 379
ポート番号 ··············· 378
保守性 ················· 183
補助記憶 ················ 97
補数表現 ················ 30
ホスティングサービス ········· 488
ホストコンピュータ ·········· 154
ホスト部 ················ 385
ホットスタンバイ方式 ········· 166
ボットネット ·············· 423
ホットプラグ機能 ··········· 94
ポップ ················· 258
ボトムアップテスト ·········· 237
ポリゴン ················ 77
ホワイトボックステスト ········ 234

ま行

マークアップ言語 ··········· 371
マーケットニッチ ··········· 478
マクロウイルス ············· 422
負け犬 ················· 482
マシンチェック割込み ········· 134
マトリックス組織 ··········· 473
マルウェア ··············· 422
マルチコアプロセッサ ········· 121
マルチタスク ·············· 133
マルチプログラミング ········· 133
マルチプロセッサシステム ······· 167
丸め誤差 ················ 43
ミドルウェア ·············· 127
ミラーリング ·············· 174
無限小数 ················ 26
無相関 ················· 494
命令部 ················· 113
命令網羅 ················ 235
命令レジスタ ·············· 113
メソッド ················ 223
メッセージダイジェス ········· 429
メモリ ·············· 85, 103

メモリリーク ……………… 141
モーションキャプチャ ………… 78
モーフィング ……………… 77
モジュール ………………… 212
モジュール強度 …………… 213
モジュール結合度 ………… 213
文字コード ………………… 60
モデル化 …………………… 202
モデレータ ………………… 243
モバイル通信サービス …… 353
問題管理 …………………… 456
問題児 ……………………… 482

や行

有機ELディスプレイ ……… 90
有限小数 …………………… 26
ユーザインタフェース …… 208
ユーザ認証 ………………… 435
ユーザビリティ …………… 208
ユースケース図 …………… 229
優先度方式（プライオリティ方式）…… 132
要素 ………………………… 253

ら行

ライトスルー方式 ………… 107
ライトバック方式 ………… 107
ラウンドロビン方式 ……… 132
ラジオボタン ……………… 210
ラスタ形式 ………………… 67
リアルタイム処理 ………… 155
利益 ………………………… 530
リグレッションテスト（退行テスト）…… 238
リスクアセスメント ……… 417
リスク回避 ………………… 418
リスク軽減 ………………… 418
リスクコントロール ……… 418
リスク転移 ………………… 418
リスクファイナンシング … 418
リスク保有 ………………… 418
リスト構造 ………………… 261
リバースエンジニアリング … 220
リバースブルートフォース攻撃 … 411
リピータ …………………… 361
リファクタリング ………… 199
リフレッシュ ……………… 104
量子化 ……………………… 74
リレーションシップ ……… 204
リンカ ……………………… 219

リンク ……………………… 219
ルータ ……………………… 362
ルートディレクトリ ……… 146
ループバックアドレス …… 380
レイヤ3スイッチ ………… 362
レーザプリンタ …………… 91
レーダチャート …………… 497
レジスタ …………………… 113
レスポンスタイム ………… 179
列（フィールド）………… 305
レビュー …………………… 242
連関図法 …………………… 499
連結リスト ………………… 261
労働者派遣契約 …………… 549
労働者派遣法 ……………… 549
ローカルサービスデスク … 457
ローダ ……………………… 219
ロード ……………………… 219
ロールバック ……………… 339
ロールフォワード ………… 339
ログファイル（ジャーナルファイル）… 339
ロック ……………………… 337
ロックの粒度 ……………… 338
ロングテール ……………… 514
論理演算 …………………… 47
論理演算子 ………………… 321
論理回路 …………………… 47
論理シフト ………………… 34
論理積 ……………………… 49
論理和 ……………………… 48

わ行

ワークシェアリング ……… 549
ワーム型ウイルス ………… 423
ワイヤレスインタフェース … 94
ワイルドカード …………… 322
割込み処理 ………………… 134
割れ窓理論 ………………… 406

著者 五十嵐 順子(いがらし・じゅんこ)

兵庫県生まれ。神戸大学国際文化学部卒業後、NTTコムウェアに入社。落ちこぼれの新人時代を経て、女性では珍しいITインフラ系技術者として活躍。多数のPJ経験後、異業種のベンチャー企業へ転職しシステム部門トップを務める。現在は独立し、企業研修を中心に人材育成に携わる。民間企業、自治体など幅広い業界で、のべ3万人以上の育成に携わり、これまでの登壇数は1,900を超える。著書に『かんたん合格 基本情報技術者 教科書』(インプレス刊)、『いちばんやさしいネットワークの本』(技術評論社刊)、動画教材に『職場で困ったときも怖くない！ 自分で解決する力を身につけるための事例で学ぶIT入門講座』『配属前に知っておこう！職場で活用するために学んでおきたいMicrosoft Office入門講座』(Udemy) などがある。

STAFF

カバーデザイン	山之口 正和 (OKIKATA)
本文デザイン・DTP	リブロワークス・デザイン室
本文イラスト	神林 美生
カバー制作	鈴木 薫
校正協力	株式会社トップスタジオ
編集	リブロワークス
	畑中 二四
編集長	玉巻 秀雄

［令和7年度］
基本情報技術者 超効率の教科書+よく出る問題集

2024 年 11 月 21 日　初版発行

著　者　五十嵐 順子

発行人　高橋 隆志

編集人　藤井 貴志

発行所　株式会社インプレス
　　　　〒 101-0051 東京都千代田区神田神保町一丁目 105 番地
　　　　ホームページ　https://book.impress.co.jp/

印刷所　日経印刷株式会社

ISBN978-4-295-02058-5　C3055

Printed in Japan